六經皆文

——經學史／文學史

龔鵬程 著

臺灣學生書局印行

自序

在寫這篇文章時，我剛好見到公寓的樓梯門口貼著一張兒童讀經班的招生傳單。兒童讀經，這個活動或運動，在臺灣已經發展得極為普遍了。之所以著重於兒童，道理很簡單：大一點的青少年，在他們的語文教材或公民與道德教材中，經典的材料本已不少，國中就有《論語》，高中還有《中國文化基本教材》，內容即是《四書》。因此兒童讀經，無非讓小孩提早一點接觸那些他們將來都會讀到的東西，培養些熟悉感，而且避免在考試升學的境況下才與聖賢言語邂逅會適應不良。部分替代了兒童唱遊活動的讀經，當然也比一般玩遊戲式的唱遊更具意義。

近年此種讀經活動在大陸開展，情況顯然又有所不同。據國際儒學聯合會二〇〇七年第六期工作通報說：自一九八九年迄今，參加中華古詩文經典誦讀工程者，已達六百萬人，加上其他途徑在青少年中普及的人數則超過一千萬人。在這一千萬人背後，至少還有二千多萬家長和教師。因此情勢看來十分蓬勃。不過，因大陸在中學教育體系中並未安排經典課程，故須讀經者本不限於兒童，又因比臺灣有更強的延續傳統文化之意蘊，故而引起的爭議也比臺灣激烈。二〇〇六年華東師大出版胡曉明編《讀經：啟蒙還是愚昧》，即可見其爭議之一斑。

但無論如何，讀經在現在引起的爭議，比起從前，實在是太小了。錢基博曾描述他們家鄉無錫，在民國十七年時，一私立小學校長在課餘教學生誦讀《孝經》，其校中教員竟向市黨部教育局檢舉，說該校長是反革命。民國二十一年他去上海開高等教育問題討論會時，提案尊孔讀經，也大遭揶揄（《教育雜誌》，25卷5號，1935）。這類現象，顯示了當時自命開明的人士大抵均是反對讀經的。縱使是一些研究經學的學者，例如後來註解《經學歷史》的周予同，也大力稱讚蔡元培擔任教育部長時之廢除讀經，認為現代根本無讀經的必要。這種氣氛，到後來越演越烈，至文革時期而達高峰。批孔揚秦，雖說是政治力量的操作，可是社會主流意識恐怕也有非批孔斥經不足以強國的心態與之配合吧！

如今時勢氣運似已剝極而復，讀經雖仍有若干爭議，畢竟實際上讀了的人已然不少。而在學界中，經學研究也漸取得了正當性。例如臺灣中央研究院文哲所中即有經學組，大陸雖無此建制，在學科分類中也還沒有經學這個學門，但自二〇〇三年我代表佛光大學，與中研院、北京清華大學合辦第一屆經學研討會以來，這類研討亦已漸漸蔚為新興學術論域，參與者頗不在少數。大型文獻集編，例如《儒藏》工程，當然也推動了這個趨勢。

這是整體時代意見氣候的大概狀況。讀者看到這兒，或者已猜到底下我將接著說明我個人的經學研究及我這本書在這個環境或趨勢中的位置。

然而不是的。我做學問，獨來獨往，與潮流未必有關。少年時期，偶得父兄師保之教導，讀了點經書。但既與兒童讀經運動性質不同，彼時亦無此運動；對於那個時代到底如何反對尊孔讀經，我更是漠然無知。只是老師教習過，我也喜歡，便摸索著找相關的書來看。記得小學五年級時去書店買一本《易本義》，店員還認為我胡鬧，不可能看得懂，不肯賣給我呢！可是那時我早已知道各書肆中其實大部分經學著述都有得買了，正式學校體制及主流意識型態雖仍陷溺在五四新文化思潮與現代化觀念中，民間文化工作者卻對刊印傳布傳統經史十分熱心，因此在書肆中遊走，從《幼學瓊林》，到《十三經注疏》，幾乎什麼都可以看得到。

我正式讀經，只跟小學三年級的導師黃燦如先生讀了幾年，其他大約就是如此東摸摸西看看。經學的家法師法，雖不盡瞭然，但優遊博涉於其中，感覺是極親切極愉快的。後來我看見許多人談起讀經，都覺得那是件非常困難非常嚴肅的事，好像非打熬起十二分氣力、非有絕大願力不能從事，尤其不適合少年人心性，非箠楚督責之不能讓人終卷，皆大不以為然，因為實在與我自己的閱讀經驗相去甚遠。

依我自己的經驗去推想，傳統讀書人以經書為其基本文化滋養，應該也是極自然極平易的。

入大學以後，因受章太炎、劉師培、康有為、馬一浮、熊十力諸先生之影響，很花了些時間治經學。大三寫《古學微論》、碩士論文作《孔穎達周易正義研究》，也都涉及了經學史的重構問題。我久不滿於皮錫瑞之《經學歷史》，覺馬宗霍等人之經學史亦僅為經學著述史而已，且局限於清代經學的框架，以漢學為矩矱，不能見經學之全體大用。故當時頗欲考經學成立之源、辨魏晉南北朝隋唐之變，以為爾後論宋元明清經學流嬗之先導，弄得自己很有些小經生硜硜然的味道。

但我讀經的經驗，終究使我無法做一名專業治經者。治經成為專業，其實是乾嘉樸學典範下描述的歷史及它影響的結果。可是現代化的學科分化與學術分工，又對經學做為一種專業產生了質疑，覺得經學還是太籠統含混，裡邊什麼都有，所以應該再予切割分化，把它分入史學、社會學、文學、倫理學或什麼什麼學科中去。如此拆解下來，經便只成了材料，經學也不成其為學了。要對治這種專業性分化，講經學的朋友乃不得不強調經學本身即是一完整而獨立之學科，也將經學研究專業化，以對抗現代學術的專業分工。於是，這就又接合到乾嘉的經學觀，出現了較專業的治經者。

我讀經，以優遊博涉為主，認為經書是傳統中國人的基本文化滋養，故經典本身固須考論，經典做為文化土壤，它滋養生成了什麼也很重要，應予關注。而且這話也不是這個重要那個也重要的兼顧式及開拓式講法，而是與專業治經有本質之異的。

專業經生，是以語言訓詁、文獻考證去確定經文之本義正解，還其本來面貌。經書文字被當成是歷史性的存在，故能以考察當時語言文字、典章制度、社會狀況去復原。乾嘉樸學之治經，後來發展為章學誠所謂的「六經皆史」，經學終於漸漸成為史學，成為如章太炎所說：「說經者所以存古，非以是適今也」，均與此認識及方法有關。

我的想法也是歷史性的，但是是不一樣的歷史。我所指的歷史性，重點在於流變，是太史公云述史所以究古今之變的那種歷史性。故經之本義正解未必重要，我亦未必知，或者我根本就覺得那些未必可知。反對讀經的人，每舉王國維「以弟之愚暗，於《書》所不能解者殆十之五，於《詩》亦十之一二」（《觀堂集林》卷 1，

〈與友人論詩書中成語〉）之說，以表示經書難曉。其實難曉有什麼關係？王國維說他對經書還有許多不懂的，實則他自以為已懂的，又真即是本義正解嗎？但就算解錯了又怎麼樣？本義正解不可知，所可知者，僅慕道向義者彷彿測度之言而已。慕道向義之人，累代不絕，各自讀經，各自領受。飲河滿腹，巢林一枝，隨分契會，遂皆歡喜贊嘆而去。其說經也，亦自道其理會耳。一時有一時之感會，一地有一地之受用，治經學史者，固宜觀其異同而審其流變焉。

如此，一就不會再看重乾嘉所提倡的那套治經法。二亦不會再如皮錫瑞等人論經學史，以漢為盛、以魏晉南北朝隋唐宋明為中衰；認為歷代都從經典找到了面對其時代問題的方法，故其解經各有重點，風格各異。三則不會如章太炎那樣，覺得說經只是存古，不足以適今。經學在每個時代都是活的，每個時代的經學都是該時代人「適今」的結果。對歷史的詮釋，與他們面對時代的行動，乃是合為一體的。故我們今日治經讀經，也不純是學究或考古，而是可與我們存活在當代的生命相鼓盪，以激揚生發出一些東西，來面對我們的時代的。古代人由其經學土壤中生長出許多他們那一代的學問，不也即是如此嗎？

我自己如何從經學中激揚生發一些東西出來，另文再說，茲先說古人。因為專業治經者既為專業，因此他們研究經學時眼光便也只集中在古代那些專業經生上，縱使人家本來不是專業經師，亦仍想辦法要把它塑造成一付經生模樣。例如惠棟，號稱吳派宗匠、乾嘉經學樸學之大師，篤守漢儒法度。如斯云云，豈遂能知惠棟乎？惠棟除講經學外，曾花大氣力注解王漁洋詩、注《太上感應篇》。這些詩與通俗因果報應書，在惠棟生命中居什麼地位，與其經學又有何關係，專業經學家是視而不見或根本未及注意到的。吳皖之後的汪中、焦循、淩廷堪，博學於文、游藝使才，明明屬於博學型文人，可是在專業經學家的塑造下，竟變成了「繼承乾嘉樸學的揚州學派」。而之後的常州學者，據龔定庵描述是：「人人妙擅小樂府，爾雅哀怨聲能遒」。可是專業經學研究者也懶得過問他們的詞學，只就其經學著作去考論。凡此之類事例，都說明了專業化的經學研究要不就是扭曲，要不就是割裂，對於公羊經學與詞的關係這一類問題，大抵也不感興趣或無力窮究。

順著這樣的觀察，我們還可以發現：專業經師這個說法，本身就是種特殊的歷史建構。乾嘉樸學的功績之一，正在於此。在宋代明代，其理學不就是經學的一種型態嗎？如朱子之論性理、論太極，本於《禮》《易》，他除注《四書》之外，也注《詩》《易》，蔡沈的《書集傳》也本於他，朱學一派何嘗獨尊《四書》而棄五經？何況，從義理上，朱子會認為五經與《四書》是兩條路嗎？他所體會的天理，難道又不是從經典上來的嗎？還有，所謂四書，不就只是十三經中的一部分嗎？朱子他們治經，而從其中體認出天理心性等等，乃是他們那一代經學的特色。朱學如此，陽明學呢？寫至此，恰有友人寄了韓國陽明學者鄭齊斗的《霞谷集》來，翻開卷十七《經學集錄》，講的是什麼？上編：天之道、道之用、道之體、性之德、性之道、達道達德；中編：性命一理、物我一性、事物止一、一貫大小、本來一理、博約為仁、大中時中；下編：知能、知行、精一、明誠、誠道合、忠恕、修己安人、仁一體。可見當時人論這些知行誠仁問題時，本自認為即是經學。清初人反對宋明，認為經被宋明人講岔了，所以要重新講經學。可是他們為了強調自己才是真正的經學家，自己才擁有了解經典本義的方法，竟把經學與理學切割開來，把理學說得好像就不是經學似的，豈非大悖於歷史真相乎？

同樣被割裂的，還有文學。唐代經學的型態，當然會跟漢代不同，古文運動所希望達到的「文與道俱」境界，其道就本於聖賢之經。因此其經學見解未必見諸著述，特別是不見得仍以漢儒式的箋注出之，而常表現於其文章。元明以後，經義之討論與闡發，進一步與文學結合，體現於科舉制義中。乾嘉諸儒也反對這些做法，痛斥制義及評點講章，認為此皆為作文而生，非治經者所宜。因此他們的治經成果，或採漢儒箋注方式，或為一條一條的，根本不成文章。早在漢代，王充就曾批評當時經生的毛病在於不會寫文章。現在，清儒則大力宏闡這種不成文章的表達方式，以自別於用文章來表達經義的那一路數，斥其為說經之蟊賊，又豈不可笑？

對於這些問題，此處不好談太多，總之是乾嘉以來逐漸定型的經學觀或經學史觀，確實已該修正修正了。

本書即是這種修正工作的一個發端。書名六經皆文，是相對於章學誠的「六經皆史」而說。六經皆史，乃章氏為消解乾嘉樸學經學之勢而提出的一套講法，謂六經皆古代官史，掌於公府，春秋以後才有私人著述。彼欲以此尊周公、黜孔子、崇公棄私，夷經學而為史學。我無此雄心，也不贊成他那套迂古的歷史觀，故我說六經皆文，並不遠徵於上古，只從中世講起。上古文道合一，從本原上說六經皆文，我在《文化符號學》中早已談得多了，所以也不須再講。中世則是文與道已分的時代，經史子集在漢代逐漸開始分家，至魏晉南北朝而確定。可是渾沌鑿破後，人們又蘄其相合，於是才有劉勰的宗經徵聖、才有北魏隋代摹仿《尚書》的文風、才有唐代儒者想結合文與道的努力。此一動向，不僅使得宋元明清科舉考試均採取了以文章來闡述經義的型態，也使文學寫作以六經為典範；同時，以讀經為閱讀之基本模型而發展出來的讀法、條例，寖假也成為一般文學審美閱讀的基本方法（我稱此為細部批評）。

在這個動向中，經學與文學是兩相穿透的，不是某方影響另一方或互相影響那麼簡單。如文學中論詩，皆推原於《詩經》，詩經學裡正變、比興、美刺等觀念，及具體詩篇的美學表現，無一不影響著詩人的創作。可是文學家對《詩經》的理解，同樣又刺激著研究《詩經》者，使得解詩時越來越重視其文學性。而這種文學性的《詩經》解說，當然更會跟詩家論詩相乎相發。我在〈文學詩經學〉一篇中曾以清朝詩話為例，描述了這個動態的關係，推輪大輅，其餘不難隅反。

要觀察這一類動向，我們才能明白現今通行的經學史框架不但空洞而且頗有誤導之嫌。文學史也一樣。文學史的基本立場是反漢儒反經學，以說魏晉的審美自覺。唐代以後，雖以古文史觀籠罩一切，令人不知駢文才是通行文體，但論古文時局限於以文論文，對於文道關係很少討論。治文學史者普遍又對經義、對宋明理學茫然無知，所以除了把八股文亂罵一通外，大抵皆視若無睹，亦罕能涉及詩詞文章文學批評與經學關係的抉發。因此，我這些論析，對反省文學史框架，或許也有一定的意義。

近年世道日壞，學風也愈來愈壞，論文寫作漸成知識產業中批量生產的商品，講究規格化、數量化、標準化，產品還要分級。學者則以承攬業務、包發工程鳴高。結果是 SSCI、CSSCI 等唉唉不絕。期刊分級、教授分等，學校以茲為指標，國家以此投資助。看來一片欣欣向榮，猗歟盛哉，其實是每年製造若干萬噸學術垃圾，許多基本問題卻閑置著沒人願意去碰；大家勤於放焰火，而少人從事埋水管的工作。我對此風氣，當然是不滿的。但世風如此，旁人自然也未必瞧我順眼，以上云云，或許還要大遭主流文學史家、經學史家之詬誶呢！然此亦何傷？吾將自論經史文章於廣漠之野、逍遙之鄉也。

歲在丁亥，立秋，寫於臺北龍坡里雲起樓

六經皆文

——經學史／文學史

目　次

壹、經學如何變成文學？

一、經學的文學化

論經學與文學之關係，最重要也是最早的，當推《文心雕龍·宗經篇》。在此之前，固然也或有零星泛說，但均不如劉勰如此明建旗鼓，揭出宗經的旂號，而且講得如此系統明晰。此固因劉氏本人效法孔子，有序志徵聖之立場使然，但亦有其時代因素。

魏晉南北朝，經學開始與文學分立，然後又與史學分立，四部經、史、子、集的分類體系即形成於這樣一種大環境中。在此之前，經與史與文固未嘗分也，何必來談兩者的「關係」？在此之後，經與文已分，才有劉勰一類人出來提醒文學家：不可忘了經，文章仍應宗經，欲以此矯當世文風之弊。

因此宗經之說，首先就從源頭上說經乃文學之源，一切文體皆源於經：「論、說、辭、序，則《易》統其首；詔、策、章、奏，則《書》發其源；賦、頌、歌、贊，則《詩》立其本；銘、誄、箴、祝，則《禮》總其端；紀、傳、銘、檄，則《春秋》為其根」。其次，又說六經不但是源頭，且是最高的典範，因此後世創作，皆不能出其範圍，也應該以它為極則：「義既極乎性情，辭亦匠於文理，故能開蒙養正，昭明有融」、「並窮高以樹表，極遠以啟疆，所以百家騰躍，終入環中」。

最末，則說宗經的好處：「文能宗經，體有六義：一則情深而不詭；二則風清而不雜；三則事信而不誕；四則義直而不回；五則體約而不蕪；六則文麗而不淫。」這六項好處，其實也就是六經本身「極文章之骨髓」所表現出來的優點。文人若不能體會這些優點並學習之，便糟了：「建言修辭，鮮克宗經，是以楚豔漢侈，流弊不還。正末歸本，不其懿歟！」

劉勰之後，想改革文風的，往往就採這一套宗經徵聖的辦法。最有名的，一是北朝後期隋代初期，蘇綽等人所提倡的文風，摹仿《尚書》，以矯浮靡；二是唐代中葉古文運動諸家，上追秦漢，以懲流俗。

這種文學家的宗經，與經學家頗不相同。經學家治經，重在義理，想闡發經典之所以是「恆久之至道，不刊之鴻教」的緣故，文學家研究經典，則重在闡明其文學性，然後看看能怎麼作用在自己的文學創作上。

(一)經爲文用

先說後者。文學家治經，欲令其有益於文學寫作，一種方法是以經為詩料。這是唐、宋以降編類書時常見的情況，且不乏經學家參與。如清江永就有《四書典林》三十卷，分天文、時令、地理、人倫、性情、身體、人事、人品、王侯、國邑、官職、庶民、政事、文學、禮制、祭祀、衣服、飲食、宮室、器用、樂律、武備、喪紀、珍寶、庶物、雜語諸部，凡七百三十多題，引用書目百六十二種，體例模仿《北堂書鈔》。倫明在《續修四庫全書總目提要》中稱該書：「援引必確，排次不苟，可為類書之式，並足供詞家之采穫」。江永還另有補作，名《四書古人典林》十二卷，乃其絕筆。這是為文學寫作提供典故參考，以供獺祭的。類似的專著還有如明蔡清《四書圖史合考》二十卷、明陳許廷《春秋左傳典略》十二卷等。

另一種是由經典中尋章摘句，以備採摭的。此法其實就是詩評家的摘句，歷來評文亦有此法，如林鉞之《漢雋》、蘇易簡之《文選雙字類要》都是。宋胡元質《左氏摘奇》十二卷亦屬此種。胡氏別有《西漢字類》五卷，此書則摘經傳中字句古雅新奇者，彙為一編，再在文句下兼採杜預集解，略加詮釋。元吳伯秀《左傳蒙求》一卷，也是這類做法。摘錄左氏精句麗辭，既供品藻，又可讓作文者「稟經以制式，酌雅以富言」。清高士奇的《左穎》六卷亦然。採輯《左傳》中單文隻字，環麗警異，足備詩文之用，取名左穎，自謂取其「詞旨古奧，如刀之有環、禾之有秀穗也」。陳廷序則說：「字句在書，渾渾耳，噩噩耳，忽擷之以出，殆猶錐之脫穎者然，故直名之曰穎也」。換言之，摘選出這些句字來，本身就是以一種文學眼光去對經典文字做處理的行動。

處理幅度更大的，是另一種。如宋徐晉卿《春秋左傳類對賦》。以左氏記事有事同而辭異者、有事異而辭同者，錯綜變化，而二百四十二年年間，盟會征伐、朝聘燕饗，事亦極為繁賾，學者不易貫通，故賅括其意，寫成此賦。凡一百五十韻，一萬五千字，絲牽繩聯，比事對仗。雖說是為初學者誦習之便而作，但可視為是以文學體裁來改寫經典。

此賦，論者謂其「欲錯綜名迹，原始要終，則簡其句以包之；欲按其典實，則表其年以證之；欲循其格式，故比其類以對之。屬辭比事，釐然不紊。」（張壽林《續四庫全書總目提要》）但每句下只注年而不注事，學者不易考察，故清高士奇又有注釋。在每句之下排比傳文，標識端委，逐句為解。

甘紱《四書類典賦》二十四卷，也是這類東西。另有黃中《詩傳蒙求分韻》，自序云：「喜讀《毛傳》，取義類對偶之合者，裒集之。……並摭拾《左傳》精句，錯綜參互，彙成一編。」此書分上下平三十韻，每韻各為四言對偶若干聯，並在每句之下分別注其出處，並略加注釋。

張國華《四書分類集對》亦屬此類。彙輯四書句作聯語，凡帝德、內閣六部、寺院、神祇、名賢、古蹟、三教九流各事務都有，奇思耦合，斐然成章。他又有《麟經依韻集句》、《曲禮集句》等，體例也差不多。

又王繩曾《春秋經傳類聯》三十二卷，序說：「嘗怪《黃氏日抄》所採左氏警句，僅得數行，掛一漏萬，覽者病焉。及見經解中宋徐秘書晉卿《春秋經傳類對賦》，凡一百五十韻，其於十二公、二百四十二年之事，亦約略備矣。然而拘於聲韻，選字難工，事弗類從，猶如野戰；龐雜之病，更甚於掛漏。茲分類彙集，剪其雋語，聯為駢體，以便記誦。」屈作梅補注，十分稱道它的「組織之工、屬對之巧，爛然如天孫雲錦，非復人間之機杼。」

同類之例，還有劉齊先《字湖軒續左比事》。該書取左氏事類，排比為對偶文章，張壽林曰：「是編之作，……比事屬辭，以為修辭之用也。稽其所對，以四言為多，六七言次之。對文工整樸實，不改字以違經，無飾詞而背理，是其足饜人意者」，也仍是就其文學性說。蓋此類作品，都是把經書改寫為文學的做法，把原先用在詩文上的集句、集聯方法，擴及經典，或者屬對成章，成為賦篇。

清華嶸《勿自棄軒遺稿》中的經義條比四十條，則略似連珠體。俞樾也有《左傳連珠》一卷，自序云：「《宋史・藝文志》所載春秋賦，有崔昇、裴元輔諸家，今皆未之見，獨徐晉卿〈春秋類對賦〉一卷，刻入《通志堂經解》。其賦數聯一韻，而不求事之相類。……未知〈宋志〉所載崔昇〈春秋分門屬對賦〉其體例何如？余謂只取兩事之相類，則不宜作賦，而以連珠為宜。……因作《左傳連珠》一卷，如陸士衡演連珠之數」。凡五十篇，取《左傳》中盟會征伐、朝聘燕饗，以及卿大夫言行，兩事相類者，演為連珠，庸次比耦，配儷工妙。該書各篇之下均未標注年月及出典，且將兩事由經文脈絡中摘出作對，與經義並不相關。故非解經之作，乃是一種以經典所載事類為材料的文學創作，也可供文家採摭，或令後學了解運用典故之方法。

這樣的書，對文士作文之有幫助，自不待言。古代的例子不好實指，眼前的事倒可以說一個：俞樾《左傳連珠》，講明了是為孫兒俞陛雲作，其孫得此教誨，後來果然在文事上大有表現。俞樾是道光三十年二甲第十九名進士，俞陛雲為光緒二十四年一甲第三名，也就是俗稱的「探花」，在科名上突過乃祖，顯示他在制義方面工力不弱。有筆記上說，俞樾晚年筆墨每由陛雲代筆。事雖不可考，但俞陛雲自己確實著有《詩境淺說》、《樂靜詞》等。連珠一體，少承曲園老人指授，料亦精能，不過沒什麼文獻留下來。倒是以連珠教小孩子練習寫文章，可能已成俞氏家傳之教學法，故俞陛雲之子，即大名鼎鼎之俞平伯，雖是新文學名家，出版過新詩集《冬夜》《西還》、雜文集《雜拌兒》等，但在他《燕郊集》裡就收了一篇〈演連珠〉，抄兩段，以徵其家學：

> 蓋聞十步之內，必有芳草；千里之行，始於足下。是以臨淵羨魚，不如歸而結網。蓋聞富則易治，貧則難治。是以凶年饑歲，下民無畏死之心。飽食暖衣，君子有懷刑之懼。……
>
> 蓋聞思無不周，雖遠必察。情有獨鍾，雖近猶迷。是以高山景行，人懷仰止之心。金闕銀宮，或作溯洄之夢。蓋聞遊子忘歸，覺九天之尚隘。勞人反本，知寸心之已寬。是以單枕閑憑，有如此夜。千秋長想，不似當年。

這就是連珠體在俞氏家族中傳承之證。文學家看經典，往往不脫本身之立場及需要，希望經典能對自己的文學寫作有幫助，從經典中學來的知識或本領，能直接作用於文事。俞氏一門的例子，就可以幫助我們了解這一態度。俞樾固然是著名的經師，但他與紀曉嵐袁枚一樣，也是文士氣很重的人，《春在堂隨筆》一類著作，便非純經生所能為。他還校改過《三俠五義》。另外，他並作過一卷《經義塾鈔》，也是課孫稿之類。因光緒二十七年詔廢時文，改用四書義、五經義，也就是回到宋人經義，不用後來出現的破題、接題、小講等名目，故俞樾擬作，以供童子作文參考。凡易三篇、書兩篇、詩二篇、禮二篇、春秋二篇、四書五篇。這是以文章說經義，既是說經，又是撰文了。

(二)文學解讀

以上綜合起來看，就是文家設法將經學用在文學創作上的一種路向。可是有體者才能有用，要把經典用於文學上，頂好經典本身就是文學，如此則為同類之相加相乘，非異類之搬挪搭套。這就是前面看到，經典往往還須經過文學性之改寫或處理的緣故，經處理過了才好用。此種處理，總目標，就是要闡明或彰顯經典的文學性。

例如明戴君恩有《繪孟》十四卷，倫明謂其書：「大旨仿蘇老泉批點《孟子》，於篇章字句，以提轉承接結合等法為之標明，但彼此不無小異。……蓋孟子本妙於文章，其精義妙道，即寄於變化錯綜之間，讀孟子者固不妨別開生面也。」說讀孟子者不妨於此別開生面，其實就是說這種以文章之美求諸《孟子》的辦法，非經學之正途，或起碼不是常蹊。因此所謂「孟子本妙於文章」，大約也不是那麼「本來」。在蘇老泉以前，正統的經注；在老泉以後，如朱熹的《集注》等，就都未曾以此視之。孟子且被目為傳道之儒，非文章之師。是到了蘇洵，才以文學之眼觀之的。

老泉此書不見得可靠，但明清間影響極大。戴君恩之外，如金聖嘆有《釋孟子》一卷，倫明說它：「大抵以尖刻之筆，曲為摹寫，妙義環出，令閱者解頤。惟於經義太疏。……小說家以文為戲，固不能繩以考據也。」可見也是文章家言。清康熙間汪有光《標孟》七卷、乾隆間趙承謨《孟子文評》、嘉慶間康濬《孟子文說》七卷、同治間王汝謙《孟子讀本》二卷等，亦皆屬於此類。趙書體仿蘇戴，冉瑾序，云其細針密縷，融會貫通，無不解之筍，無不彌之縫，離合斷續，脈絡分明。康氏書，則謂孟子是做成文字，問答或亦有因，但每篇主意結構，總是用意安排就的。竟認為《孟子》不是語錄而是「作文」了。王汝謙書，也是以作文之法評《孟子》的。其他類此之書，更僕難數，也就不一一舉示了。

前已說過，孟子在漢魏南北朝經學注疏中，均不以文章之美見重；唐代韓愈推尊孟子，仍是以道不以文。唯柳宗元自序其文，云「參之孟荀莊老以盡其變」，才算是由文章上採摭孟子；但如何「參之以盡其變」，仍不得其詳。宋代蘇洵批點《孟子》，固是依託，但蘇氏父子確是為文法效孟子較為具體的人物，無怪為後世所依託。洵贊歐陽修文，即以孟子、陸宣公、韓愈、李翺來相比擬，明顯是將之納入文學傳統中去看。當時司馬光與王安石書，亦稱其平日好老子、孟子。這不是從義理上「好」，而是從文章上說的，可見北宋已有此一種風氣。後世把這種闡發孟子文學性的作風，用偽託之「蘇洵批點《孟子》」來標示，也可說恰好點明了真相。

同樣的道理。《詩經》在現在，固然無人不以為是文學矣，然而在漢、唐，有多少人這樣看呢？即如劉勰之宗經，也是把《詩》與其他各經併稱，並不特別講，也就是並不特別認為它的文學性就最高。〈明詩篇〉由葛天氏、黃帝、堯、舜講起，只用兩句話講過雅頌四始，就接下去說秦之仙詩、漢之柏梁體了。《詩》雖被納入大範圍的詩歌傳統中去看，卻未針對《詩經》的文學性有何具體闡揚，反而仍在說：「詩者持人情性，三百之蔽，義歸無邪」這一類經學家言。真正開始由文學角度去看《詩經》的，也是在宋朝。

朱子說要把《詩》作詩讀（見《語類》卷八十），而且只當做是今人作的詩讀，便開文學詩經學一派。林希逸序嚴粲《詩緝》，則另推其源於呂東萊，說：「東萊呂氏始集百家所長，極意條理，頗見詩人趣味。……蓋詩於人學，自為一宗，筆墨蹊徑，或不可尋逐，非若他經。……鄭康成以三禮之學箋傳古詩，難論言外之旨矣。」明白道出文學詩經學不同於漢代箋傳詁經之法。明代戴君恩等人論《詩經》便是受此影響，何大掄《詩經主意默雷》凡例說得好：「詩家所貴，最取詞華，率俚無文，色澤安在？如只訓句訓字，則有舊時句解可參。」詩家之解《詩》，手眼和經生自是兩樣的。

其他經典，如《左傳》，歷來也是講史事、論義例而已，到唐代劉知幾才標舉《左傳》做為史文的典範。韓愈論文，也提到「《春秋》謹嚴，《左氏》浮夸」，浮夸相對於謹嚴來說，似若貶辭，但那是由史載事實、或道德判斷上說的；若就文章說，則浮夸也許還可以視為一種褒揚。文采之采，甚或文章之文，本意就是繁采雕縟的，所謂「物一無文」，又或如後世俗語所說：「文似看山不喜平」，浮夸至少與謹嚴一樣，可視為文章美的一種典型，如果它不勝於謹嚴的話。因此我們可以說《左傳》的文章美，在此時已被發現了。不過具體抉發，仍有待於宋賢。歐陽修《左傳節文》十五卷，與蘇洵批《孟子》一般，均是後人偽託，以奪風氣之始。厥後就是呂東萊《東萊博議》、及真德秀《文章正宗》一類東西，導引風潮，啟濬後昆，影響深遠。

呂氏書，是選取《左傳》中若干他覺得有關理亂得失的事件，疏而論之，成為一篇篇的議論文章。這種寫法雖非直接闡述《左傳》的文學性，可是對爾後科舉取士時考經義作文章的士子特具參考價值。楊鍾羲在《續四庫全書總目提要》中評王船山的《續春秋左氏傳博議》說：「此書詞勝於意，全如論體，多與《春秋》無關，與東萊之書略同」，講的就是這類書的特性，其實均不在詁經，而在作文。乃是藉史事以申論，論要如何論得精采、令文章得勢，才是重點所在，故楊氏批評此法：「非說經之正軌」。

然而在考經義的時代，此法不啻津梁。我猜呂氏作書時本來也就有為科舉應試者開一法門之意，猶如他另撰的一本《文章關鍵》說：「觀其標抹評釋，亦偶以是教學者，乃舉一反三之意。且後卷論策為多，又取便於科舉。」本書教人如何論經義，則尤便於科舉。依宋代制度考之，《春秋》之題，可於三傳解經處出之。至靖康時才改用正經出題。但因《春秋》本經可供出題處較少，大約僅七百餘條，州郡科考，頗易重複；故紹興五年又聽於三傳解經處相兼出題，乃出現合題之法，元明因之。呂東萊之《博議》，專就《左傳》發揮，猶存古風。然後世之擬題、破題、作論之法，仍不能不參考此書，這也是船山《續博議》所由作之故。

真德秀《文章正宗》則體例不同，是把《左傳》摘選成為一篇篇的文章，於是《左傳》就脫離了原有的編年史裁框架，成為文章了。這對後世影響更大，明代如汪南溟、孫月峰等都在此肆其身手，還有一大批附從者。如明惺知主人《左藻》三卷就自稱仿孫氏品評，自〈鄭伯克段於鄢〉到〈楚子西不懼吳〉，凡一百零一篇，附於十二公之下，以篇首一二句為標題，並對其敘事煩而不亂、淨而不腴的特色多所闡揚。又依汪氏說，分為敘事、議論、辭令三體。各體之中，又分能品、妙品、真品三等。清金聖嘆《唱經堂左傳釋》則只釋了〈鄭伯克段於鄢〉、〈周鄭始惡〉、〈宋公和卒〉

三篇，體例等於坊選古文，評介亦重在語脈字句之間。又劉繼莊《左傳快評》八卷，體同《左藻》，收文一〇五篇，句法古雋、敘事新異者，詳為之評。方苞《左傳義法舉要》一卷，舉城濮、韓之戰，邲、鄢陵及宋之盟，齊無知亂等篇，於其首尾開合、虛實詳略、順逆斷續之法，詳為之闡，以明義法；林紓《左傳擷華》二卷，選文八十三篇，逐篇評點，並細疏文章之法。……均屬於真氏之流裔。

像這樣著重闡發《左傳》文學性，甚或根本就以單篇文章來看待《左傳》的作風，還有元、明以後的大批評點。如編寫過《古文析義》的林雲銘，就另編過《春秋體注》三十卷。前者如真德秀一般，選了幾十篇《左傳》，當成單篇文章講其義法；後者就經文而參錄三傳，看起來像經解，而實亦只是講文法，與周熾《春秋體注大全合參》四卷相似。周書且就《春秋經文》中可做制義比合等題的地方，截其一二字為題目，一一為之破題。對經傳，也強調其作文之法。例如說「作春秋文第一要有斷制，如老吏斷獄，一定不移；第二要有波瀾，如剝蕉抽繭，逐層深入」等等。此雖為科舉應試者說法，但其法正是文章之法。

此類著作，著名者尚有王源《文章練要》。此書內容就是春秋三傳的評點，分為六宗、百家，以《左傳》為「六宗」之首，以公、穀為「百家」之首。後來《左傳》評本別刊，公、穀也刊為《公穀讀本》。不論全書，只就公、穀二傳選其情詞跌宕者，以經文為題，把傳當成據題目寫的文章，圈點評論其文法語脈，篇末還有總評。韓菼《批點春秋左傳綱目句解》亦屬此類。凡六卷，體例雖仿朱熹《綱目》，但以文章之法點評《左氏》，頗採孫月峰批本，每篇末尾所附總評，則多採呂東萊、孫月峰、茅鹿門、鍾惺等人之說。方苞也有《左氏評點》二卷，辭義精深處用紅筆、敘事奇變處用綠筆、脈絡相貫處用藍筆，又分坐點、坐角、坐圈三種，標示字法、句法。桐城另一位文家周大璋也有《左傳翼》三十八卷，張廷璐序，云其大旨存乎論文，則亦方苞之類也。

諸如此類，凡經傳皆可以文學之眼續之，發掘其文學美，即便是《大學》、《中庸》亦然。清許致和作《學庸總義》即是如此。甚至還有專就虛字論文的，如清丁守存《四書虛字講義》一卷，把《四書》裡面七十五個虛字找出，先引《說文》、《爾雅》等釋其音義，再就行文的委曲變化，說明如何用虛字暢達文章之精神脈理。這些書，實與詩文評語相輔翼，均可視為文學批評的資料，只可惜過去幾十年的人都不曉得這個道理罷了。

二、文學意義的構成

無論是文家以經典為材料，或在經典中尋章摘句以供採擇，或把經典拿來做對聯、作賦、作連珠，或以文學之眼去看經典，發掘經典的文學性，其實質，都是文學對經學的影響。可是說起來，卻彷彿是經典對文學發生了重大之影響。圈點批識的文家，在經典中看出了它的文學性，一轉而成為經典本身便具有高度的文學性、便是最高的典範，後世所有文學美均源於它、本於它。被詮釋活動建構的文學性，成了經典自身原即具有的屬性，也因此它對後世文學創作便具有了極高的指導與規範作用。

這種通過詮釋，建構傳統，以導引矯正當前之行動的辦法，乃是歷來復古思潮的基本邏輯。《文心雕龍·宗經》本來就體現著這樣的態度。故謂楚豔漢侈，流弊不返，欲令其正末歸本，乃倡宗經。北朝的蘇綽等人，走的也是復古之路，摹擬〈大誥〉，以矯正浮靡的文風。韓柳李翺等人的古文運動，更是復古的，所以把周秦文章拿來當作法效的典範，其中自然就包含了經傳。宋、明講經典之文學性，除了科舉考試等社會因素外，文學上的復古風氣也是一條理解它的線索。這其中除了秦漢派之外，也有唐宋派的茅坤等人，以八大家為圭臬。可是八大家本來也就融經鑄史，因此它也一樣要上溯於六經四子書。竟陵派，過去常被誤以為跟公安派都是反對摹法古人的，實則從他們大量評點經傳來看，殊為不然，亦屬於借著詮釋古人以說明自己，並以詮釋出來的傳統為未來發展之典範一路。

此種復古思潮，均是表面上看起來的恰好與它的實質相反。表面上，復古論都說古人怎麼怎麼好，我們該怎麼怎麼向他們學習，因此頗貽喪失個性、依傍門庭、優孟衣冠、古人僕隸之譏。可是實際上那個古人就是我。古人如何如何，既是由我之手眼發掘了的，古人已矣，他說的話，其實就都是我說的。我說古人如此如此，故吾人今後為文亦應如此如此，其真相，乃遂如康有為所說，是「託古改制」。凡欲改制者，輒託古昔。故評價此類復古論，往往不只應看他們託古的一面，還該注意他們欲圖改制的那一面：如何託古、想改革的又是什麼。在歷史上，復古論經常造成改革思潮，便是這個緣故。

其次，溯源經典，闡明其文學性的作為，還常表現出一種對法度的追求。如《文心雕龍》在才與學的問題上，雖然說：「才有天資，學始慎習」，看來才學兼舉；但接著說：「童子雕琢，必先雅製」，「才」就撇到一邊去了，只就學習雅製這一方面說：「摹體以定習，因性以練才。」（見〈體性篇〉）既要摹體、要雅製，怎能不宗經、不效法先德？唐代梁肅說：「文章高下，在於人才之厚薄」，才薄的人怎樣才能厚？「以《易》之精義、《詩》之雅訓、《春秋》之褒貶屬之詞，故其文寬而簡、直而婉，辯而不華，博厚而高明。」（〈常州刺史獨孤君集後序〉）主張以經養才，與劉勰主張以學練才，正相呼應。都認為寫文章光靠才氣是不夠的，還要法古、學古才行。

在這種思維底下，法度當然就會大獲重視。柳宗元教杜溫夫作文，說：「但見生用助字，不當律令。」律令，就是用語的規則法度。明人於此，大申其說。如李夢陽云：「文必有法式，然後中諧音度，如方圓之於規矩。」（《空同文集》卷六一）但規矩法度又從何而來？由前輩名家來。如詩，杜甫便是法度之典範或標準：「作詩必學杜。詩至杜子美，如至圓不能加規，至方不能加矩。」（〈四友齋叢說引〉）文章，五經、四子書、及諸子、《史記》等，也就是那個規範標準。我們看那些評點《左傳》、《四書》的著作，都用心在講明「文法」，便可明白法度的建立，與經典文學美的發現乃是二而一、一而二的事，兩者根本難以析分。必須透過對經典之文法的點明，才能替文章寫作建立起一套規範法則。

再者，泰奧多·德布爾（Theo de Boer）《胡塞爾思想的發展》曾區分兩種對象：「作為自然中的物，樹本身與如是被知覺的樹是不同的。後者是知覺的意義，不可分割地從屬於知覺。」（北京：三聯書局，1995，頁 423）前一個樹，是物理事物，後者是心理上感知之物。在胡塞爾現象學中，前者並不重要，例如物理事物我們一般都覺得它是實際存在的，有形狀、顏色、聲音或什麼，但純就物理上說，對象並不見得具備這些性質，那可能只是光波、或空氣振動所帶給我們的感覺罷了。就算物理事物確有某些性質，那些性質也不存在於我們心理主體中。故確切地說，沒有什麼聲音和顏色等等，只有看顏色者和聽聲音者。是聽者、看者知覺了它，它對我們來說才真正存在。因此，人的認知研究，應從外在物理世界的物，轉移到主體的意識結構中。所謂的對象，也要從物理的、外在的、客觀的那個東西，轉而指人在「意向性」中顯現的物，亦即被知覺的樹，而不是那自然世界中的樹。被知覺的樹，乃是一種意義的構造物。是在認識中形成的，形成它的同時也就構造了認識。胡塞爾稱此為「現象」。現象，據他在《現象學的觀念》中說：「在某種意義上為自我創造對象」。

忽然插上這一段大講胡塞爾現象學，跟經典的文學性解讀有什麼關係呢？當然。過去講經學與文學關聯的人，常以為那是種實在的關聯：《詩經》、《左傳》、《孟子》本身就是高妙的文學作品，因此後人由茲取法，沾溉靡窮。講經典具有文學性的人，也一再強調經典本身原即具有此一性質。但實際上，沒有「經典本身就具有文學性」這回事。一棵樹，在意向性所指中，可能被視為一條樑木，可能被視為一片可以納涼閑談的場地，因意識者所給予的意義不同，而顯示出不同的意義。因此，一部充滿文學意蘊的《詩經》、或什麼經典，乃是後人意義投射之創造物。在創造文學的《詩經》的同時，人們也同時構造了他們自己的意識內容。

胡塞爾談意向性時，著重說它乃是一種「意義的給予（giving of

sense）」，以文學美去闡揚經典的人，做的不就是意義之給予嗎？至於經典本身到底是什麼，這種「存在本身」的問題，在現象學中乃是被懸擱了的。覺得有意義的，不是存在本身，被知覺的存在及人存在的知覺，才至關緊要。

如此反本質的思路，強調現象為觀者意義給予之創造物，豈不是用主觀掩蓋了客觀存在物，變成「物物皆著我色彩」了嗎？胡塞爾卻也不是這個意思。他談的是人認識活動中的原理。人的認識活動，本來就沒有所謂客觀這回事。事物存在的本身，其實並不能知道。因此為它爭論，或辯難它究竟是什麼，非特徒耗氣力，抑且不可能。因此該研究的倒是人對物的認識，把存在物本身的問題暫時懸置，存而勿論。

其次，人認識物之所謂「意向性」活動，指的並不是我已有了一個主張、觀點、意見，便挐來套在物上。其所云之意義的給予，是就人與物相接時，人對此物形成的一種思維而說。亦即人與物產生關係時，我們內在思維有一種指向意義的意向性。由於這，我們才能認知到我們所認知之物。而把「物」認知成「這樣的物」的這個活動本身，同時也就是我們意義構成的過程。

也就是說：《詩經》、《左傳》等經典，在宋、明人看來，認知它是一文學作品，或是具有高度文學性之物，乃是因觀者在思維中有指向文學意義的意向性，使之看出一本文學的《詩經》、《左傳》或什麼。說他們只是「意向」，而不說他們用自己現成的文學觀去套，則是因論者文學意義的構成，正成就於他們認知、解讀這樣的《詩經》、《左傳》中。脫離了這種解讀，便無所謂意義。

這一方面可以說明：為何對經典文學性的闡明，一直採用批識圈點，帶著讀者一字一句去推敲去閱讀的方法，而少有直接講經典到底有什麼文學意義的。另一方面也可以說明這種解讀為何不是單向主觀的投射。因為唯有在與物相接時，意義才能在意識中構成，故它是雙向的；若無經典以及對經典之不斷解讀，便無法產生意義。我們文學研究界，素來有文學理論與實際批評之區分，好像「實際批評」只是一種理論或方法的應用，殊不知兩者其實難分。像歸有光、方苞的理論（例如「義法說」），講理論就只是一句空話，叫「言有序與言有物」。要知什麼是義法，仍只能由他們的評點解讀去看。後人學文章，也不是去讀《左傳》，而是讀歸、方、王源一類人的《左傳》解讀，此方為經學之文學性解讀的實況，乃論經學與文學之關係者所宜知者也。

三、現實對文學意義的構成

不過，意義的構成，也並不僅在知覺者詮釋者這一邊。道理非常簡單：一棵物理世界的樹，同時會有千千萬萬不同的人去看它，因此也就有千萬不同的被覺知的樹。可是這千萬不同的被感知之樹對人構成之感知內容，亦即其意義，卻在大體上相去並不遼遠，不會千差萬別。原因是人對物之思維，畢竟仍受物是什麼之制約。在現象學中被懸擱的「事物本身」，只是暫時懸擱、存而不論，並不能說事物本身就沒有、或雖有亦無作用。事實上，人的意向性不會無所緣，所緣之物，即與其意義的構成有關。若意向緣附於一性質上恰與其所欲構成意義相戾、或不甚相應之物，那個意義也常會建構不起來。

例如在明末經典文學化的浪潮中，以文學性看群經諸子，發掘其意義，可說是遍注群經諸子的。可是最終講文學的人仍集中於《詩經》、《左傳》、《四書》、《禮記》等少數幾本書上。五經中的《易》、《書》只徵引一部分，《周禮》、《儀禮》論者很少。諸子，《墨子》、《管子》也只有少數批點，《莊子》談的人最多，其次是《荀子》與《韓非》。史部則幾乎全集中在《史記》。為什麼？也許是因詮釋者對《周禮》《墨子》等書的意義開發做得還不夠好，故令人無法景從。但更可能是因《莊子》《左傳》等書本身確實較具有與文學意義相近、相緣、相合，甚或相符之原素，故易於構造那些文學意義吧！據此，我們便可說，意義的構成，還應考慮屬於事物的那一面。

屬於事物那一面的，並不只有書的問題，還有與書相關的歷史、社會，以及其他人看此書時的感知、所構造之各種意義，均會與我們看該物時的意向性會產生關聯，影響我們的感知與認識。如許多人都注意到了的：《四書》、《左傳》之文學性解說，與八股時文有扯不清的關係，科舉考試，顯然曾是影響經學文學化一個十分重要的制度。宋、明人會以文學之眼視經書，與這個制度頗有關涉。而無論用什麼眼光去看經書，文學解經畢竟仍是對經學立一種解釋，既是對經之解析詮究，自然又與歷來之經學脫不了干係，仍應屬於經學大傳統中之一支，或由茲發展而來。因此，那科舉制度或經學傳統如何促進或左右其意義之構成，自亦不能漠視。這是我們不能止於現象學所說之境，而須賡繼探求，更進一解的地方。

先說經學傳統。經學大傳統或其主流當然並不從文學的角度看經書，這在上文已說過了，因此主張文學解經者，基本都有些反叛經學正宗的意味。龔定庵詩：「經有家法夙所重，詩無達詁獨不用，我心即是四始心，泬寥再發姬公夢。」自謂本諸心源，不依經傳，文學家之態度往往如是。又，明末出版家閔齊伋說戴君恩《讀風臆評》：「千載陳言，一朝新徹」，也是這個意思，認為經學家老是用聖人微言大義、或治道理政的想法去講經文，把那些「本來」具有文學趣味、或原本就是文學的東西講得陳腐了。研究經學的人，則覺得治經而偏於文學，只是別調，並看不起他們。但在不講文學的經學傳統中，有沒有對文學研究影響深遠的東西呢？卻是有，而且有很多。這就不能只從它們的衝突關係去理解了。

例如漢代經學家解《詩經》，以《詩》為諫書，其旨趣與宋、明以後由文學角度說《詩》者距離不可謂不遠，然漢儒所說「賦比興」之分，或云〈關雎〉「樂而不淫、哀而不傷」等，論文學者，誰不受其影響？越重視文學性的人就越強調比興，越喜歡說溫柔敦厚、不訐露以為工，越愛講「風人之旨」，越喜運用「男女以寓忠愛」的技巧。而那些，原先均不是為解釋經書有文學性而被經師們提出來的。恰好相反，乃是為了解釋它們絕非歌咏私人感情，是具有治道理政之「非文學」宏旨才被提出。換言之，文學性解經，在文學品味上，其實深受經學傳統之牢籠。重視溫柔敦厚、含蓄、詩言志、比興之美，未超出經師們的《詩經》論述，以致其議論倒像換了個方式在替漢宋《詩經》訓詁箋釋之學做宣傳。其詳可見我〈以詩論詩：文學詩經學導論〉一文。

《左傳》方面，早在《禮記・經解篇》就說過：「屬辭比事，春秋教也」。講文學性《左傳》的人，也與講詩的人發揮「溫柔敦厚」詩教一樣，專從屬辭比事去發揮。陳振孫引洪興祖《春秋本旨》曰：「屬辭比事，春秋教也。學者獨求於義，則其失迂而鑿；獨求於例，則其失拘而淺。」洪興祖是注《楚辭》的人，其釋《春秋》，欲申其文學性，遂批評歷來解經者或獨求諸義、或獨求諸例，都不夠好。探討文學價值，乃因此成為發揚春秋「屬辭比事」之教的重要方法，且認為如此方能更好地了解《春秋》。

那被排斥的義例之學，與文學也一樣不會無關。我在〈論詩文之法〉一文中說過：文學創作，在超過任情而動、稱心而發的階段，開始要尋找方法與規則時，立法的思維，首先即朝向經學。因為經學代表「聖言量」，為一切意義的來源。連漢人在為世俗社會立法時，都要依據經典，所謂「以春秋斷獄」；為文學立法時，自然也會去《春秋》的書法中找仿擬。杜甫詩〈偶題〉曰：「後賢兼舊制，歷代各清規」，仇兆鰲注：「制，一作例，杜預〈左傳序〉：據舊例而發義。」仇氏的意思，即表明了文學家與《春秋》義例間的秘密，他們正是據舊例而發義的。

自劉勰以降，文家所說之體例、條例、凡例、格、法、式，皆由經學中衍來；論章法句法、題旨字法，也由「書法」的討論發展來。其詳亦可見我〈細部批評導論〉一文。

再看科舉制度的問題。古無科舉，人才靠察舉。察舉在西漢時就已開始考試，有明經、明律令等科。東漢孝廉也一樣要考經書章句，其後漸被明經代替而取消。魏晉並以九品中正法舉士。隋廢九品中正，設明經、進士二科，唐因之，雖增加了明字、明算等，但仍以明經與進士為主。二科都要考經義，進士有時要加考詩賦，但還是要問經義。到宋神宗時，廢了明經，只剩進士，但進士不考詩賦，只考經義，等於實質上的明經。不過，由於考經義並非填充、選擇題，而是作文題，自經書中出題，由考生申論其義，體例上固是經解，寫成的卻是一篇文章，所以經義與文采兩皆需要講究。這便形成了一種以文學來表達經義的型態。此一型態，唐代中期韓、柳等人本已提倡，宋、元以後越來越盛。

但是，唐代韓、柳等人提倡一種「文儒」的理想，欲以古文運動文以載道，後世科舉文章「經義」固然在精神方向上與之吻合，文章體式卻不是由古文發展來的。唐、宋的通行文體，乃是四六文，古文是逆反時俗的文字，在後世文學史詮釋中才逐漸取得了正宗的地位，在當時則不然。故經義文，也就是由宋四六發展而出的。後來經義通稱「八股」，亦由它具有這種駢文底子的因素來。以提二比（比起）、中二比（中比）、後二大比（後比）、東二小比（結比），合稱八比或八股。比和股，都很明顯指其對仗關係。對仗要工整、聲律要謹飭，乃這種文體之特徵。當然它不是嚴格的駢文，中間的出題與過接都可用散句，且一般也都用散句以疏其氣，但其他部分遣辭與命意輒形雙偶。例如題目若是「子曰」，破題在明萬曆以後規矩是兩句，比方可寫：「匹夫而為百世師，一言可為天下法」。這兩句其實就是個對仗，上句扣「子」字，下句扣「曰」字，底下承題，即依破題所破的這兩層意思發揮下去。進入本文後，所謂二比，仍是兩兩偕行交錯而進，如趙南星〈非其鬼而祭之，諂也〉一題，提二比是這樣寫的：

> 明於天地之性者，不可惑以神怪。斯人非獨可惑也，夫以求福之心勝，而用是以行其佞諛之計耳。

> 通於萬物之情者，不可罔以虛無。斯人非獨可罔也，夫亦窺利之志殷，而藉是以申其媚悅之術耳。

其他各比，大抵亦類此。故經義文雖說是「代聖立言」，說的可不是經書上那樣的言，而是一種四六形式的新文體，要在對仗與聲律中謹其尺度，因難見巧。文章的技術、立說之巧妙，均比一般文章更甚。古人曾比之為泥佛彩花，窮工極巧；李卓吾曾說它乃「古今至文」，都指明了它在文章技術上極盡工巧，所謂「範之規矩準繩以密其法律」，是很難的技藝。八股又稱制藝、時藝，那個藝字，就點明了它像雕佛像、紮紙花一樣，是一種高難度的文字技藝，千萬人鏤肝雕腎揣摩於其中，也未必能寫得好。

今人對八股，徒事詬厲，鄙棄不復道，誰也不會從文學性的角度去看這些精巧的技藝，對其文學性一無所知。又受古文史觀之影響，於唐宋只知有古文八大家，明代只知有宗唐宋之茅坤、唐順之、歸有光，與宗秦漢之七子，至清則知有桐城、陽湖、湘鄉派而已。唐宋駢文之流行，便已茫然，更何論乎八比制藝？在明清一段，通行的文學史、文學批評史，一般在講茅坤、歸有光、方苞等人時，常會談到他們的古文與時文之關係，謂彼等或以古文為時文，以時文為古文，許多人也就想像八股文大體類似古文，殊不知其體式頗異，是皆可笑者也。

這是經義文在文一方面的問題。在經義方面，此類文章既是為解經而作，宗旨便要闡明經義。一般人不重視這一層，以為不過是命題作文，所述又不脫朱熹《集注》，或明人所編《大全集》，義理上並無特點，也不會有太多自己的見解。其實此等文章要想打動考官，經義解不好、不出奇、不出采是不行的。

舉個例子。《論語》：「儀封人請見，曰：君子之至於斯也，吾未嘗不得見也。從者見之。出曰：二三子何患於喪乎？天下之無道也久矣，天將以夫子為木鐸。」朱注：「言亂極當治，天必將使夫子得位設教，不久失位也。封人一見夫子，而遽以是稱之，其所得於觀感之間者深矣。」重點在藉儀封人之贊嘆來稱揚孔子，說孔子必將得位設教。薛瑄的文章就不然，他把重點移到了儀封人身上，故破題說：「封人未見聖而思之切，既見聖而嘆之深。」朱注只重封人見孔子之後，他卻點出見前與見之後封人心理狀態的不同。結論則是：「噫！夫子生不遇於時，如儀封人者，亦可為傾蓋之交也」，不僅與朱子說天必將孔子得位設教不同，直言孔子終究不遇；且言儀封人是孔子不遇於時的一位知音，亦與朱注不同。薛敬軒本人宗程朱學，是明代王陽明未起之前的大儒，於《論語》義理精熟，固不在話下，然其不墨守朱注則如此，可見八比制義在解經方面並非無所建樹。

再舉一例。《論語》：吾十有五而志於學，三十而立云云那一段，朱注引程子說：「孔子生而知之也，言亦由學而至，所以勉進後人」，意謂孔子這段話，講的不是自己真正的進學次第，只是用來勉勵人的話。因為孔子是生而知之的，既生下來什麼都懂了，還用得著一步步學嗎？朱注說：「聖人生知安行，固無積累之漸」，便是此意。但歸有光的制義，破題就與朱注相反：「聖人所以至於道者，亦惟漸以至之也。」然後就指著朱注批評：「自天下待聖人過高，以為有絕德於天下，而不知夫聖人之所為孜孜而不已者，固吾人之事也」。裡面各階段進境之解釋，也有與朱注不同者，如

「六十而耳順」，朱注扣住耳字，說是「聲入心通，無所違逆」。歸有光則化掉耳字，說是：「理妙於中，而有以通乎外之所感。……感之者以天也，聽之者以天也，順於耳，而耳不得而與焉。」諸如此類，一般人沒見過八股文，便人云亦云，亂罵八股只是「恪遵傳註、體會語氣」，其實哪裡是這樣呢？歸有光別有《易經淵旨》、《尚書別解》等著作，於經學本非淺嘗者，梁章鉅《制義叢話》卷五且說他：「制舉業，湛深經術，卓然成大家」。可見經義文若想做得好，不只是文字技巧上的工夫，對經義本身就需有深入的掌握及特殊的識見。

唯此等經義理解又是與文事結合的，與從前人章句訓詁、或獨立說其義理不同。譬如講古書虛字，乾嘉樸學家是字法字義的解釋，用之於古籍考訂上。丁守存《四書虛字講義》講虛字，也一樣引《說文》、《爾雅》、《玉篇》、《廣韻》去解字，但解字之後，還要就虛字在行文上的作用，說其委曲變化；潘維城《虛字韻藪》，則在每個字底下羅列類典，供詞賦家采獵。這都與樸學式的作風不同。解經亦然。清汪鯉翔《四書題鏡》自序稱：「作文為講書表章，講書為作文根本，源流一貫。體認各題行文，即以行文各旨法說書，則說之曲折精微，與題之神脉口吻，無字不出，而道理、口氣兩無遺憾。」即表明了他們是通過把握文章的方式，去體會聖人道理與口氣的。體會了以後，又要用文章，而非訓詁注釋的方式來表達。因此，整個理解活動和表達活動均是文學性的。

科舉制度，本係政府掄才之典，並不為提倡文學而設；考經義，更不是為了文學。但此一制度卻在歷史發展中成就了文學性，形成了經典閱讀與說經方式的文學化。這就是現實事物對於經書文學意義的構成，曲折，但十分明確。

貳、唐朝中葉的文人經說

一、科舉策經的時代

唐代，通常被認為是經學不振的朝代。但造成這種印象的原因，恐怕不能不略做考察。

例如唐代滅亡後，宋人講道學，要上繼孔孟之統緒，不免就一筆抹煞了漢唐經說的價值。後來清儒反對宋學，遂提倡漢學以為抗衡，於是經學彷彿就成了漢代的專利，視為其時之學術表徵。六朝以迄隋唐之經學，既非漢又非宋，竟以此兩不討好，落得個中衰的惡評。而宋人論道統，本是受唐代古文運動所啟發的，但是，椎輪大輅，開創者的功績，在後繼者踵事增華的角度看，不免又嫌其簡曠，未極精微。古文運動諸家因文而明道，在宋代只強調道而不重視文的某些人看來，更屬於「倒學」之流，理當芟棄。如此這般，唐代經學，除《五經正義》因多存漢晉舊注，後來被吸收進了《十三經注疏》外，其餘經學著作並不受看重。年深歲久，那些經學著作，遂也逐漸散佚，使得唐代經學顯得更為寒傖。如柳宗元〈淩助教蓬屋題詩序〉謂：「儒者有蓬戶甕牖而自立者，河間淩士燮，窮討六籍，皆著述，而尤邃於春秋。」如今淩氏之著作，便已不可見，其餘類此者，尚不知有多少。後人見唐代經學著述流傳者少，就更相信唐代經學弗振，其實哪是如此的呢？

唐代經學的發展，有一個制度化的底子在托著它，情況就像漢代的博士學官制度。可是這個制度大家都忘了，那就是明經科考。

隋廢九品中正，設明經、進士二科取士。唐承隋制，並增設了明法、明字、明算諸科，而以明經、進士二科為主。至宋神宗時，才廢明經，僅存進士。但進士不考詩賦，改賦經義，實質上仍是明經。只不過這個新明經科又逐漸文辭化，變成了以寫文章來表現經義，代聖立言罷了，新明經乃漸漸變成了新進士。

在這個過程中，中唐便是個關鍵。明經科仍具有傳統性權威，但以文辭說經，已啟宋明之漸。

怎麼說明經科仍具有傳統性權威呢？過去，大家太受宋明以後進士科獨盛的影響，對明經不甚重視。近代史家陳寅恪又倡「新興進士階層」說，謂武則天重用科舉進士，形成新興勢力，來對抗舊家士族。舊家士族是講禮法門風，重經學的。因此擅長文采詞賦的一些人，和講經學的一批人，就在政治文化等各領域中對立起來，造成了牛李黨爭等問題。❶這類說法，使得明經科愈形暗淡，觀察

---

❶ 陳寅恪〈論韓愈〉云：「高宗、武則天以後，偏重進士詞科之選，明經一目，僅為中才以下進取之途徑。蓋其所謂明經者，只限于記誦章句，絕無意義之發明。故明經之科，在退之時代已全失去政治社會上之地位矣」（金明館叢稿初編，1980，上海古籍）。這段話，沒一句對。歐陽詹就說當時人含章抱器者，半舍進為明，怎麼能說明經一科只是中才以下的進仕之途？明經一科，也恰好不限於記誦章句，當時人亦反對記誦章句，而是要發明義理的。俱詳下文。

者之視線，全都聚焦在進士這新時代的寵兒身上。進士科之研究，汗牛充棟；明經科的討論，寥如星辰，就是這種情形最好的寫照。

實況當然並非如此。試看韓愈的描述：

> 以明經舉者，誦數十萬言。又約通大義，徵辭引類，旁出入他經者，又誦數十萬言。其為業也，勤矣。登第於有司者，去民畝而就吏祿。由是而進，而累為卿相者，常常有之，其為獲也亦大矣。（送牛堪序，文集卷十九）

> 天下之以明二經舉於禮部者，歲至三千人。……考試之，加察詳焉。第其可進者，以名上于天子而藏之，屬之吏部，歲不及二百人，謂之出身。能在是選者，厥惟艱哉！二經章句，僅數十萬言，其傳注在外，皆誦之，又約知其大說。由是舉者，或遠至十餘年，然後與乎三千之數而升於禮部矣。又或遠至十餘年，然後與乎二百之數，而進於吏部矣。班白之老半焉，昏塞不能及者，皆不在是限，有終身不得與者焉。（贈張童子工序，又集卷廿）

韓愈自己是進士出身，但他筆下對明經科之難、以及登第之榮耀，描寫卻是如此的。卷十八〈答呂毉山人書〉說：「方今天下入仕，惟以進士明經及卿大夫之世耳」，也是並言明經與進士，並不偏重進士科。

看他的敘述，就知道當時卿士大夫世家舊族仍擁有傳統性權威，仍是登仕之途的重要管道；而進士與明經，則同樣算是新且有

勢力的途徑，明經的困難及榮耀也不低於進士。❷

就算退一萬步說，我們承認整個社會文學崇拜的力量越來越大，進士科越來越受社會尊崇，明經科也仍是沿續了較久的科目，從漢朝以來就已經有了。因此它相對於進士科，就仍擁有其傳統性權威。

再深入看，進士科，大家只知它要試詩賦，因此說它是以文章取士，與明經科考經文經義彷彿甚為不同。卻不知進士還是要考策問，而策問的內容就是經義和時務。且就算是考時務，也仍然是要用經義來討論國政時務的。考詩賦亦然，試賦多問經義。❸

---

❷ 岑仲勉《隋唐史》，認為中唐以後進士科較受重視，原因有三：一，明經「試義之時，獨令口對。對答之失，覆試無憑」，易於舞弊。二、明經試策，只須「粗有文理」，便可取中，懸格較低。三，進士錄取每年總不過三十，「明經初不限員」，故一般急於求祿者趨之較多（1980，中華書局，上冊，頁 190－192）。這樣的分析，對照韓愈的敘述來看，就知道它也都是錯的。明經策試，也要寫答卷，不只口試，亦不只帖經。至於其入仕之途之難，韓愈講得很清楚。進士錄取人數確實較少，但考的人也少於明經，因此僅以錄取人數來做比較，甚可笑。

❸ 案：《唐六典》卷四：「凡進士先帖經，然後試雜文及策」，又云：「舊例帖一小經並注，通六以上。帖老子兼注，通三以上。然後試雜文兩首，時務策五條。開元二十五年，依明經帖一大經，通四以上，餘如舊。」所謂唐代以詩賦取士，指的只是雜文兩首的部分，據徐松《登科記考》卷二所考，雜文用詩賦，時在天寶末年以後。不過，此制度來又有變動：「大和三年，試帖經，略問大義，取精通者。次試論議各一篇。八年，禮部試以帖經口義，次試策五道，問經義者三，問時務者二。厥後變易，遂以詩賦為第一場。論者二場，策第三場，帖經第四場」（見《宋史》卷一五五《選舉一》）。可見唐代中葉，進士科舉，經學重於詩賦。其後詩賦漸重，但只是放在頭一場罷了，餘仍與明經科相似。相較之下，詩賦只能說是進士科的特點，並不是

試看韓愈文集卷十四所收入進士策問十三首，一問：「《書》稱汝則有大疑，謀及乃心，謀及卿士以至於庶人，龜筮考其從違，以審吉凶。則是聖人之舉事興為，無不與人共之者也」。二問：「夏之政尚忠、殷之政尚敬，而周之政尚文，是三者相循環終始，若五行之與四時焉」。三問：「夫子之序帝王之書，而繫以秦魯；及次列國之風，而宋魯獨稱頌焉」等等……，沒有一條是與經學無關的。進士想要考得上，這些經學問題非要答得出不可。

而事實上，這些問題也並不好答。例如有一題問：夫子曰：「潔淨精微，易教也」頭個字怎麼解釋。又一題問乾卦卦德是健，但六爻，「一勿用，二苟得無咎，一有悔，安在其為健乎？」還有一題問：堯舜治國，又是親九族，又是平章百姓，又要協和萬邦，還要賓四門、齊七政、類上帝，禋六宗，巡狩四方，實在辛勞得很，可是為什麼孔子說：「堯舜垂衣裳而天下理」呢？這些問題，我們今天治經學的人也未必能妥為回答，可見唐代進士科之經學素養也是不能小覷的。由這些策問中，也就能發現唐代經學研究者所關心的問題為何。❹

僅以詩賦能力取士。進士科也必須與明經科同樣帖經考經義。但論唐代科舉者，大家都忽略了這一些。至於進士之賦，多涉經義，另詳吳儀鳳〈唐賦與經學關係初探〉，2005，北京清華，首屆中國經學研討會論文。

❹ 唐人科舉，分兩大類，一為常科，一為制舉。常科每年開科，制舉不定期舉行。常科中，以明經與進士為兩大類。明經之內，又分常明經、准明經、類明經。進士則分常進士、類進士。常明經者，凡考五經、三經、二經、一經者皆是。准明經者，考開元禮、三禮、三傳、史科、道舉、童子科、博學科、齋郎科等屬之。類明經者，明法、明字、明算、道術、醫藥等屬之。常進士則分正進士、特進士。特進士考一史。類進士者，以孝廉舉，或秀才

唐人經學著作，如漢晉南北朝時期那樣的章句注釋或義疏箋釋比較少，一向也被視為是唐代經學不發達之證。但每一時代均有該時代的著作之體，我覺得這些策試問答，即是唐代經學討論的主要文體。研究唐代經學的人，不應呆呆地僅自限於章句注解和義疏箋釋，還應把各家文集中收錄的策試問答輯錄起來，以見一代經學思

科、多才科皆屬之。此為唐人科舉設科之類別。歷來研究者依據之材料，往往涉及不同之科目，研究者搞不清楚它是屬於哪一類科考，因此或據以說整體科舉狀況，或張冠李戴，致令越說越亂，且以訛傳訛。如嚴羽說：「唐以詩取士」，其實以詩取士僅限正進士一科，其餘皆不如此。除了科目有分別外，也要留意時段。唐朝制度屢有變易。以進士科來說，詩就不是主要的，許多時候並不考詩。主幹是帖經與對策，詩賦屬於雜文。開元間，始以賦或以詩做為雜文的一部分。專用詩賦，事在天寶末年。實施至文宗太和七年，禮部又奏罷詩賦，進士「先帖經，並略問大義，取經義精通者」。此為進士科之變革。明經科本來並不帖經，只試策。到了調露二年，才跟進士一道加考帖經。當時是先帖經，再考對策，稱為墨策。至開元二十五年，覺得帖經只「以帖誦為工，罕窮旨趣」，故加考問義，也就是口試，替代了墨策十道。另增考時務策。口試是當著眾考生與考官對達，俾免循私。至建中二年以後，又覺口試不妥，改回墨義：「以所問錄於紙上，各令直書其文」，和原先的墨策相同。元和七年，又恢復口試，太和二年再改口試為墨義。明經需明何經，亦視考什麼而定。經傳中，禮記、左傳為大經。詩、周禮、儀禮為中經。易、尚書、公羊、穀梁為小經。考二經者，試大小經各一。若考中經，就需考二本。考三經者，大中小各一。考通五經的，大經皆通，中小經各一，見《新唐書・選舉志》。以二經為常。不過，明經並不是只要熟讀這二經三經就好了。因為帖經之後還要試策十條。例如考《左傳》《周禮》，一大一中，合有四條策題。另外六題出在哪兒呢？三題出在其他經典上，三題出在《孝經》《論語》上，合起來共十條。今人以為明經只需背書，故不如進士，大謬。此為唐人科舉之大要，今人多不知之，是以論次輒誤，特為簡介如上。

想之大凡。

例如權德輿《權載之文集》卷四十，全卷都是策問。問進士與問明經，基本相同，只是進士不限於問經義，也可以有由經義引申出來的題目，明經則全屬經義而已。在討論經義時，顯然也已由替經典作詮釋的角度（即漢晉通常採用的注疏方式），轉而變成質疑，特別是追問經典中矛盾、隱晦、不協調之處。例如：

> 易曰：「君子夕惕若厲」，語曰：「君子坦蕩蕩」，禮之言絅衣，則曰：「惡其文之著也」，〈儒行〉則曰：「多文以為富」或「全歸以為孝」或「殺身以成仁」或「玉色以山立」，或「毀方以瓦合」，皆若相戾，未能盡通。顏回三月不違仁，孟軻四十不動心，何者為優？下惠三黜而不去，子文三已而形慍色，何者為愈？召忽死子糾，管仲相小白；棠君赴楚召，子胥為吳行人，何者為是？析疑體要，思有所聞。（進士策問，第二問）

> 懲忿窒欲，易象之明義，使驕且吝，先師之深誡。至若洙泗之門人故人，漸漬于道德亦已深矣，而仲尼慍見原壤、夷俟，其為忿與驕，不亦甚歟？商不假蓋、賜從我之徒，而吝缺如。是皆所未達，誠為辨之。（第四問）

> 孔聖屬辭，丘明同恥。裁成義類，比事繫年，居體元之前，已有先傳；在獲麟之後，尚列餘經。豈脫簡之難徵，復絕筆之云誤？子產之貴愛也，而賂伯石；叔向遺直也，而戮叔

> 魚。季札附子臧而吳衰，宋宣公舍與夷而宋亂。陣為鵝鸛，戰豈捷於魚麗？詛以犬雞，信寧優於牛耳？子之所習也，為余言之。（明經策問，春秋第一問）

權德輿這些問題，顯然都是思考題而非知識記誦題，旨在視察考生析疑辨難的工夫。題目本身，則都是採取「質疑」經典的方式，期待考生能本其所學以疏通疑滯，對經典之所以如此，做更好的說明。❺

凡策問都是如此的，非僅權德輿一人為然。因此若廣為輯錄諸家文集中的策問之辭，便可瞭解當時經學上都關心些什麼問題，其看法又為何。

這種策問，其實也帶出了「疑經」的問題。我們不要忘了：平常說宋人疑經風氣之起，輒以歐陽修《易童子問》為說。《易童子問》不就是策問一類東西嗎？其貢疑獻難，不起於宋，而實起於唐人此種考試制度及策試的文體。像韓愈《進士策問》動輒指經典：「其文相戾悖如此，欲人之無疑，不可得已」「其道深微，不可究詰歟？將其詞隱而難知耶？不然則是說為謬矣？」「將亦有深辭隱義不可曉耶，抑其年代已遠，失其傳耶？」然後要求學生自抒己見「願與諸生論之，無惑於舊說」。

這跟權德輿的問法不是一樣的嗎？都鼓勵一種不泥古、不佞經

---

❺ 李浩〈唐代詩賦取士說平議〉受陳寅恪錢穆等前輩影響，認為當時考經學「既不能達聖人之意旨，又要根據國定教科書《五經正義》來記誦，委實沒有多少可以發明創造的空間」「明經絕無意義與發明」（2004，香港教育學院，全球化語境下的中國文學）。殊屬不然。

的態度，要發揮自己的見解。其精神狀態與漢晉注疏以經為主，為經典及傳統服務的態度，或元明以降之經義八股，擬聖立言，拘泥於《四書集注》《四書大全說》的狀況，十分不同。

有時他們也問些制度上的事，例如權德輿問：「今有司或欲舉中建制，置五經博士，條定員品，列于國庠。諸生討論，歲課能否。然後刪非聖之書，使舊章不亂，則經有師道，學皆專門。以為如何，當有其說」。大概當時政府正準備這麼做，以提倡經學，故以此為問。可能反應不佳，或別有因素，其議未果，然朝廷尊文右經之意可見矣。

二、經義辯難與應用

策問是套在「問題與答案的邏輯」中進行的，有問必有答。只是文集所收，常只有一半。出題的人，自己對那些問題，必有腹案及預想之解答，可惜如今已不可知。應試的人，因題作文，所答亦必多奇思妙想，足為經義生色，現在也遺憾其不甚可考。但問者如公輸之攻，答者如墨翟之守，仍是不難想像的。

其麟爪偶存者，如韓愈〈省試學生代齋郎議〉〈省試顏子不貳過論〉就是應試的答卷。論以學生代齋郎之議不當，屬於前文所說藉考試來收集輿情一類；論顏子不貳過，則是對《論語》的一種新解釋。韓愈說的「過」，並不指一般意義，而是生於心就算過了：

> 顏之過，此類也。不貳者蓋能止之於始萌，絕之于未形，不貳之于言行中也。《中庸》曰：「自誠明謂之性，自明誠謂

之教」。自誠明者，不勉而中，不思而得，從容中道，聖人也，無過者也。自明誠者，擇善而固執之者也。……是以夫子歎其不幸短命，今也則亡。謂其不能與己並立於至聖之域，觀教化之大行也。（卷十四）

此說別樹新解，引《中庸》以為說，謂聖人正性正德，無有不善，已有宋人氣味。雖然於理不通（因為《論語》中孔子分明自己說「五十以學易，可以無大過矣」；又自承有過言過語，得到旁人的糾正，十分高興；還說禹聞過則拜。均可見聖人並不以為有過失是可恥的，也不以為聖人就從來不會有過錯），但一種勇於立說的態度，灼然可見，與相傳是他作的《論語筆解》正相呼應。

〈省試學生代齋郎議〉，是韓愈貞元十九年應博學宏詞時所作。學生指國學的學生。這種議對之體，也是策試問答之一類，但又不僅限於考試時。如〈禘祫議〉就是「敕旨宜令百僚議，限五日內聞奏者」，於是身為國子監四門博士的韓愈就寫了這篇「議」。博考禮經，認為：「事異殷周，禮從而變，非所失禮也。」整個論述，其實也即是對禘祫禮的新解釋。

另外，〈改葬服議〉雖未注明是為何而議，但本文也同樣是對禮經的討論，謂：「經曰改葬，緦。《春秋・穀梁傳》亦曰：改葬之禮，緦舉下緬也。此皆謂子之于父母，其他則皆無服」（卷十四）。此與六朝人論喪服相似，都是禮經禮制的研究，但也往往具有現實意義。

〈與李秘書論小功不稅書〉也是如此。其言曰：「曾子稱小功不稅，則是遠兄弟終無服也，而可乎？鄭玄注云：以情責情，今之士遂引此，不追服小功」，可見是針對時俗而發的。稱引經傳，然其結論卻是：「禮文殘缺，師道不傳，不識禮之所謂不稅，果不遣服乎？無乃別有所指，而傳注者失其宗乎？伏維兄道德純明，躬行古道，如此之類，必經於心而有所決定」。依然不脫策問時不泥古不佞經、自出手眼的態度，跟〈禘祫議〉說「禮從而變」也是一脈相通的。

看這些議對之辭，可讓我們想到什麼呢？

第一，議對與策試應答，在結構上是一樣的，都是問與答的邏輯。這個邏輯不但在文體上成為唐代中期經學的主要表達方式，代替了著述注疏，也影響到他們的思維。

就前者言之，中唐許多經學意見習慣以議對、論說的方式出之。不只上面所談到的那幾篇，如柳宗元〈四維論〉〈天爵論〉，歐陽詹〈自明誠論〉、李翺〈帝王所答問〉〈從道論〉、劉禹錫〈易論〉等都是如此。有時作者自己申言抒論，亦采此體，如權德輿〈答客問〉〈答問三篇〉〈釋疑〉〈放言〉（均見文集卷三十）、李翺〈雜說〉、柳宗元〈說車〉〈疏解車義第二書〉等，皆近於此種問難釋疑之體。

就後者說。文體必然關聯著思維。唐代文學家這些策問論議，乃是介乎漢魏南北朝「論難」與宋明講記語錄之間的體式。論難也是駁難問答，但重點在針鋒相對，立已說，破敵論。漢代即有的問答體，如解嘲、答客難之類，又是虛問實答。宋明語錄倒是實問實答了，但所答通常只是個結論，並未鋪展其理據。這些策問，專門尋瑕蹈隙，找到經典中錯落、矛盾、隱晦、歧義之處，要求考生答題者「析疑體要，思有所聞」「各以經對」「異同優劣，亦為明徵」「可以詳言，用窺奧學」「企聞博依之喻，當從解頤之辨」。不但要引據經典，且須看他的辨析力、文采和價值判斷。

考生日做此種訓練，思維方式自然深受影響。歷來考試方式引導著教學，乃是不爭之事實，此種策問之體，亦必引領著學生在準備考試時，不斷去揣摩考官可能會怎麼問。也就是模仿著像考題那樣去閱讀經典，又像考官所希望地那樣去回答，體要析疑「為辯其說」。這就鼓勵了一種獨立思考、勇於辨析或辯理的精神，也形成了一種問題與答案相關聯的思維方式。❻

第二，經學在此時，並不全然只是知識或學問。國家科舉，以此登進人才，以經義試士，自然有漢代要求大臣「通經致用」的遺意。因此經學常與國政時務有所關聯。策問考題要求考生「九流之家，論著利病，有可以輔經術而施教化者，皆為別白書之」「三適之宜、九品之法，或計戶以貢士，或限年以入官，事有可行、法有可采，制度當否，悉期指明」「功與德，非常才所及也；農與戰，非筮仕所宜也；安危注意之重，非設科可俟也。是三者固有利病，幸錯綜言之」（均見權德輿策問）等等，都可以看到這種性質。匪只

❻ 我疑心這種勇於辯析的風氣可能還形成了一種談辯的作風。只是談辯「咳唾隨風」，如今已乏資料足堪復現其盛況，不過從一些記載中也許仍能彷彿之。例如劉禹錫說：「今夫儒者，函矢相攻，蜩螗相喧，不啻于彀弓射空者矣，孰為其的哉？」（文集・卷十四・答容州竇中丞），就是說在一個已無標的準繩、沒有標準答案的社會中，儒者肆其舌辯的情況。柳宗元〈送易師楊君序〉也說：「世之學易者，率不能窮究師說，本承孔氏，而妄意乎物表，爭伉乎理外，務新以為名，縱辯以為高」，只有楊氏「日合邦之學者，論說辯問，貫穿上下，揮散而成同，幽昏而大明」（卷二十五），顯然也都是談辯的。

收集輿情，亦藉此以觀其襟袍識見也。

這種用意，不是隱涵的，而是明擺著的政策。貞元十九年權氏於禮部策問進士，第一題就說得明明白白：

> 漢廷公孫宏董仲舒對策，言天人相與之際，而施於教化；韋元成匡衡之倫，以明經至宰相封侯，皆本王道以及人事。今雖以文以經貴祿學者，而詞綺靡於景物，寖失古風；學因緣于記問，寧窮典義？說無師法、經不名家，有司之過，敢不內訟？思欲本司徒之三物，崇樂正之四術。……程孝秀之本業，參周漢之舊章。

朝廷要甄錄的，是通經致用的大臣，而非文采詞章之士或章句記誦之儒。話既講得如此清楚，考題又老是這個方面，士之風習，自亦不能無所影響。我們看韓愈等人說理論事，動輒引經傳、道孔孟，而高談治國理政之要，就是此一風氣下之產物。韓愈〈原毀〉講堯舜講周公，歸結於「將有作於上者，得吾說而存之，其國家可成而理歟？」〈原道〉說今天為論者若能「明先王之道以道之，鰥寡孤獨廢疾者有養也，其亦庶乎其可也」，〈本政〉云：「君天下者，化之不示其所以化之道」，都是一派以經義治國理政的口吻。這些文章，並不箋釋注解哪一部經典或哪一段經文，可是不能說它不是解經文字，其性質，乃是對經義做通貫的瞭解後，藉時政物事以發揮之，闡揚大義。

三、「文儒」理想的追求

因此，這就說到第三點了。韓愈〈韋侍講盛山十二詩序〉云韋處厚：「韋侯讀六藝之文，以探周公孔子之意，又妙能為辭章，可謂儒者」（卷二十一），又〈上宰相書〉自稱：「所讀皆聖人之書。……其所著，皆約六經之旨而成文」。探周孔之意，然後發為辭章，或所謂約六經之旨而成文，都說明了在韓愈這批人的心目中，儒者的事業，已不再是傳統的箋釋訓詁，而是融會經義，發為文章。

這種儒者，用王充的術語來說，就是「文儒」。

王充把儒者分成四個等級：儒生、通人、文人、鴻儒。專治一經者為儒生，博覽群經者為通人。這兩類人都只是述者。文人則能采掇義旨，損益文句，連結篇章，成為作者。鴻儒更好，可以著書立說。文人與鴻儒，簡稱「文儒」（見〈論衡·效力〉篇）。

唐朝這些人正以文儒自居，故韓愈云探周孔之意又妙能為辭章者，可謂儒者。此一儒者標準，非文儒而何？柳宗元〈送文郁師序〉亦標出文儒二字曰：「柳氏以文名高於前代，近歲頗乏其人。百年間無為書命者。登禮部科，數年乃一人。後學小童，以文儒自業者又益寡。今有文郁師者，讀孔氏書，為詩歌逾百篇，其為有意乎文儒事矣。……吾思當世以文儒取名聲、為顯官，入朝受憎媚訕黜，摧伏不得守其土者十恒八九。若師者其可訕而黜耶？」（柳先生集，卷廿五）其文儒云者，正是王充所說的意思。且其說謂當世以文儒顯名者甚多。可見文儒之稱，以及把文儒當成一種人生的目標或期許，非一二人之私見，實有一批這樣的人和一股這樣的風氣。

而文儒之文，亦不限於論說，還包括了詩歌。蓋凡能約六經之旨以成文之文，都可算是文儒之文。

由這個意義看，此類文字殆均可視為說經之文。平常我們說唐中葉出現的古文運動，都只從文這一面去說，論其如何文與道俱、如何以文為達道貫道之器、如何酌挹六經以立辭，卻未注意到它儒的一面，不知此即該時代儒者說經之新形式。古文運動，非文人辭章家採用儒家思想來創造一種新的文學樣貌，乃是儒者約六經之旨以成文，表達周孔之意的一種方式。

第四，如此說經，便在兩方面樹敵，一是儒生、一是文人。

文儒看不起儒生，自王充時已然。認為儒生只會記誦、會復述，毫無自己的見解，又不能妙為辭章。唐代這些「以文儒自業」者亦是如此。皇甫湜《制策一道》曰：

> 陛下革國以振儒風，而微言猶鬱者，蓋其所由干祿而得仕者，以章句記讀，而不由義理故也。若變其法，則可以除其弊矣。……今之取士，以文字記讀為法。……資考之限，其章句之庸才。（皇甫持正文集卷三）

呂溫〈與族兄臯請學春秋書〉也說：「魏晉之後，學風大壞。……率乃以意攻乎異端，以諷誦章句為精，以穿鑿文字為奧，至於聖哲之微旨，教化之大本，人倫、紀律、五道之根源，則蕩然莫知所措矣」（呂和叔文集卷三）。其意與皇甫湜相同，都反對章句訓詁之儒，而以探周孔之意、得六經之旨為貴。

此意又是與他們期望通經致用有關的，因此呂氏接著說：「所曰書者，非古今文字之舛，大小章句之異也，必可以辨帝王、稽道德、補大政、建皇極者，某願學焉」。權德輿對此，也有不少類似之說，如〈送從弟況赴義興尉序〉云：

> 漢廷諸公，皆附經術而施政事，其有猷有為，不疚不懼。若況者，嘗理左右史記事記言之經傳謨訓，居有司，籍奏中，乃令參調署吏，以養以仕。言顧於行，行本於經。……吾三年第明經者三百餘士，而知類通達者往往有焉。……若況之所履，其吾與二君子之所欲求也，豈無多文之富耶？（文集卷三七）

主持明經考試，擺明了想抉取的乃是通經致用之士，權氏從弟即是符合他們標準的例子。此類人不能只懂得離章辨句，需是要知類通達，又能夠表現於言行中。言就是文章，所以說他多文為富。權氏很重視這個文，〈唐故尚書比部郎中博陵崔君文集序〉曰：

> 易賁之象曰：「觀乎人文以化成天下」，故闕里之四教、門人之四科，未有遺文者也。荀況孟軻，修道著書，本于仁義，經術之支派也。迨夫騷人怨思之作、遊士縱横之論，剌譏捭闔，文憲陵夷。至漢廷賈誼劉向班固揚雄司馬遷相如之倫，鬱然復興，有古風烈然。則文之用也，橫三才之中，經紀萬事，彰明群類，不可已也。

強調文章在儒學中的重要性，又說修道著書就是經術之支派，正與上文我說當時人是以文章為新的說經之體相符合的。他批評一般所謂的文學，如騷人怨思之作、遊士縱橫之談，認為它們是墮落、是岐出。要恢復孟荀或漢代本經術而發的文章型態，且說文之用甚大，經紀萬事，彰明群類都少不了它。對文之推重，正反映著那個時代的風氣。❼

其〈唐故尚書石僕射贈太子太保姚公集序〉說：「文章者，其士之蘊耶？微斯文，則士之道不彰不明。又況宗公大君，綱紀百度，琢磨九德，以至於經大猷、斷大事，不由此塗出，猶瞽之無相歟？」也是此意。越是因要附經術而施政事，文章就越是要好。

如此重視文章寫作能力，使得他們看不起尋章摘句的記誦之儒。皇甫湜有次就教訓李生說：「以文為貴者，非他，文則遠，無文即不遠也。以非常之文，通至正之理，是所以不朽也。生何嫉之深耶？夫繪事後素，既謂之文，豈苟簡而已哉？」（答李生第二書）

一般以儒者經生自命的人，常自以為高適文人一等，認為文章浮豔不足貴。寫文章還尚可，詩賦便可不作。李生所持之觀點即是如此，所以皇甫湜痛批他：「詩賦不是文章耶？如詩賦非文章，三百篇可燒矣」（同上）「來書所謂浮豔聲病之文，恥不為者。雖誠可恥，但慮足下方今不爾，且不能自信其言也」（答李生第一書）。後面這封，頗有揶揄之意，意思是說閣下還是先把文章寫好了再說吧。

---

❼ 柳宗元〈答嚴厚輿論師道書〉曰：「仲尼豈易言耶？馬融鄭玄者，二子獨章句師耳。今世固不少章句師，僕幸非其人。……言道講古，窮文辭以為師，固屬吾事」（卷三十四）。言道講古、窮文辭，二者合在一起，才是他認為追躡仲尼之道的方法，研釋章句則不是，故以此菲薄漢儒。

可是，所謂文儒，也不只是會寫漂亮文章的人而已，因此他們又與一般的文人不同。權德輿〈進士策問第五問〉就說：「育才造士，為國之本。修辭待問，賢者之能。豈促速於儷偶，牽制於聲病之為耶？」歐陽詹〈送李孝廉及第東歸序〉更進而申明經而抑進士，曰：

> 明經自漢而還，取士之嘉也。經也者，聖人講善之錄志，立身正家齊國，理在乎其中。……明斯行斯，近則平乎性命，遠則成乎政令。邇來加取比興屬辭之流，更曰進士，謂近于古之立言也。為時稍稱，其僥倖浮薄之輩，希以無為有，雖中乾外槁，多舍明趨進。俾去華取實，君子恶以真混假；縱含章抱器，半舍進為明。新第李孝廉則含章抱器，舍進為明者。（歐陽竹周文集卷九）

就明經與進士兩科來比較，明經是考經文經義，進士須考詩賦，因此進士科「文」的成分當然要大些，社會上崇拜文人，其企慕于進士者，亦因彼擅長文學之故。[8]然而，凡志在文儒之業者，卻對此別有看法。要不就如權德輿，提醒進士科舉之士勿僅留意於文藻，要不就如歐陽詹，贊揚去華取實，不應進士科而去考明經的人。像皇甫湜〈制策一道〉更反復建議朝廷：「取人唯其行，不必文采」「不以文采為重輕，而士可進退」。

---

[8] 另詳龔鵬程〈文學崇拜與中國社會：以唐代為例〉，收入《文化符號學》，2001，臺灣學生書局。

皇甫湜不是才大力稱說文章多麼重要嗎？為何此處又力言取士不必重文采呢？這就是他們立言的特殊處了。

文儒說，既反文士，又反儒生。既反以文字記讀取士，也反以文辭藻繪取士。但兩皆舍去的結果，乃是要兩都擁有，所謂「文儒」就是既是儒又有文。假若我們把文人與儒生看成兩個對立項：A 與非 A。則文儒也者，便是透過否定 A，又否定非 A，而獲得超越性辯證的綜合，既是 A 又是非 A。其論式，有點像禪家所云：「我說如來，即非如來，故是如來。」只不過佛教道家在利用這個論式時，偏於雙遣是非，甚至要遣之又遣，以遣蕩執者。儒者於此，則雙非雙是，既不是甲也不是乙，但又同時是甲又是乙。而這既是甲又是乙的新綜合，當然不再是原先的甲或乙了。文儒也者，便與章句記讀之儒生或文辭彩藻之文人迥異。

四、說經之傾向與特點

(一)重義理

若說文士所重，在於文采；儒生考釋經籍，重在文字。則文儒約六經之旨以成文，所重就在文義，或者應該說是義理與文采的結合。

皇甫湜〈制策一道〉批評當時章句記讀之士「不由義理」，正可見他自命是講義理的。不但他如此自命，韓愈權德輿柳宗元劉禹錫呂溫李翺等人也都如此自命，亦如此要求別人。李翺有幾段話說：

近代以來，俗尚文字。為學者，以抄集為科第之資，曷嘗知不遷怒不貳過為興學之根乎？……由是，經之旨棄而不求，聖人之心外而不講……教育之風於是乎掃地而盡矣。（卷八，與淮南節度使書）

汝勿信人號文章為一藝。夫所謂一藝者，乃時世所好之文，或有盛名於近代者是也。其能到古人者，則仁義之辭也。惡得以一藝而名之哉？……夫性于仁義者，未見其無文也。有文而能到者，吾未見其不力于仁義也。由仁義而後文者，性也。由文而後仁義者，習也。由誠明之，必相依爾。（同上，寄從弟正辭書）

第一段，針對文字說，第二段針對文采說，目的則都是提倡治學應探聖人之心，得仁義之道，而後在文章上表現出來。如此便既不同於儒生，也不同於文士，可成就為符合古人仁義之道的文章。其中性於仁義者，是指古代的聖人，後世多是學聖人的人，故多屬於由文而後仁義者。不過，讀經典，潛移默化，習與性成，漸至仁義生乎心，也不是沒可能的。總之，學者就應該體會、講明聖人之道，且發見於文章：

天下之語文章……其好理者，則曰文章敘意苟通而已；其溺于時者，則曰文章必當對。……義理雖深、理雖當，詞不工者不成文，宜不能傳也。文、理、義三者兼併，乃能獨立於一時而不泯滅于後代，能必傳也。仲尼曰：言之無文，行之

不遠，子貢曰：文猶質也，質猶文也。（卷六，答朱戴言書）

文章之道，須是有文有質。在有文方面，它與之前的經學不同，甚為明顯。在有質方面，亦因強調義理，不同於章句訓詁，下開宋人說經言道學理學之先河。但宋代理學雖承其風氣，卻又走上文質分的道路，文與儒再度歧而二之了。

(二)尊六經

此時，既要講聖人之道，又要貴聖人之文，則六經當然就是義理與文章綜合的最高典範。李翱說：「六經之旨矣，浩乎若江海，高乎若丘山，赫乎若日火，包乎若天地。掇章稱詠、津潤怪麗。六經之詞也，創意造言，皆不相師。……義深則意遠，意遠則理辯，理辯則氣直，氣直則辭盛，辭盛則文工」（答朱戴言書）這番話，大約也是此輩人共同之見解。韓愈〈進學解〉自述為文「上規姚姒，渾渾無涯，周誥殷盤，詰屈聱牙，春秋謹嚴，左氏浮誇，易奇而法，詩正而葩」，且自稱其為文「可謂閎其中而肆其外」（文集卷十二），均是具體說明了他們學習六經的狀況以及對六經文學風格的掌握。柳宗元也是如此：

> 始吾幼且少，為文章，以辭為工。乃長，乃知文者以明道，是固不苟為炳炳琅琅，務彩色、誇聲音而以為能也。……本之書以求其質；本之詩以求其恒；本之禮以求其宜；本之春秋以求其斷，本之易以求其動，此吾所以取道之原也。參之穀梁氏以厲其氣；參之孟荀以暢其支，參之莊老以肆其端，

參之國語以博其趣，……此吾所以旁推交通而以為之文也。」（唐柳先生集，卷三十四，答韋中立論師道書）

既本諸六經以取道之原，又上規其辭采風格以為文，他說得再明白不過了。由斯言之，他們的文，大體上都可視為經義的發揮。我們看他們不管談什麼，都會稱經引傳，便於此可思過半矣。

其指稱經傳，往往也非「重言」式的，利用經典文句來潤飾、強化我的說法，而是倒過來，藉某事某物來闡述、證明經義，或乾脆就是討論經傳與儒者之問題。如韓愈〈原道〉〈原性〉〈原毀〉〈原人〉〈原鬼〉〈對禹問〉〈獲麟解〉〈師說〉〈本政〉〈守戒〉〈子產不毀鄉校頌〉等文，多是如此。柳宗元〈四維論〉〈守道論〉〈辨侵伐論〉〈六逆論〉〈晉文公問甯原議〉〈桐葉封弟辨〉〈論語辯〉等亦是如此。像〈晉文公問甯原議〉其實就是宋人《東萊博議》一類書之先聲。

(三)言聖道

開宋代言經傳義理之先聲者，不只於此。宋人說經，好言性命天道，故或別名曰道學，此風卻早見於中唐。

中唐文士說經，旨在人文化成，以道濟世，故不復如往時經生考釋名物度數，訓詁章句，以疏通文義；而重在融貫經旨，以闡發義理。這個義理，總稱就叫道或孔孟之道、仁義之道。韓愈〈原道〉所說即此。

該文開頭就說：「博愛之謂仁，行而宜之謂義，由是而之焉之謂道」。結尾說：「吾所謂道也，非向所謂老與佛之道也」。辨明他們所說的道乃是孔孟之道。韓愈其他文章談到道時，涵意咸同，如〈與孟尚書〉云：「何有去聖人之道、舍先王之法，而從夷狄之教以求福利耶？」〈送王秀才序〉：「吾常以為孔子之道大而能博，門弟子不能遍觀而盡識也」等皆是。在中唐以前，並未有如此集中且大量地使用道、孔子之道、孔孟之道這樣的語辭，來總括指涉儒家義理的現象。

韓愈在當時以排佛老著名，故以道為孔孟之道而非佛老之道，似非一時通義，僅是韓愈一人之見。但縱使對佛教總度較寬和的柳宗元，其言道如何如何時，其實也就都是指儒家之道，如〈四維論〉：「聖人之所以立天下，曰仁義。仁主恩、義主斷。恩者親之，斷者宜之，而理道畢矣，蹈之斯為道」；〈守道論〉：「凡聖人之所以為經紀為名物，無非道者，命之曰官，官以是行吾道云爾」；〈時令論〉：「聖人之道，不窮異以為神，不引天以為高，利于人，備於事，如斯而已矣。觀月令之說，苟以合五事配五行，而施其政令，離聖人之道不亦遠乎？」也都是以道為聖人仁義之道，與韓愈無殊。他〈送從弟謀歸江陵序〉勸其弟耕藝之隙應「讀書講古人所謂求其道之至者以相勵也」，最能看出其蘄嚮所在。

柳宗元曾說：「呂道州善言道」（答吳武陵論非國語書）。他們都是善於言道者。言道之目的，在於化成人文。這乃是他們通經致用的態度，並不空言道之性質與內涵，因此與宋人相比，其言道較少形上學氣味，大體著重在仁義的發用上。如呂溫說「夫以剛克，妻以柔立，父慈而教，子孝而箴，此室家之文也。君以仁使臣，臣以義事君，予違汝弼，獻可替否，此則朝廷之文也。三公論道，文卿分職，異趣百揆，同歸此則，寬司之文也」，文，在此就指仁義之道的發用與表現，所謂「煥乎其有文章」。

此時，道其實就等於文。李翺〈寄從弟正辭書〉說：「性于仁義者，未見其無文也」「仁義與文章，生乎內者也」，正是站在這個立場說的。

我們上面說仁義發用表現於人倫物理中就是文，仍不免有仁義是內，文章形諸於外的意思，但那乃是為了要向現代人說明，不得不如此云云。在唐代中葉這些文儒的觀念中，文即是道，仁義與文章，是二而一的東西，既是內又是外，因此李翺引子貢之言才會說：「文猶質也，質猶文也」。

依我們一般人的看法，質像皮，文像皮毛上的紋采，可是李翺說虎豹的皮跟牛羊的皮沒啥不同，虎豹和牛羊的不同正顯示在花紋上。「顯示」這個詞也不妥，因為虎豹本來就不會長著犬羊般的毛，犬羊也不可能有虎豹般的花紋，因此這個花紋看起來是外在的，其實它同時也就是實質的，此即道文不二之說也。

唐代這些文儒們的道論，乃因此而頗與宋人不同。宋人之言道，重在質，不在文。甚少就道之發用於人倫物理上說，故越來越偏於言道，而非中唐此時欲以經術致用之路數。同理，唐人此時所說的道，也因此而對「道到底是什麼」講不清楚，只能即事言理，就文言道；於道之本體，不若宋人那般著重討論。

而就是文與道的關係，他們要做個理論的說明時，也往往沒講清楚，只能說文以明道、文以達道、文者貫道之器也一類話。這些說法，本是用以強調文的重要性，但又彷彿文只是工具，造成了不少誤解。

其實把文當工具是宋人之見，周敦頤「文以載道」之說，便是此中代表。唐人論道，殊不爾也。韓愈曰：「文王周公之法制粗在，於是孔子曰：吾從周。謂其文章之盛也」（卷十一《讀儀禮》）。這個法制，依宋人之看法，就會認為是外在的或工具性的，可是韓愈說：「周之衰也，諸侯作而戰伐日行矣，傳數十王而天下不傾者，紀綱存焉耳」（同上，雜說之三）。文章法制，其實就是綱維，綱維能是工具嗎？皇甫湜又曰：「煥乎、郁郁乎之文，謂制度，非止文詞也」（答李生第三書）。唐人說文，本來就不只就文詞說，因此也不適合用「文以載道」這樣的詞語去概括。李翱說得好：「日月星辰經夫天，天之文也。山川草木羅乎地，地之文也，志氣言語發乎人，人之文也。志氣不能塞天地，言語不能根教化，是人文之紕謬也」。這就是他所理解的道，並要努力堅持：「秉其道終不易，持其道終不變」（卷五，雜說）。此等人文化成之道論，能以文以載道說去理解嗎？

(四)闢異端

雖然當時對於道是什麼並沒說清楚，但他們要什麼卻是明白的。這種人文化成之道，就是他們所理解的孔孟之道，非此，便都屬於異端，要攘斥非議之。

韓愈〈送王秀才序〉說：「孔子之道大而能博，門弟子不能遍觀而盡識也。……獨孟軻氏之傳得其宗。……故求觀聖人之道，必自孟子始」（卷二十），〈與孟尚書書〉又說經楊墨秦漢之亂，學者不能知先王之道，「孟子雖賢聖，不得位，空言無施，雖切何補？然賴其言而今學者尚知宗孔氏、崇仁義、貴王賤霸而已」，推崇孟子，謂其功不在禹下（卷十八）。其說又見其〈進士策問〉。推尊孟子，開宋人之風，而推尊之故，則在其闢楊墨。

楊墨在當時，已無勢力，故如此推崇孟子，其用意並不在楊墨。具體說到楊墨，也許還要替楊墨說幾句好話，卷十一〈讀墨子〉就是。談孟子闢楊墨之功，主要是希望大家發揮他闢異端的精神。

韓愈眼中的大異端是佛教，李翺、皇甫湜也是。皇甫湜〈送孫生序〉云：「浮圖之法入中國六百年，天下胥而化。其所崇奉乃公卿大夫。野益荒，人益饑，教益頹，天下將無而始，渾然自上下安之，若性命固然也。孫生天與之覺，獨曉然於厚，夜忽然於大醉發憤著書，攻而指斥之……」（卷二），大力讚揚孫生闢佛之精神。

李翺〈去佛齋〉則申言佛教乃夷狄之教，以夷變夏，禍之大者。曰：「聖人之道，所謂君臣父子兄弟朋友，而養之以道德仁義之謂也」（卷四）。他又著〈復性書〉：云：「性命之書雖存，學者莫能明，是故皆入于莊列老釋，不知者，謂夫子之徒不足以窮性命之道」，所以他才要作這本書。觀其言，可知他是本著闢異端的精神來攘斥佛老的。

歷來講中唐這一段思想史的人，有個惡習，喜歡說新儒學是援佛入儒、陽儒陰釋。這完全顛倒見，韓愈皇甫湜李翺等人均是闢佛而非援佛入儒的。

有一種援佛入儒的情況，見於柳宗元所說，但又恰好與世俗所謂援佛入儒相反。柳氏〈送元十八山人南遊序〉說：

> 太史公常言：世之學孔氏者則黜老子，學老子者則黜孔氏，

> 道不同不相為謀。余觀老子，亦孔氏之異流也，不得以相抗。……釋氏固學者之所駭怪，揣逆其尤者也。今有河南之書者……，悉取向之所以異者通而同之，搜擇融液，與道大適，皆有以會其趨。（文集卷二十五）

這是將佛老收攝到儒家裡來的辦法。一認為老子只是儒家中一支，不能分庭抗禮；一說要會通佛孔。其會通，不是一般說的陽儒陰釋，而是讓佛教同於孔的宗旨，令它們「會其趨」。此意又見於〈送僧浩初序〉。該文說：「浮圖誠有不可斥者，往往語《易》《論語》合。誠樂之，其於性情，爽然不與孔子異道。……吾之所取者，與《易》《論語》合，雖聖人復生，不可得而斥也」。擺明了是以儒家為標準來「搜擇融液」佛教，凡合於儒家者才不攘斥。

柳宗元把這番話明明白白講給和尚聽，和尚不起戒心、生反感嗎？不！既寫出來，就表明了當時不少和尚們也認同這種做法。

如該文所敘述的僧浩初，就「讀書，通《易》《論語》」，亦能作文章。另有與劉禹錫友善的釋元嵩，柳氏很稱許他能孝，說：「今之為釋者，或不知其道，則去孝以為達」，元嵩能行孝道，所以稱讚他：「蓋釋氏之知道者」。僧浩初乃僧而有儒學者，僧元嵩則是僧而有儒行者。柳氏許其知道，此道不就顯然一指儒道嗎？彼又云僧文郁「讀孔氏書，為詩歌逾百篇，其為有意乎文儒之事」，是亦僧之文儒也。

皇甫湜〈送簡師序〉的簡師，也是這樣的人，故皇甫湜說他是「佛其名而儒其行」。韓愈被貶潮州時，此僧還特地去拜謁問道（見卷二）。可見當時不是儒者采擇佛教，乃是佛教徒要力求其合

於儒。儒者則闢佛或選擇其符合儒道者予以認可。❾

闢佛之外，他們也以他們所認定的孔孟之道為標準去檢查一切。

如柳宗元批評管仲禮義廉恥四維說不當，謂其所謂廉，是不蔽惡，恥是不從枉：「二者果義歟，非歟？吾見其有二維，未見其所以為四也。……廉與恥，義之小節也，不得與義抗而為維。聖人之所以立天下，曰仁義」（卷三，四維說）。又批評《呂氏春秋》的月令十二紀之說，謂非聖人之道（同上，時令論），即屬此類。

特別的是，他們也在儒家內部做檢別，柳宗元《非國語》就是著名的例子。序曰：「左氏《國語》，其文深閎傑異，固世之所耽嗜而不已也。而其說多淫誣，不概于聖。余懼世之學者溺其文采而淪於是非，不得由中庸以入堯舜之道，本諸理，作《非國語》」。其書凡六十七篇，參考經傳，辨《國語》所記事義之是非，實乃「春秋學」之一種，與〈辨侵伐論〉〈六逆論〉〈桐葉封弟辨〉相似，均為說經之流，可以看到柳宗元對《春秋》經傳的工力及他不苟是非的態度。勇於發揮質疑之精神，執經問難，一以聖人之道為斷。

在儒家內部做的檢別，還有一類，不是如《非國語》〈桐葉封

---

❾ 中晚唐僧人通經學，對其義理之發展非常重要。一般人都只說當時儒者如何吸收了佛教。不知當時佛教徒如何儒學儒行；更不知佛教吸收儒家經學，對晚唐五代佛教之發展有多大的影響。龔鵬程〈晚唐的禪宗與道教〉一文曾描述了晚唐僧人論易卜、講參同契的風氣（見《道教新編》二集，1998，南華管理學院），可幫助大家瞭解僧浩初「讀書、通易、論語」這類現象，當時甚至還有僧人擔任儒家學官，為易師的。

弟辨〉之類，區分是非，以決真偽；而是仿佛佛教判教般，做高下等級的分別。如韓愈論荀子就是。他說：儒家「其存而醇者，孟軻氏而止耳，揚雄而止耳。及得荀氏書，於是又知有荀氏者也。考其辭，時若不粹。要其歸，與孔子異者鮮矣，抑猶在軻雄之間乎。……余欲削荀氏之不合者，附于聖人之心藉」（卷十一，讀荀）。斯與皇甫湜〈孟荀言性之論〉相似。該文先說二者皆不背於聖人，但均僅得一偏。而兩者相較，「軻之言合經為多益，故為尤乎！」（卷二）。

經過他們這樣檢別之後，儒家內部經籍的重要性就發生了變化。《國語》雖亦被認為是左丘明所傳，但不入春秋經傳之列。孟子既是「醇乎醇者」，便上升了地位，與六經相等。李翱又表章《中庸》說：

> 聖人以之傳于顏子。……其餘升堂者蓋皆傳也。……曾子之死曰：吾何求焉？吾得正而斃焉，斯已矣。此正性命之言也，子思，仲尼之孫，得其祖之道。述《中庸》四十七篇，以傳于孟軻。……遭秦滅書，《中庸》之不焚者，一篇存焉。於是此道廢缺，其教授者，唯節行文章章句、威儀擊劍之術相師焉〈復性書上〉。

這個說法，比韓愈更重要，已形成了一個宋人所說的道統傳承統緒之框架。聖人之道，由韓愈〈原道〉勾勒的前半段（堯舜禹湯文武周公孔子），下傳到曾子思孟子。然後就中斷了。此道廢缺，「吾弗能知其所傳矣」。但剝極而復，我李翱就是孟子以後傳這個道的人：「道之極於剝也，必寖復，吾豈復之時耶？」如此云云，不但建立了道統說，也提升了《中庸》的地位，使儒家經典的內容發生了重大變化。——《孟子》和《中庸》的地位愈來愈高，《中庸》一篇且由《禮記》中獨立出來。

(五)辨疑僞

與此相關的，還有兩件事，一是辨疑偽，一是論性命。先說前者。

前面已說過，中唐文人經說具有一種精神底子，就是質疑。質疑六經內部的矛盾、縫隙、錯落之處，再進而質疑傳注及其他一切學說。批判異端，本來也就本於這種精神。在儒家內部做檢擇汰刪，仍是本於這樣的精神。

由這種精神來看歷來所傳文獻，便觸處有疑，發現了許多駁雜難通之處。如柳宗元讀《列子》，就查考了各家記載，發現所言列子其人其事「何乖錯至如是」。由此才進一步判斷：「其書亦多增竄，非其實。……其〈楊朱〉〈力命〉，疑其楊子書；其言魏牟孔穿，皆出列子後，不可信」（卷四，辨列子）。讀文子亦復如是，見〈辯文子〉。其餘辨《鬼谷子》《晏子春秋》《亢倉子》等，均遠啟清人辨偽之風。

但清人初尚不敢疑經，此則不僅疑諸子，亦疑儒家經典，簡直比清人還要激進。如《國語》，柳宗元就疑它頗與《左傳》記載不同，而要「非」去。就是《左傳》，某些地方他也覺得不妥，不符合《春秋》。如《國語·晉語》荀息死之一段，《國語》與《左傳》《穀梁》都是一致的，柳宗元卻認為它不符《春秋》之義。這是從義理上辨偽，而非只從文獻上，因此他說：「吾言《春秋》之情，兩子徵其文，不亦外乎？故凡得《春秋》者，宜是乎我也，此之謂信道哉！」另外，他也辨《論語》。一般人認為此書乃孔子弟子所記，他以為不然；一般人疑〈堯曰篇〉，他則相信之。❿

韓愈對儒家經典，雖無柳宗元那樣專門疑某非某的文章，但在他檢別正宗時，其實就已推倒其餘了。〈與孟尚書書〉說：「秦卒滅先王之法，燒除其經。……（漢）除挾書之令，稍求之書，招學士。經雖少得，尚皆殘缺，十亡二三。故學士多老死，新者不見全經，不能盡知先王之事。……漢氏以來群儒，區區修補，百孔千瘡，隨亂隨失，其危如一發引千鈞」（文集卷十八），此與〈進士策問〉之四相同，都有推倒一切，獨以孟子傳道統之意。故覺得六經業已殘缺，傳者又多謬。策問之十一，問考生堯舜事「亦有深辭隱義不可曉耶，抑其年代的遠失其傳耶」，也是如此。要求考生就此等處「其辨焉」「願與諸生論之，無惑舊說」「願聞所以辨之說」，精神上其實已近於民國古史辨運動時的狀態，清人之辨偽學尚不能及此。⓫

---

❿ 柳宗元還辨及拓本，見文集卷三十一〈與呂恭書〉，因與經學無關，不贅。

⓫ 也有因勇於發明義理，無惑舊說，而出現不太理會舊說，就逕去立新說的情況。如劉禹錫論易，柳宗元便認為他有此病：「見與董生論周易九六，義取老而變，以為畢中和承一行僧得此說，異孔穎達疏而以為新奇。彼畢子董子何膚末於學而遽云云也？都不知一行僧承韓氏孔說而果以為新奇，不亦可笑矣哉？」「觀足下出入筮數，考核左氏，今之世，罕有如足下求易之悉者也。然務先窮昔人之書，有不可者而後革之，則大善」（卷三十一，與劉禹錫論周易九六說書）。

(六)說性命

柳宗元《非國語・卜》言：

> 獻公卜伐驪戎，史蘇占之曰：勝而不吉。非曰：卜者，世之餘技也，道之所無用也。聖人用之，吾未之敢非。然而聖人之用也，蓋以毆陋民也，非恒用而徵信矣。爾後之昏邪者神之，恒用而徵信焉，反以阻大事。要言卜史之害於道也多，而益於道民少，雖勿用可也。左氏惑于巫而神怪之，乃始遷就附益以成其說，雖勿信之，可也。

他辨《國語》，多就其巫怪處說，大力發揮「子不語怪力亂神」之精神，如說：「孔氏焉能窮物怪之形耶？是必誣聖人矣」（羵羊條）「單子數晉周之德十一，而曰合天地之數，豈德義之言耶？又徵卦夢以附合之，皆不足取也」（晉孫周條）「聖人之道，不窮異以為神，不引天以為高，故孔子不語怪與神」（料氏條）……等，不勝枚舉。結合其反對月令之學來看，就明顯可以看出他反對漢代經學那種陰陽五行、靈異禎祥，天人感應之說。所以幽王三年西周三川皆震，伯陽父說周將亡了的預言，就被他痛批，說山川只是天地自然之物，自動自休自峙自流，跟人的行為無關。

柳宗元劉禹錫之天論，亦本於此一思想。其大旨，依柳宗元說，端在「非天預乎人也」（見文集卷三十一，答劉禹錫天論書）。這是當時經學思想反漢儒的地方。

當時經學思想雖反對說神怪，卻不反對說性命。由於整個關切點已從「天人相與」轉到「人」這方面，故明天人之分以後，就要窮性命之奧。

論性命，最集中者為李翶《復性書》上中下三篇。謂「性者天之命也，情者性之動也」。聖人有情但不亂動情，故雖有情也未嘗有情。匹夫有性，但情動而昏，不知其本，故終身不能見性。以是主張覺悟，覺則明，明則可以復性：

> 視聽言行，循禮而動，所以教人忘嗜欲而歸性命之道也。道者至誠也。誠而不息則虛，虛而不息則明，明而不息則照天地而無遺。非他也，此盡性命之道也。

李氏此文，世多謂其用佛家義，其實性靜情動，是《禮記》之說，性善情惡以及寂然不動也是。不過，將寂然不動結合《中庸》，說「寂然不動者是至誠也。《中庸》曰誠則明矣」，乃是李翶的創說。心寂不動，邪思自息，他稱為以情止情。以情止情，而非以性制情，在理論上還儘多可商。但如此說性命，確已開宋人之先。

本文只能總說當時文人經說的大貌，自然無法細論當日各家性命論。但由總體趨向上看，恰好可以看出這種論說性命的風氣。

如皇甫湜就也有〈孟荀言性論〉，謂孟子之說「勸人汰心源，返天理」；荀子之說「勸人黜嗜欲求良善」。歐陽詹則有〈自明誠論〉，把人分兩類，生而知之的聖人，是自性而誠；學而知之的賢人，是自明而誠，鼓勵大家都要自明而誠（文集，卷六）。其說站在人分高下的立場上發言，與李翶說「凡人之性猶聖人之性」不同，對誠以致明和明以致誠，兩人也不一致。但由此類文獻對比，不是益可發現當時人說經已廣泛運用孟荀、中庸、大學、易傳以論性命了嗎？

(七)申禮學

李翱在論復性之道時，其實還有不同于宋儒的地方，那就是並不只從心地工夫去說，而是採「仁禮雙彰」之路。因此一方面透過正心誠意來致誠明，另一方面則要人「視聽言動，循禮而行」。

此說殆亦風氣所染，歐陽詹〈太學張博士講禮記記〉言：

> 禮也者，御人之大故，首於群籍而講之。束修既行，筵肆乃設。……大司成端委居於東，小司成率屬列于西，國子師長序，公侯子孫自其館；太學師長序，鄉大夫子孫自其館；廣文師長序，天下秀彥自其館。……公先申有禮之本，次陳用禮之要，正三代損益得失，定百家疏義長短，融乎作者之意，注乎學者之耳。……後一日，聞於朝，百司達官造者半。後一日，聞於都。九域知名造者半。（文集卷五）

文章當然不免誇飾，但由此便可以見制度。春享先師後，即講《禮記》；視禮「首於群籍」，重視的程度，不待贅言。講時四方來聽，亦可見並非儀式化的典禮而已。

同理，韓愈《讀儀禮》說：「余嘗苦《儀禮》難讀，又其行於今者蓋寡，沿襲不同，復之無由，考之於今，誠無所用之。然文王周公之法制粗在。……於是掇其大要，奇辭奧旨，著于篇，學者可觀焉」（卷十一）。此書今已不可見，也許是韓愈在元和元年至元和四年擔任四門博士時的講義，提供給學者參考用的。若然，則亦可顯示當時太學重禮之風。即或不然，韓愈掇要《儀禮》之舉，同樣可以體現當時重禮之風。韓愈〈改葬服議〉〈禘祫議〉〈與李秘書論小功不稅書〉，也一樣足以顯示他在禮經上的造詣。

此種對禮之重視，或許也有現實之因素。一是世族仍在，禮法門風仍是社會上所講究的，經學中的禮學自然就不會不鑽研。二是當時治學，又有通經致用的考量，禮制當然也必須講求。如李翺策問進士兩題，第一題就是問兩稅制的優劣。這固然是時務題，但稅賦制度正是通經致用之儒所必須關心的，他自己作〈平賦書〉，討論的就是這個問題。且一開頭就引孔孟說什一之稅法。他所謂的平賦，也就是什一之法的當代版，詳細規劃了收稅的方法。此文可以說就是他對賦稅制度的設計，但也不妨說這就是結合現實以說經義之文。⑫

五、經學史上一抹異彩

論唐代經學者向來不多，縱有論者，大抵於唐初僅重《五經正義》，於中葉僅論啖助趙匡等而已，不甚重視文人，亦多未爬梳文集。講文學史，論古文運動者，又僅能就文論文，但知韓、柳、李翺、皇甫湜等皆提倡儒學，主張文章須植本於經術，而罕能究問其經學經說為何如。兼以成見誤人、載籍有缺，遂令唐代中葉貞元元

⑫ 當時明經考試，以《禮記》為大經，以《周禮》《儀禮》為中經，地位可能在《詩》《易》《書》之上，但也可能是因《禮記》篇幅較大的緣故。

和之際文人說經之史，黯乎未彰。

本文略考權德輿，韓愈、柳宗元、呂溫、劉禹錫、皇甫湜、李翺、歐陽詹諸家文集，想指出或勾勒的，是唐代中葉配合科舉考試制度和太學教學體制形成的一種「文儒」形態。

此輩人，大抵均有科考經驗，又與太學教學極有關係，韓愈、歐陽詹是太學博士，柳宗元有〈四門助教壁記〉〈與太學諸生喜詣闕留陽城司業書〉，劉禹錫有〈奏記丞相府論學事〉〈國學新修五經壁〉等等，都可證明這一點。在他們參加科考或擔任考官時，經義是明經與進士都要考的項目，他們也非常重視此一項目，利用考試，充分帶動了新的經學風氣，破棄章句，發明義理，並企圖達成通經致用之理想。

此一態度，同時也表現在他們於太學中或太學外的講學活動中。此輩人倡師道，以追復孔孟聖道自居，說經不重漢儒章句，也反對陰陽五行、休咎災異、天人感應之說，要直接孔孟之傳。且疑經非傳，自抒意見，剖析天人，討論性命，皆下開宋人之風氣。

此類人，既是文人，又是儒者，有不少專門的經學著作，如劉禹錫的《易論》、柳宗元的《非國語》、韓愈的《論語筆解》或《儀禮》刪要本等，其文章亦多為發揮經義而作。歷來卻只將之視為文章，不以為它們就是經說。這是以漢人章句箋注考證等說經之體為標準所形成的偏見，不知文儒說經本不如是也。柳宗元之言曰：

> 貞元中，王化既成，經籍少聞，有司命太學之官，頗以為易。專名譽、好文章者，咸恥為學官。至是，河東柳立始以

> 前進士求署茲職，天水武儒衡、閩中歐陽詹又繼之。是歲為四門助教凡三人，皆文士，京師以為異。余與立同祖，與武公同升於禮部，與歐陽生同志於文。四門助教署未嘗紀前人名氏，余故為之紀，而由夫三子者始。（卷二十六，四門助教壁記）

他們本是文人，但又看不起並世之文人，所以才會以文人而求為太學學官，欲兼文人與經師。柳宗元雖未為學官，但也表明了做為同志的態度。韓愈曾為國子博士，情況相同，自是不必再說了。但韓愈未任博士教授前，〈答崔立之書〉已說：「及來京師，見有舉進士者，人多貴之。僕誠樂之。就求其術。或出禮部所詩賦詩策等以相示，僕以為可無學而能」（卷十六），可知亦是極輕視當時文人才藝的。因此他說：「夫所謂博學者，豈今之所謂者乎？夫所謂宏辭者，豈今之所謂者乎？」要追復一種古代文質相合、文儒相合的形態：「作唐一經，垂之於無窮」（同上）。

此不唯說經，抑且作經。不僅是「述者」，亦是本經義而發為文章，顯示為「作者」的形態，要作經。這不就是漢代王充揭出的理想嗎？韓愈作〈後漢三賢贊〉，第一位就贊王充，料想必對王充文儒之說深有會心（見卷十二）。

而王充所說的文儒，在漢代其實並沒有什麼人足堪範式，揚雄勉強可算一位，餘則或文或儒，罕能兼備。至唐中葉，才有這麼一大批人起而揭揚並實踐之，也可說是歷史的異數了。

此後宋代理學，於茲多所繼武。但文漸與儒分，經生又與道學分，文儒事業，遂乏嗣響。清人提倡經學，以漢代經學為典範，於唐代之文儒經學，隔閡益甚。文儒一目，乃愈晦焉。文章之家，則雖侈言宗經徵聖，而實於經學輒多矇然，徒以宗經明道為門面語耳。誇辭藻以飾章句，韓柳見之，恐當駭笑。此所以文儒寡儔，世亦莫之知也。今粗發其凡，略述其要。至其細節，不煩縷陳矣！

參、細部批評導論

一、新批評、印象批評、評點

對於中國傳統文學批評的重視與整理，時日尚淺。研究者早期比較偏重於已經成書的詩話、詞話，近來則開始注意到詩話詞話以外的批評形式與材料。例如批點，就很引起研究者的興趣。

對評點的重視（或者說是重新討論），有很多不同的原因。第一當然是希望在詩話詞話的研究之外開拓新領域、發掘新問題的學術企圖，重新召喚大家去注意這一批批評材料。但是，為什麼我們會覺得有這個需要呢？這也就是說我們本身對傳統文評的研究可能碰到了新的問題，需要從評點裡去找新的可能，詩話詞話則不太能解決我們的需要了。

這個新問題，在海峽兩岸是不同的。在大陸方面，因為政治意識的導引，使得他們的文學研究者比較注意屬於民間傳統的文類，如小說、戲曲、口傳文學等等。這些文學，在傳統上因地位不高，論者罕所齒及，古亦無所謂小說話如詩話詞話者；要討論，就只能乞靈於小說戲曲的評點。❶所以像金聖嘆那樣的小說評點，若放棄不做研究，則「在這方面的研究，可以說基本上是一個空白」，但「金聖嘆講的什麼唐詩分解法，就是根本不值得一提的東西」。❷詩詞和小說的評點，手眼可以無殊，價值卻不妨互異，原因蓋即在於它們各在不同的文類系絡中、也各在不同的批評傳統之中也。

臺灣的情況，跟大陸完全不同。我們對敘事文類和民間文學的探討，原即寂寥；又因受乾嘉學風、五四新考證及海外漢學傳統的影響，即使研究小說，也偏重考據，極少觸及小說的形式結構等問題。後來比較文學興起，又喜歡套用理論，講些二元對立、心理分析之類，並不太從傳統的小說批評中去尋找批評典則。因此，我們之注意評點，是來自另一種刺激：新批評的引介與論爭。

新批評在臺灣的文學發展上，先是經由夏濟安的引介，對現代文學影響深遠。在創作方面，有王文興等人，追求單篇經營的文字藝術；在批評方面，也有歐陽子論《臺北人》那樣的著作。他們的成績，在現代文學陣營裡，雖也曾引起若干爭論，但主要是與社會文化論者在意識內容方面的爭論，與中國文學批評研究之間的關係

---

❶ 阿英《晚清文學叢抄——小說戲曲研究卷》（中華書局，1960）卷四所收叢話隨筆類小說評論，如黃摩西〈小說小話〉、邱煒萲〈客雲廬小說話〉、佀生〈小說叢話〉、寅半生〈小說閑評〉……等十五種，有一部分即是模擬詩詞話而成的小說話，但為數既少，時代又已遲至民國，其評論形式在五四新文學運動後，更是成為過眼雲煙，並無發展。

❷ 見葉朗《中國小說美學》（里仁，1987）第一章第三節。葉朗又提到 1974 年在美國普林斯頓大學召開的「中國敘事文學學術研討會」上，有些學者呼籲學界重視對中國小說評點的研究。這與中國大陸注意到評點的理由相同。

倒不太大。——雖然王文興也在中文系用細讀法教《紅樓夢》。❸

一直要等到顏元叔辦《中外文學》，推動比較文學，且進而運用新批評等若干方法來研究中國文學（特別是傳統詩）時，對批評理念與方法的反省，才有較具體的進展。

例如新批評大將 W.K. Wimsatt, Jr.與 C. Brooks 的 *Literary Criticism: A Short History* 由顏元叔在民國六十一年譯出。次年，吳宏一在其博士論文中即闢有專章討論金聖嘆、徐增「形構批評」的手法；六十五年，黃永武出版了《中國詩學——設計篇》，「用細密剖析的方法，講明（詩中）這些美如何形成」，其討論方式，深受新批評影響。同年，陳萬益的《金聖嘆的文學批評考述》，也特別談到：「在本世紀前五十年曾風行於英美的形構批評法（Formalist Criticism）和金聖嘆的批評法有極類似之處，它們都是以徹底研讀本文作為批評的基礎；同樣強調結構和字質……，我們稍加比較之後，金批的面目會更加清楚」。

可見在那個時候，新批評與評點的關係，正成為新的關切點；研究者亦並不以為詩的評點和小說評點價值不同。不過，在那個時候，新批評與評點是否極為類似，看法尚未趨於一致。如王文興就說晚清對《紅樓夢》的批注，是完全靠不住的，類似詩話，非客觀冷靜之批評。黃永武也覺得密圈密點的欣賞法，本身缺乏體系，對詩人之匠心，也極少剖析。不過，畢竟評點與詩話詞話不同，有較多一點的分析，所以仍然引起研究者高度的興趣。

---

❸ 康來新〈一部「人像畫廊」作品的再評價〉（收入《石頭渡海——紅樓夢散論》，漢光，1985），對於王文興教《紅樓夢》，有詳盡的描述。

這種興趣，到民國六十六年顏元叔和夏志清大打筆戰之後，更加濃烈。夏志清認為當時的文學批評太過注重科學化系統化，且迷信方法，套用西洋理論亦往往變成機械的比較文學研究。顏元叔則反駁，謂夏氏乃「印象主義之復辟」，直斥中國傳統的文學批評，如詩話詞話都只是印象式的批評，說現代我們應該通過理性的分析，而不應只停留在直覺層面和對作家傳記的了解上。一時之間，中國文評到底是不是主觀的印象主義式批評，論者紛然，或是或否。❹但大家都承認中國文學批評確實比較沒有系統，缺乏分析與論證，似乎較為主觀。這點，頗令人沮喪。但，批點似乎又替我們燃起了一些希望。鄭明娳〈毛批三國演義章法論〉、陳萬益〈說賈寶玉的「意淫」和「情不情」——脂批探微之一〉，都是重定批點之價值的重要論文。七十五年，康來新在《晚清小說理論研究》裡說的一段話，大抵可以看作這十幾年討論評點的具體總結意見，她說：

> 評點是從作品本身出發，道道地地是實用的文學批評，所有的評點者無不正視文學作品本身的權威性，他們最關心的是作品本身，全力以赴的是怎樣對作品本身做最精確的分析與闡釋，評點可說是一種極為徹底的研讀。……比脫離作品的

---

❹ 參見沈謙〈文學批評的層次——從夏志清顏元叔的論戰談起〉（收入《期待批評時代的來臨》，時報，1979）。

某些先驗性空洞理論批評來得具體切實得多。❺

這正是一個新批評模式的評點觀！分析的年代、實證的取向、形式的關切，在此深深烙下了一個印記。

在傳統中，評點當然也頗有人贊賞，吳汝綸說歸有光批的《史記》，「極能開後人讀書法門」（日記，戊辰十月九日），馮鎮巒說金聖嘆批《水滸》《西廂》「靈心妙口，開後人無限眼界、無限文心」（讀聊齋雜說）。大概較注意它的啟發性。而反對者則認為評點太過瑣碎、機械，且接近八股選家見解，如胡適云：

金聖嘆用了當時選家評文的眼光來逐句批評《水滸》，遂把一部《水滸》凌遲碎砍成了一部十七世紀眉批夾注的白話文範。例如聖嘆最得意的批評是指出景陽崗一段連寫十八次「哨棒」、紫石街一段連寫十四次「簾子」和三十八次「笑」。聖嘆說這是草蛇灰線法。這種機械的文評正是八股選家的流毒，讀了不但沒有益處，並且養成一種八股式的文學觀。

其後賀次君也說明代評論：「不過爭文句之繁簡，論進退之當否，雖逐段批注，率多未當」，且「史遷外腓內充，口無擇言，健筆所

❺ 鄭文，為第一屆國際古典文學會議論文，收入《古典文學》第七集。陳文，為第三屆世界比較文學會議論文，刊於七十三年中外文學十二卷九期。康文，見其所著《晚清小說理論研究》（大安，1986）緒論及守成篇第一章。

到，盡成文采，不能規以繩墨，定以義例。而明清學者於《史記》文章則講主客、虛實、照應、分合、根枝等法，所論雖多，究無關宏旨」，對於其機械瑣碎，看法與胡適相同。❻現在，我們卻在新批評的影響之下，注重其機械與瑣碎了！

二、文學的細部批評

依目前的研究，我們對評點的理解，大體上是這樣的：

> 《文心雕龍》之後，如《文鏡秘府論》及唐人諸詩格，都是力圖對作品做一客觀分析，走向精細的「法」的研究的著作。到了宋代，詩話中頗不乏講論作品修辭問題的，但最重要的原因，卻是科舉。書商為了應考生需求，出版了呂祖謙《古文關鍵》、樓昉《崇文古訣》、謝枋得《文章軌範》一類批注，以示人為文門徑。至明，因八股制義之故，乃更為蓬勃風行。
>
> 這些評點，固然可施之於詩文，但主流逐漸轉到小說方面。且在小說和戲曲的評點上，大概也都採用了八股之章法，來解說作品結構。其所以如此，主要用意，應該是為了文學教育，因為一般人不會看書，只記故事，或以「詩妙處正在可

❻ 胡適語，見〈水滸傳考證〉，收入《中國章回小說考證》（新校本，臺北：里仁，1982）。賀次君語，見《史記書錄》（地平線，1972），頁 162、205。

> 解不可解之間」來自我搪塞，所以批書者要點明作品的章法與筋節，讓人知文章之妙處。金針度與，苦口婆心，遂不嫌其瑣碎詳明了。
>
> 換句話說，他們專門指出「古人書中所有得意處、不得意處、轉筆處、趁水生波處、翻空出奇處、不得不補處、不得不省處、順添在後處、倒插在前處，無數方法、無數筋節」（金聖嘆，水滸傳楔子總批），是以作品為主的精密分析。希望讀者能夠因為看了他們的批點，而曉得怎麼樣讀書、讀文學作品：「子弟讀得此本《西廂記》後，必能自放異樣手眼，另去讀出別部奇書」（金氏，西廂記讀法第十三條）。
>
> 這樣，從結構與字質的分析中，去探尋作品的意義，是批點與新批評非常類似的地方。而且新批評起於不滿舊有文學教育的性格，也與評點甚為接近。❼

這個看法，基本上也不能算錯，但把評點跟八股的關係拉得這麼緊密，是否妥當？評點在北宋即已有了，本非純因科舉而生，後代科舉風氣只能算是一種助緣，而很難視為主要原因。其次，科舉只考策論或制義，評點殊不限於策論和制義，詩、古文、經、史以及小說戲曲，無不有之。八股有什麼條件，能成為這些文字共同依準的基本文類，而認為一切書籍的評點，方法皆自八股來，「深受八股文講究技法的影響」？

---

❼ 詳陳萬益《金聖嘆的文學批評考述》（臺大文史叢刊，1976）第三章。

張雲章序呂祖謙《古文關鍵》時說：「觀其標抹評釋，亦偶以是教學者，乃舉一反三之意。且後卷論策為多，又取便於科舉」，一且字、一又字，分明指出了評點並不專為科舉而發；便於科舉，但屬附帶效果而已。論者見明清人評點，多與其論八股文手眼相似，遂謂其論章法結構皆從講八比文來。為什麼不能換個角度想：評點之學，既用以教學者為文，則論八股文者自然也用了這一套類似的方法來教士子撰寫制義，並不能說是評點受了八股文的影響。

再進一步說，有些評點，只是泛談感受、或隨意喝采，缺乏分析❽；有些評論文學作品的文獻，又並不出之以評點圈釋的方式，而仍為詩話之類。如金聖嘆的唐詩分解或方東樹的《昭昧詹言》。吳汝綸《日記·纂錄下》摘抄方東樹論詩語千餘言，明明不是評點卻與之相近似，如「總挈、橫截、補黜、離合、錯綜、轉法、結法、逆攝、突起、倒挽、草蛇灰線、橫空而來、快刀劈下……」「震川論《史記》，起勢來得勇猛者圈，杜公多有之」之類，跟評點並無不同。而吳汝綸又說：「以上論七律，而可通之各體」「以

❽ 評點，不能視為一個批評方法的「類」，因為評點一詞，只指出了它的批評形式，但同樣運用這種形式的批評流派很多，其方法與批評理念互不相同。如明之孫月峯歸熙甫，即與清之桐城派不同，桐城派又與公羊常州之學不同，可是他們都可能使用評點的方式來評論詩文。籠統稱為評點，實在有點菽黍不分。何況，「自來古文評語，有詳釋文義，累幅不已者。有止贊其文，寥寥數言者」（李扶九編《古文筆法百篇》凡例），評點亦不一定就是針對作品的詳細分析。因此，我在後面會建議採取「細部批評」一詞，把評點中屬於細部批評的包括進去，也把不用評點方式，但確是細部批評的包括在內，而將評點中不詳釋文義者排除在外。這樣可能比較妥當。

上論古詩，然多可通之於文」，似乎一般中國老式讀書人讀書，就是常運用這可通於詩文的辦法在讀，有時批點圈釋之，有時則否。

因此，我們可能應該擴大來說：這是針對單一作品的細部批評。原不限於評點，亦不限於小說戲曲。經史子集，凡把來作文學作品讀的，就會有這樣的批評方式出現。像《史記》，做史學著作讀，就沒有這種讀法；做文學作品看，才有各家評論，賞其文辭章段之美。《莊子》，做哲學著作看，只有箋釋；做文學作品讀，就會有宣穎、林雲銘那樣的批評。

《四庫提要》曾說：「《南華評注》，國朝張垣撰。……其書分段加評，逐句加注，皆不言本某家之古注。其注似徐增之說唐詩，其評一如金人瑞之評《西廂記》《水滸傳》而已。觀其或問第二條，以莊子為風流才子，可知其所見矣」，又說：「《南華通》七卷，國朝孫嘉淦撰。……是編取《莊子》內編，以時文之法評之，使起承轉合提掇呼應一一易曉」，可見論莊子者，自有此一派，以文士看莊周，以文章求莊子書。如宋林希逸《莊子口義》、劉辰翁《莊子評點》、明孫應鰲《莊義要刪》、歸有光《道德南華評注》、孫鑛《莊子南華真經評》、譚元春《莊子南華真經評》、林雲銘《莊子因》、吳世尚《莊子解》、高秋月《莊子釋意》、宣穎《南華真經解》、胡文英《莊子獨見》……等，都屬這一系統。或評點圈批，或否；而其評與注、解與釋，又都與徐增金聖嘆相彷彿（他們之中如歸有光、鍾惺、林雲銘，也都另外評點過許多詩文），正可證成以上我們的論點。在歷史上，這一派與郭象以降之以義理解莊者，涇渭判然，如宣穎說郭注：「於莊子行文之妙，則獨未涉藩離。古今同推郭注者，謂其能透宗趣；愚謂聖賢經篇，雖以意義為重，然未有文理不能曉暢而意義得明者，此愚所以不敢阿郭注也」云云，即可以顯示他們的著眼點殊不相同。論《莊子》如此，其他經史子書亦然。❾

因此，我們可以說，這是中國人討論文學作品時的一種方法，從宋朝晚期逐漸定型，經過明朝幾位批評大將的推衍，至清即成為普遍的討論文學的方法。這種方法，多用在實際批評上；並不空談原則，而常常是藉實例以帶引出一些寫作和閱讀的原則，而且對於作品的文辭之美，可以在字裡行間細細評解，這種評解，當然最常見的形式是評點，但由於它並不限於評點，評點亦未必盡屬此種，因此我們建議把它稱為「細部批評」。

這種細部批評，自有淵源與批評理則，既非八比所能範限，與形構批評亦大有差異。

三、細部批評的淵源與發展

認為細部批評係由科舉而生，乃明清人共同的看法。但這只能說是對時代現象的批評，而不太能據此以說細部批評之批評法則是怎麼來的。而且，科舉經義，為說經之支流，若追源溯本，亦當求

❾ 例如孟子，吳闓生有評點，後來高步瀛「雜取諸家之注，綴於其後」，而成《重訂孟子文法讀本》。這本集解跟其他以義理求孟子者，當然大不相同。古人未解此義，往往混為一談，如《四庫提要》卷三十說鍾惺評《左傳》：「惺撰《詩歸》，別開蹊徑，尚能成一家之言，至於詁經，則非其所長」，不知此本非為詁經而設也。詁經自有漢宋之儒，因經史諸子而論文，才是這些批評家努力的方向。

之於經學。

以漢人之講經來說，基本上有三種辦法：一是章句、一是訓詁、一是條例。《後漢書》卷六十〈鄭興傳〉：「晚善左氏傳，天鳳中，將門人從劉歆講正大義。歆美興才，使撰條例、章句、訓詁」。條例、章句和訓詁，都是用來講論經義的。訓詁是解釋經文和字義，並論其大旨。章句則繁辭博辯，逐句闡釋、分章講論，以文義為主，非常細緻，有說「曰若稽古帝堯」而達數十萬言者。據《漢書・夏候勝傳》：「自師事勝及歐陽高，左右采獲。又從五經諸儒問與尚書相出入者，牽引以次章句，具文飾說」，又〈儒林傳〉：「（丁寬）作易說三萬言，訓詁舉其大誼而已。今小章句是也」，可知章句之指括經文、敷暢文義，原即是對經典作細密分析的。易說三萬言，猶僅為小章句而已。

至於條例，主要是指《春秋》的學者們，從《春秋》的遺辭用字（所謂「書法」）中，歸納整理出若干條原則，又稱為凡例。據說有周公舊例和孔子的新例，如杜預所云：「（春秋）其發凡以言例，皆經國之常制、周公之垂法，仲尼從而修之，以成一經之通體」。故學者須觀察書法，以明孔子進退褒貶之意；由書、不書、先書、故書、不言、不稱、書曰……等處，觀微言大義。這些條例，據何休《公羊解詁》序說有胡母生條例，然其書已亡，《隋書經籍志》則還載有杜預《春秋釋例》十卷、劉寔《春秋條例》十一卷、鄭冢《春秋左氏傳條例》九卷、不著撰人《春秋左氏傳條例》二十五卷、何休《春秋公羊傳條例》一卷等。

晉朝以後，晉人經義及南北朝義疏，除沿續了漢儒治經之法外，又受到佛典疏鈔和僧徒講論的影響。而有了開題和章段。所謂開題，也稱為發題，《廣弘明集》卷十九有〈發般若經題論義〉一文，《梁書》卷三〈武帝紀〉也說：「大通五年，幸同泰寺，設四部大會，高祖升座，發《金字摩訶般若經》題訖」。這是在講經時，由都講先唱題，再由主講的法師講解題意。其制頗為隆重，《高僧傳》卷四〈竺法汰傳〉說晉簡文帝講《放光經》，開題大會，帝親臨幸之，可見其一斑。漢儒經注之書，並無解題的，到這個時候卻有了專門解題的書。如〈隋志〉載有梁蕃《周易開題義》十卷、梁武帝《毛詩發題序義》一卷，《唐書・經籍志》有《周易發題義》一卷、梁武《周易開題論序》十卷、大史叔明《孝經發題》四卷，《陳書》卷三十三〈儒林傳〉也提到：「王元規著春秋發題辭及義記十一卷」。這些開題，主要是對書名篇題的解說，唐人義疏中，如《周易正義》前面先有一文解釋「易有三名」，就是開題的辦法。

另外，晉唐義疏又有所謂章門科段。據吉藏仁王疏說：「諸儒說經，本無章段，始自道安法師」，可知這是南北朝才出現的體制。《隋書・儒林傳》：「（馬光）嘗因釋奠，高祖親幸國子學，王公以下畢業。光升座講禮，啟發章門而已」。章門，又稱科分、章段，就是章節段落。晉唐義疏，如皇侃《論語義疏》學而第一說：「論語是此書總名，學而為第一篇別目。中間講說，多分科段矣⋯⋯」，《左傳・序》疏說：「此序大略十有一段明義。以春秋是此書大名，先定解名之由。自『春秋』至『所記之名也』，明史官記事之書名曰春秋之義。自『周禮有史官』至『其實一也』，明天子諸侯皆有史官，必須記事之義。自『韓宣子適魯』至『舊典禮經也』，言周史記事褒貶得失，本有大法之意。⋯⋯」，都是區分

章段以釋義的。❿

這些體例，無不深刻影響到後來的說經習慣，也直接塑造了細部批評的模式。例如說經者推敲字辭書法以明仲尼褒貶之意，細部批評也是要「從文字上得作者之用心」。說經者具文飾說、敷暢文義，細部批評亦正是如此。明清之評點，在每書之前，例必有「凡例」或「讀法」若干條，更是像極了經學家的條例。而晉唐義疏有開題，後來評點之書，開頭除凡例之外，也必有釋題，如金批《水滸》，序一是自道作書之意，序二就是開題，曰：「觀物者審名，論人者辨志。施耐庵傳宋江，而題其書曰《水滸》，惡之至、迸之至，不與同中國也……」。他批《西廂》，開頭也是：「《西廂》者何？書名也。書曷為乎名為『西廂』也？書以紀事，有其事，故有其書也……」，凡此，皆本釋經開題之法。章段，更是重要。凡細部批評，都是先把一篇文章區分成幾個段落，如金批《西廂》，不用戲曲本來的「折」名，而把它分成十六章，說：「一部書，十六章。而其第一章，大筆特書曰：『老夫人開春院』，罪老夫人也……」，即是如此。批書者所謂「章有章法，段有段法」，章法之說，很少人曉得其淵源實本於義疏！

不過，這種義疏及講經之例，無論如何，也只是經的細部解說，與文家論文，精神意趣畢竟不同。所以說經之慣例雖已如此，卻並沒有影響到文家論文的方法。文家以說經之法論文、或由經學

---

❿ 以上有關經注之體例問題，俱詳龔鵬程《孔穎達周易正義研究》（臺灣師範大學國文研究所碩士論文，1979）第二章第二節。〈論詩文之法〉（第八屆古典文學會議論文，收入《文化・文學與美學》，時報，1987）。

義疏轉到宋明以後的細部批評，主要關鍵，在於宋朝幾個值得注意的事項：

一是古文運動以後，文家論文，歸準於六經。雖說「文以載道」，所重者在道不在文；但六經文辭之美，卻得以被發現並獲闡揚。韓愈所謂：「沉浸醲郁，含英咀華，作為文章，其書滿家。上規姚姒，渾渾無涯；周誥殷盤，詰屈聱牙；春秋謹嚴，左氏浮誇，易奇而法，詩正而葩」（進學解）、柳宗元所謂：「參之穀梁氏以厲其氣，參之孟荀以暢其文，參之老莊以肆其端，參之國語以博其趣，參之離騷以致其幽，參之太史以著其潔。此吾所以旁推交通，而以為文也」（文集十五，答韋中立論師道書），均表現了古文家在「因文以明道」的祈嚮中，達成了對文辭之美的發掘。六經成為文章最高的典範，諸子也不必單從義理上去尊崇，而可以從文辭之美的角度來領略。故程頤曾批評古文家：「學本是修德，有德然後有言。退之卻倒學了，因學文日有所至，遂有所得」。（程氏遺書卷十八。《優古堂詩話》謂伊川「此意本之吳子經」）⓫

⓫ 從這個意義上說，古文運動乃是朝兩個極端發展的：一方面由「因文以明道」「通其辭者，本志乎古道者也」，以得道為終極目標；「文」便只是達成這個目標的工具或手段，所以李漢〈昌黎先生集序〉云：「文者貫道之器也」。此即形成後來理學家的態度，如周敦頤以「文以載道」為說，伊川朱子認為文不重要，溺於文辭乃是玩物喪志之類，所重皆在道不在文。但另一方面，又因為古文家對於文辭創作用功甚深，謂：「若聖人之道，不用文則已，用則必為其能者。有文字來，誰不為文？然其存於今者，必其能者也」（韓愈·答劉正夫書），所以開創了文學世界新的領域、形成了新的文學美典、發掘了六經的文學美。唐宋以後「文人」傳統的形成，以及文人與理學家的衝突，均與此一問題有關。

且不管如韓愈這樣的古文家是否「倒學了」，這一趨向影響兩宋以後文風甚深，乃是非常明顯的。這種影響，可分為兩方面來看：

1.是說經者往往從文學角度立論。如論《詩經》，《項氏家說》卷四云：「說詩者皆經生，作詩者乃詞人，彼初未嘗作詩，故多不能得作詩者之意也」，《朱子語類》卷八〇也主張：「讀《詩》且只做今人做底詩著」。《許彥周詩話》解釋〈燕燕〉詩「瞻望勿及，佇立以泣」二句，說：「真可泣鬼神矣！張子野長短句云：眼力不如人，遠上溪橋去。東坡與子由詩云：登高回首坡壠隔，唯見烏帽出復沒。皆遠紹其意」，就是把《詩經》作詩讀的具體表現。明清之萬時華《詩經偶箋》、賀貽孫《詩觸》、戴忠甫《讀風臆評》等書，即沿此宗旨者，故阮葵生《茶餘客話》卷十一說：「余謂三百篇不必作經讀，只以讀古詩、樂府之法讀之，真足陶冶性靈，益人風趣不少」。像陳舜百《讀風臆補》就把許彥周論〈燕燕〉詩的意見全採納了。這可以看出宋朝以後的一種風氣。

不僅對《詩經》如此，儒者說經，自有此一體，如清張英《書經衷論》，並不專門以文學說經，但他〈論禹貢〉，就說其：「章法字法，真千古文字之宗」，其他專以文學說經者，更可以想見了。《四庫提要》卷三一批評清王源《或菴評春秋三傳》以為：「經義文章，雖非兩事，三傳要以經義傳，不以文章傳也。置經義而論文章，末矣。以文章之法，點論而去取之，抑又末矣。真德秀《文章正宗》始錄《左傳》，古無是例，源乃復沿其波乎？」正可以見以文章論經書，從宋朝開始即已相沿成風，評點之書至多。雖醇儒如王船山，所著《詩經稗疏》所附「詩繹數條，體近詩話，殆猶竟陵鍾惺批評國風之餘習」（同上，卷十六），又豈能苛責真德秀、王源？而事實上，這些以文章觀點討論經書的著作，幾乎也是「評點之學」的大宗。⓬

2.是文家論文，既歸準於六經，則古文大盛以後，宗經明道成了文人的基本信念，論文當然要以六經為典範為法則。而剛好條例之學在唐末受到啖助趙匡等人的攻擊，在經學的解釋上不得不放棄此一說法，乃轉而把這一套彰明聖人著述之心、以及解說《春秋》褒貶之文辭書法的東西，用來發明文章之法則。

這時最重要的一部著作，就是陳騤的《文則》。該書一開始就說明：「大抵文士題命篇章，悉有所本，自孔子為書作序……」云云，表白了他之撰寫歸納這些文章法則，根本上即是從經義傳統生出來的，所以他所論的各種為文法則，如「六條」論文之助辭、倒裝、字音、字義、病辭、疑辭、輕辭、重辭；「四條」論譬喻的十種方法與引證；「八條」論文的啣接、交錯、記事、記言、問答……等，都是以六經立論。其所謂「條」，亦即條例之意。這是我國第一部文話，其所分析之條例法則也與後世評點之伎倆關係最為密切。可說細部批評之法則已在這個時候開始逐漸建立了。

⓬ 顧炎武曾抨擊孫鑛鍾惺等人的評選，《日知錄》卷二十引錢牧齋語云：「古人之于經傳，敬之如神明，尊之如師保，維敢僭而加之評騭？評騭之多，自近代始，而莫甚於越之孫氏、楚之鍾氏。孫之評書也，於〈大禹謨〉則譏其文之排偶；其評詩也，於〈車攻〉則譏其選徒囂囂，非有聞無聲之義。尼父刪述，彼將操金椎以控之，又何怪乎孟堅之史、昭明之選詆訶如蒙僮，而揮斥如徒隸乎？……儼然丹黃甲乙，橫加經傳，是之謂非聖無法，而世方奉為金科玉律，遞相師述。學術日頹，而人心日壞，其禍有不勝言者」。對於把經書拿來做文章評議，這可說是最典型的反對意見。

順著這兩方面的趨勢，宋朝的經義取士之風，又助長了細部批評的發展。如南宋鄭起潛編《聲律關鍵》，又名賦格，略仿唐人詩格，而對場屋之文有所討論；魏天應編《論學繩尺》十卷，言經義之寫作亦然。其後元明之間，此類書籍隨著科舉之發達越來越多。《四庫提要》曾指出：「宋王安石變法，始以經義取士。當時如張才叔〈自靖人自獻於先王義〉，學者稱為不可磨滅之文，呂祖謙至為錄入《文鑑》中。元仁宗皇慶初，復行科舉，仍用經義一篇，而其體式視宋為小變。……（王元耘撰《書義矜式》六卷）即所業之經，篇摘數題，各為程文，以示標準。雖於經旨無所發明，而一時場屋之體，稱為最工」，到元朝王元耘這類書出現時，經義寫作的規範大抵已建立了，明人之講章即承此風會而興者。

故《四庫提要》又云：「《作義要訣》一卷，元倪士毅撰，皆當時經義之體例。明以來，科舉之文實因是而引申者也」，並批評明朝梅之熉的《春秋因是》一書，說：「舊制以《春秋》一經，可命題者不過七百餘條，慮其易於弋獲，因而創為合題。及合題之說紛紜淆亂，試官舉子皆無定見，於是此類講章出焉。……此類講章，皆經學之蟊賊，本不足錄。特一以見場屋舊制，所謂比題傳題者，其陋如此，並非別有精微。一以見明季時文之弊，名為發揮經義，實則割裂傳文，於聖人筆削之旨，南轅北轍」，科舉之風日熾，考題即愈趨怪誕無聊，論述經義以備場屋之用的書也愈顯得瑣碎割裂。但這是後來的問題，在宋朝時，這些場屋經義之書，畢竟仍對文家論文影響深遠，或者說，它們之間關係極為密切。

例如呂祖謙《古文關鍵》總論看文字法云：先見文章體式，然後遍考古人用意下語，一看大概主張；二看文勢規模；三看綱目關鍵，如何是首尾相應，一篇鋪敘次第，抑揚開合；四看警策句法，如何是一篇警策，下句下字有力，起頭換頭佳處，激結有力處，融化屈折，剪裁有力處，實體貼題目處。這樣的分析原則及書中之選例說明，本不為科考而設，只是論古文之關鍵。但經義的寫作及指導士子應考撰文，卻大可運用他的說法，或模擬其書，另編教材。而即使不為考試，這種選評文章、討論古文關鍵的做法，也已成了一種傳統，如樓昉的《崇古文訣》三十五卷及謝枋得的《文章軌範》，就是這類著作。王霆震《古文集成》七十八卷，自言為新刊諸儒評點，亦為此種批評傳統之大宗。以嚴羽在南宋時期所做的批點李白詩、劉辰翁評放翁詩等來看，這種批評亦已延伸到詩的領域，並逐漸成為一個詩話以外的批評傳統了。⓭

此一傳統，具體地說，也與唐朝後期以降文人勢力的增強有關。程伊川嘗謂儒學之壞，壞於文士。但古文運動以後，文人的地位提高了，文為載道之具，非華棁文飾而已；文人或經學家可以以文學觀點來討論高文典冊；縱然是考試經義，竟也變成了講求文章。這一趨嚮，乃廣泛影響到後來的文人階層及其活動。明代不僅科舉程文之講章、墨選大盛，以文學觀點論經史諸子，也蔚為風氣。

如陸西星《南華真經副墨》解釋莊子，雖亦詮釋其義理，但時

⓭ 王陽明〈重刊文章軌範序〉云：「宋謝枋得氏取古文之有資於場屋者，自漢迄宋凡六十有九篇，標揭其篇、章、句、字之法，名之曰《文章軌範》，蓋古文之奧不止於是，是獨為舉業者設耳」（文集卷二），認為《文章軌範》本是為了舉業而作。但王氏又說：「舉業之習起，而後有所謂古文」，古文與舉業的關係當然就密不可分了。

時不忘提醒讀者：「此篇首以鯤鵬寓言……看他文字變化之妙」（逍遙遊）「二彼字是文法。……此是文法」（齊物論）「此處又將因是再結一結，看他回顧題目」。論〈養生主〉時，更在整篇解釋完了以後，「重宣其義，作以亂辭」，撰四言十四句，並做文評曰：「此篇凡四段……不似今之作文，一開口便說主義，又或立做柱子，皆下乘也」。在該書卷首，又列有「批點南華真經法」，說明他怎樣用｜□○…一等五種符號，來標明文章的標題、主意、肯綮、精粹、段落。方虛名所輯《南華真經評注》注用向郭注，評就全是就文章的章法句法字法說，祈嚮與陸西星不異。

或許我們要說：莊子之書本來就具文學趣味，以文學觀點評點批評並無不可。但事實上，宋朝以來，既能以六經論文，則天下之書何一不能以文論？子部如凌汝亨之輯評《管子》，自謂「總其例凡，曰通、曰評、曰演。評有細條、有總論。圈點：詞點俱勝用。、意字瑰奇用△、條暢雋爽用、」；凌瀛初之為《韓子迂評》，每篇前有總評，要緊處有夾批、眉批；李贄之評《墨子》，由茅坤校刊；孫月峯之批老子、莊子、列子；……等，史部如凌稚隆之《史記評林》《漢書評林》，歸有光之以五色筆批《史記》……等，幾於覼縷難盡。一直到清末民國，還有吳闓生評點、高步瀛集解的《孟子文法讀本》問世。

足見從宋明以來，幾乎無書不可以文法的講求來閱讀，而且也因為習慣於這樣的文學閱讀，所以批選圈點又幾乎成了中國人讀書的基本方式。八股墨卷，只是其中之一支而已。圈點批注所喜歡討論的破題、章法、段落、文氣，遣辭用字等，則是從經疏釋義的傳統和古文家對文章的分析中來。

四、法的講求與文學美的發現

這些細部批評，數量既多、門類又雜，兼及經史子集、詩文小說戲曲，彼此之間並不容易找到統一的原則，但相對於詩話詞話，卻不難看出它的一般特性。

通常詩話均以隨筆型式，記錄有關詩的本事、相關掌故並摘佳句，略做評騭，所謂「集以資閑談」，屬於文人之間的對話交談。故章學誠曾歸納其內容為詮釋名物、泛述聞見、論述本事、標舉好辭等項，並譏其已淪為說部（文史通義·詩話篇）。因為是談話言說性質，通常詩話都以簡短零散的一小則文字，表達交談過程的機鋒與趣味。我方宣旨，彼已會心，片言抉要，說詩解頤。

這些細部批評則不然，它不是文人間的對話交談，而是執定書本，逐句分剖。不談掌故，不論本事、不述聞見，只探討文章之美。所以態度上較為專注，語不旁涉，是一種文學上的講說經義，而不是語錄對談。

其次，它致力於挖掘一篇文章的美感要素，用圈、點、批、注、劃線等方法，詳論文章的各種優缺點；詩話則通常無此耐心，只以寥寥數語總結全文大旨及整體審美判斷便罷。而且，此種批評往往關心到文章的細部，如惲敬答姚來卿書，舉《史記·李將軍傳》「匈奴驚，上山陣」的「山」字，詳加討論，並說：「此小處看文法也」。梁章鉅也提到桑調元有評選明人制義二十篇，「大抵皆評語極繁，筆舌互用，一字一句，無不抽闡，每多至數百言，頗能使讀者心開而目明」（制義叢話，卷一引書香堂筆記）。這樣的討論，確實是一般詩話詞話中不易見的。而也正因為如此，它便很難注意大的原理原則問題，如詩話中所經常討論的什麼「詩言志」「正變」「作詩文宜讀書養氣」等等，而偏重實際批評及較屬於技術性的問題。善於識小——雖然由小亦可見大。

不僅如此，此種細部批評雖綿亙於宋元明清諸朝，時間甚長，著作亦極繁雜，每人手眼之差異更大。但在進行批評時，似已隱隱然形成了一些共同的法則，有個基本批評架構可尋。不似詩話詞話，言人人殊，無法找出大家在進行批評時所持以討論的基本法式。例如細部批評無論是否出之以評點的方式，都會注意一篇文章的命名，努力地去釋題；都會注意到文章的段落區分，各段大旨；都要討論全篇的結構關係及每處字辭的使用；並常用主客、本末、明暗、虛實、開合等概念進行評析，對文章之布局與創作手法；也常以「草蛇灰線」「烘雲托月」之類喻況來描述……等等。詩詞話的作者一般不僅不如此討論，且常對這種批評法頗有微詞。或目之為庸陋，只會注意細節，無當大體，無高情遠韻；或謂其過於注重「法」的機械性；或詆之為兔園冊子、時文講章。其實這些攻擊都只能說明細部批評與詩文評話之間確有若干差異，而不能遽以做為評價的依據。其批評仍有其特色與價值在。

它的特點，就在於它最關切的是「法」的問題，對文學最基本的看法是「文者，名號雖殊，而其積字而為句，積句而為段、而為篇，則天下之凡名為文者一也」（曾國藩，答許屏仙書），所以它致力於分析文章用字造句及分段之法的討論，認為這就是作者用心之所在，應該用心抉發。此一用心於文學之語言美的態度，跟一般詩文評話強調的得意忘言審美品味，似乎也有些差距。

對於這樣一種批評方式，我們該怎樣來理解？

讓我們先看看包世臣《藝舟雙楫・與楊季子書》的說法：

> 自唐氏有為古文之學，上者好言道，其次則言法。說者曰：言道者，言之有物者也；言法者，言之有序者也。然道附於事而統於禮。子思嘆聖道之大，曰：「禮儀三百，威儀三千」，孟子明王道，而所言要於不緩民事，以養以教。至於養民之制、教民之法，則亦無不本於禮。其離事與禮而虛言道，以張其軍者，自退之始。而子厚和之。至明允、永叔乃用力於推究世事，而子瞻尤為達者。然門面言道之語，滌除未盡。以致治古文者，一若非言道則無以自尊其文，是非世臣所敢知也。

古文運動是與知識階層的文士化不可分的，古文運動雖以明道自期，其實只是伊川所謂的「倒學」：以學文有得，遂自居為已明道。宋朝以後的經義及科舉八股，正是此一性質的必然發展。主考官與朝廷根據文章之美來選取「能明聖道、能濟貞幹」的大臣，考生以揣摩文章筆法，自居為代聖立言。彷彿能說得出得道之言，且說得漂亮，其人便確已得道一般。這就是為什麼道只為門面，真正的底子或裡子畢竟在文、在法的緣故。古文家從宋朝開始，就偏重法的討論，如陳騤《文則》及呂祖謙、樓昉等人的書，都可以看出這個趨嚮。明代則踵華增華，法的討論，越趨精密。嘉靖間趙瀛文刊印《文則》，序說得好：「文乃道之顯，則猶法也。……藻采絢麗，至道攸存，自足以為天下後世之法……此『文』之所以為『文則』者。『則』是道也，緣若文也」。文在，被認為即是道在，故學者只須法文，不必則道。法的地位增強了，古文家的所有討論便都集中於此。評點之學及歸有光的地位，均與此有關。章學誠曾形容他的經驗：

> 偶於良宇案間，見《史記》錄本，取觀之，乃用五色圈點，各為段落，反覆審之，不解所謂。……其書云出前明歸震川氏，五色標識，各為義例，不相混亂。若者為全篇結構、若者為逐段精采、若者為意度波瀾、若者為精神氣魄，以例分類，便於拳服揣摩，號為古文秘傳。前輩言古文者，所為珍重授受，而不輕以示人者也。又云：此如五祖傳燈、靈素受籙，由此出者，乃是正宗。不由此出，縱有非常著作，釋子所譏為野狐禪也。（內篇卷三，文理）

可見這種批評方式在一般人之閱讀及寫作中佔有相當之地位，可說是明清文學批評的主流。所以章氏才會推崇歸有光的制義，地位猶如漢之馬遷、唐之韓愈，為百世不祧之大宗。但歸有光的古文與他的八股制義，奧妙全在他對文法的講求；這種講求，章學誠也不能不指出其中含有某種辯證關係。他說：「時文當知法度，古文亦當知有法度。時文法度顯而易言，古文法度隱而難喻，能熟於古文，當自得之。……歸震川氏取《史記》之文，五色標識，以示義法。今之通人，如聞其事必竊笑之，余不能為歸氏解也。然為不知法度之人言，未嘗不可資其領會」。

他的話是什麼意思呢？當知清朝桐城派所謂義法說，就是從這個地方發展出來的，所以與時文的關係頗為緊密；而且直到清末民國，講古文的林紓吳汝綸父子等，仍在大談「文法」「筆法」。民國三年黃紱麟編《古文筆法百篇》，亦昌言其所選只錄與時文相通者。李元度序其書，亦謂茅鹿門、儲同人、汪遄喜之評議，俱有帖括習氣；然歸有光方望溪等，皆能以古文為時文云云。可見其一斑。但是，在這講求文法的傳統中，他們也都像章學誠一樣，在說：法雖不可廢卻不能見賞於通人。如姚鼐〈陳石士說〉云：「望溪所得，在本朝諸賢為最深，而較古人則淺。其閱太史公書，似精神不能包括其大處、遠處、疏淡處、及華麗非常處。只以義法論文，則得其一耑而已。然文家義法，亦不可不講。如梅崖便不能細受繩墨，不及望溪矣」，口胳便與實齋幾乎完全相同。

蓋整個細部批評，事實上就是集中於文章之繩墨法度的評論，「詳訓文義，累幅不止」（古文筆法百篇凡例）。名為義法，實只是法，因為言有序即是言有物，由法見義，因文明道，所以法不可不講。這種法，其實就是文字的構成關係，故又名為文法、筆法。只管文字表面的表現，不太涉及形上理論、表現理論、或社會功能理論等問題。⑭所以姚鼐說它精神不能包括大處遠處、包世臣也說它

⑭ 方苞論義法，而義法之說，論者紛紛。考方苞之意，畢竟仍偏於法的一面，也就是文辭表現的一面，故〈與程若韓書〉云：「來示欲於誌有所增，此未達於文之義法也。昔王介甫誌錢公輔母，以公輔登甲科為不足道，況瑣瑣者乎？……在文言文，雖功德之崇，不若情辭之動人心目也」。後來錢大昕批評他這一立場說：「以此論文，其與孫鑛、林雲銘、金人瑞之徒何異」（與友人書）。是的，方苞義法說本來就是替細部批評張目的利器，古文家之義法說後來也專在法這一面講求，故包世臣說：「有物之言，時文有時可與古文同；有序之言，則古文有必不能不與時文異者，此不可不察也」（雩都宋月臺古文鈔序）「善文者，必盡心於法以為言」（樂山堂文鈔序），方東樹

論道僅成門面語。但這就是它的批評理則與重點：藉著對文章修辭技法的檢討，發抉文學美。

五、細部批評的法則

「法」的認識，自然是來自歸納。從五經四史及先秦諸子唐宋八大家的文章裡，找出若干具有典範意義的文辭表現方式，作為義例，逐漸經營出一個法度嚴明的世界。如陳騤《文則》序云：「詩書二禮易春秋所載、丘明高赤所傳、老莊孟荀之徒所著，皆學者所朝夕諷誦之文也。徒諷誦而弗考，猶終日飲食而不知味。余竊有考焉，隨而錄之，遂盈簡牘。古人之文，其則著矣，因號曰文則」。後人有時也從古人文章中歸納出各種條例，示人以法則，如章學誠的〈古文十弊〉〈古文公式〉之類，便與陳騤《文則》同旨。但更多的情況是因文發例，直接就文章來說明各種值得注意的「美典」，而不只是紬繹出抽象的條例法則，供人依循。例如一般總是以凡例總結歸納各種義例與作法讀法，而在本文中詳就文章來評釋其佳處妙處。

這種有關為文法則的說明，有些是明白說出，著為凡例，如說經者說《春秋》；有些時候則不免要借助於譬況。章學誠說過：「法度難以空言，則往往取譬以示蒙學。擬於房室，則有所謂間架

也認為：「詩文別有能事在，不關義理也」「荀子義理本領豈不足，而文乃不如李斯。故知詩文雖貴本領義理，而其工妙，又別有事在」（昭昧詹言）。別有事在，即指了解文法。因此總的來談，「義」可通於理學或時文，只有「法」才專屬古文詩歌所當講求者。

法構；擬於身體，則有所謂眉目筋節；擬於繪畫，則有所謂點睛添毫；擬於形家，則有所謂來龍結穴。隨時取譬，然為初學示法，亦自不得不然」。這取譬說法及為初學者示法兩點，正是細部批評的特徵。請由此談起：

(一)文爲活物

細部批評常用「草蛇灰線」「烘雲托月」等形容詞，來喻說文章的章法句字關係。這種情況，很容易讓我們想起自鍾嶸以來即已被廣為運用的擬象式批評法。

所謂擬象式批評，猶劉勰所云：「窺意象而運斤」，是藉物象之譬況而構成的批評方式。像鍾嶸說范雲丘遲二人的詩有「流風迴雪，落花依草」之美；鮑照說謝靈運如初發芙蓉，顏延之若舖錦列繡；沈約說王筠詩圓美流轉如彈丸等，都屬於這種批評方式。它與通常所謂印象式批評不同。印象式批評是靈魂在傑作中探險，探險所得，表現為批評語言卻未必藉用物象，可以直接地描述批評者內在的感受。擬象式批評，則是批評者對作品整體風格的審美把握，用一種物象擬喻的方式說出來。因此它與細部批評也不一樣。⓯

例如脂硯齋評《紅樓夢》，甲戌本第一回眉批上，即有草蛇灰線、空谷傳聲、一擊兩聲、明修棧道、暗渡陳倉、雲龍霧雨、兩山對峙、烘雲托月、背面傅粉，千皴萬染等喻況；第二回眉批上有迴風舞雪、倒峽逆波；第四回有雲罩峯尖；第六回夾批有橫雲斷山；

⓯ 擬象式批評，詳龔鵬程《文化·文學與美學》中〈書法藝術的品鑒〉〈詩歌人物志——詩品、主客圖、宗派圖與點將錄〉二文。

第八回有偷度金針……等。毛宗崗的《三國演義・讀法》也提到了星移斗轉、雨覆風翻；橫雲斷嶺、橫橋鎖溪、寒冰破熱、涼風掃塵；笙蕭夾鼓、琴瑟兼鐘；添絲補錦，移針勻繡等擬譬。其他如月度迴廊、移堂就樹、羯鼓解穢、錦針泥刺、鸞膠續弦……等，名目繁多。這些擬況，跟鍾嶸等人所使用者不同處，在於鍾嶸等人是以描述語作評價用，這裡則不涉及評價問題。而且，鍾嶸等人，是針對一位作家或一個時代整體風格的審美概括，這裡則只重在作品內部的章法句法問題。

討論這種字句排列及章段關係，之所以常用譬況，原因甚為複雜，並不如章學誠所說「為初學示法」那麼簡單。因為我們可以輕易地發現：這種批評法固然可見諸塾學示蒙的教本中，也同樣存在於重要評家替文學的知音論析文章精義之言論中。所以可能是由於分析句字章段之間的關係，頗為機械枯躁，且難以說明，故往往須假借於譬況。

這就像早期的書法評論，因為是討論筆勢之點劃橫豎撇捺、形體之肥瘦長短平側方圓，故亦不得不觀物取象，擬譬為說，如崔瑗〈草勢〉云：「抑左揚右，兀若竦崎，獸跂鳥峙，志在飛移，狡兔暴駭，將奔未馳」之類，一橫如千里陣雲、一點如高山墜石，與文學之細部批評亦肸蠁相通。

後世詩話文論之中，凡論此種章法結構者亦往往如此，如所謂蜂腰體、偷春體、折腰體、絕弦體、孤雁入群等等。宋魏慶之所編《詩人玉屑》卷四所謂「風騷句法」均屬此種擬況，如萬象入壺，重輪倒影、新月驚鼇、衣袞乘龍等，都在喻說上下兩句的連接關係；蟾輪輾空、天仙搖珮、阿香挽車，都在況擬兩句中是否有形容聲音的現象；金鱗躍浪、秋水涵虛、香斷金猊、高僧出走、竹影掃塵、潭底遊犀、飛鳥度池等，則在說明兩句之動靜關係……。元楊載《詩家法數》論起承轉合之章法，也說破題要如狂風捲浪，頷聯要如驪龍之珠，腹聯要如疾雷破山，結句則須如剡溪之棹、自去自回。諸如此類，俱可見細部批評之採用喻示，是其來有自的，既符合批評的需要，亦有其批評史上的傳統。⓰

不僅此也。據蒲安迪的看法，此類喻擬，往往與山水畫論相通，故其批評也恰好顯示了中國文學傳統之重視空間性。⓱這似乎可以解釋細部批評家為什麼常把一篇文章看成一「幅」，或視為案頭之山水，並以類似遊山的方式，去鑑賞途中的花草林木。像曾國藩就曾說過：「古文之道，布局須有千崖萬壑、重巒複嶂之觀，不可一覽而盡」（日記，庚申九月），寫一篇文章，彷彿在畫一幅大畫了。

正因為如此，故不論是以人體之肌理筋節喻況文章，還是以自然界的山水形擬譬文章，似乎都把文章看成是個複雜而活動的有機物；且究之難窮，不可一覽而盡。所以他們所用做說明的喻詞，不只談大的統一性敘事結構，而更著眼於較細的組織結構。這種「紋理」，是大小片段交織而成的細緻關係，而非依直線發展之單一時間前進式的「起、中、結」首尾一貫關聯，如西方悲劇傳統所主張的那樣。

⓰ 這個傳統即是唐宋間盛行的詩格詩例之學。此種條例格法之學與後世細部批評的關係，仍待進一步申論。

⓱ 和諧辯證，參看成中英〈邁向和諧化辯證觀的建立——和諧及衝突在中國哲學內的地位〉(收入《知識與價值——和諧、真理與正義的探索》，聯經，1986)。

換言之，在細部批評之中，固然常會注意文章的「起、承、轉、合」，但也同樣關切各段各句字之間的細緻關係。即使單以「起、承、轉、合」來說，它所顯示的圓形結構觀，渾包流轉、合而非合（因為若是回到原點的合，轉就沒有意義），與西方「起、中、結」的直線時間觀、統一結構觀，實在也是非常強烈的對比。而那「起承轉合」大結構中橫雲斷嶺、草蛇灰線、不可一覽而盡的層巖疊壑，所顯示的文章段落之間，似乎也呈現了一種「每段分束之際，似斷非斷、似咽非咽、似吞非吞、似吐非吐，每段張起之際，似承非承，似提非提、似突非突、似紓非紓」（曾國藩日記辛亥七月）的複雜關係。如草蛇灰線，即是似斷非斷；空谷傳聲，即是似承非承；文在接而不接、斷而不斷之間。這也就是所謂的「往復」。

往復，不是單純的回歸或循環，而是往而不往、復而不復，如魏禧所謂：「文之感慨痛快馳驟者，必往而復還。往而不還，則勢直氣瀉，語盡味止。往而復還，則生顧盼，如此嗚咽頓挫所從出也」。這即是要求文章內部須構成一往復回環的關係，這種關係，是跟「起、承、轉、合」的整體結構要求一致的。整個文勢，藉著轉的力道，形成波瀾。但轉而復合，合而已轉，這就有了頓挫。整體的結構，要有往復回環之波瀾頓挫，局部的紋理亦然，故方東樹一再強調：「頓挫之說，如所云有往必收，無垂必縮，『將軍欲以巧服人，盤馬彎弓惜不發』」。

假如我們說細部批評的主要工作，就在解析作品內部這種各式各樣的往復頓挫關係；或者說，細部批評主要是運用這一觀念來進行實際批評，恐怕並不太錯。像包世臣《藝舟雙楫·文譜》說：「行文之法，又有奇偶、墊拽、繁複、順逆、集散，不明此六者，則於古人之文，無以測其意之所至，而第其詣之所極」云云，凡數千字。說得如此鄭重，而此六者即無一非此種往復頓挫關係。在各類評注批點之中，我們到處可以看到他們以主客、體用、本末、上下、正反、根枝、明暗、分合、虛實、開合、顯隱、抑揚、頓挫、輕重、冷熱、照應、徐疾、順逆、動靜……等一組組對詞討論文章之匠心。如《紅樓夢》庚辰本脂評八八回：「凡迎春之文，皆是從寶玉眼中寫出。前悔娶河東獅是實寫，誤嫁中山狼出迎春口中，可為虛寫」，是談虛實。甲戌本第三回夾批：「文字不反不見正文之妙，似此應從《國策》得來」，是談正反。《論學繩尺・論訣》：「論之片段，或多，必須一開一合，方有收拾」，又引林圖南論行文法說：「有抑揚、有緩急、有死生、有報施、有去來、有冷艷、有起伏、有輕清、有厚重」，是談開合輕重等。《古文集成》選歐陽修〈送徐無黨南歸序〉呂東萊批說：「群居則默然終日，如愚人（先抑）；然自當時群弟子皆推尊之（後揚）」，是談抑揚。又卷二：「此篇文字似一個階級，自下說上，一級進一級」，是談上下。《修辭鑑衡》卷二引蒲氏《漫齋語錄》「凡為文須有主客，先識主客，然後成文字」、金聖嘆批《水滸傳》第一回：「上文劫華陰縣是賓，打史家莊是主。賓著，所以引乎主也。此既得主，仍不棄賓，文章周緻之甚」，是談主賓……。

這些對舉詞，似乎最能說明中國人或這些批評家們心目中的文章內部關係。葉燮《原詩》曾說：

> 陳熟、生新，二者於義為對待。對待之義，自太極生兩儀以後，無事無物不然。日月、寒暑、晝夜，以及人事之萬有，

生死、貴賤，貧富、高卑，上下、長短，遠近、新舊，大小、香臭，深淺、明暗，種種兩端，不可枚舉。大約對待之兩端，各有美有惡，非美惡有所偏於一者也。其間唯生死、貴賤、貧富、香臭，人皆美生而惡死，美香而惡臭，美富貴而惡貧賤。然逢、比之盡忠，死何嘗不美？江總之白首，生何嘗不惡，幽蘭得糞而肥，臭以成美；海木生香則萎，香反為惡。富貴有時而可惡，貧賤有時而見美，尤易以明。即莊生所云「其成也毀，其毀也成」之義。對待之美惡，果有常主乎？生熟、新舊二義，以凡事物參之，器用以商、周為寶，是舊勝新；美人以新知為佳，是新勝舊；肉食以熟為美者也，果食以生為美者也；反是則兩惡。推之詩獨不然乎？舒寫胸襟，發揮景物，境皆獨得，意自天成。能令人永言三嘆，尋味三嘆，尋味不窮，忘其為熟，轉益見新，無適而不可也。若五內空如，毫無寄托，以勦襲浮辭為熟，搜尋險怪為生，均為風雅所擯。論文亦有順逆二義，並可與此參觀發明矣。（外編上）

順逆，亦是往復，是對待之義，是雖兩端而非對立。它們跟西方哲學中不斷強調的二元對立思考迥然不同。二元對立是以存在／非存在、內在／外在、物自身／符號、本質／物象、聲音／文字、理性／瘋狂、中心／邊際、表面／深層……等架構出的系統來解釋世界，並強調前者的優越性。這裡則表現了一個多向度的對偶結構（multi-polaristic structure），而且對偶之間存在著和諧化辯證的關係。細部批評特別喜好用這些對偶詞來解說文章內部交錯複雜的關聯，顯然意味著他們基本上是認為文章各部門均有其作用，而整篇文章又互攝互補、平衡對舉地構成一以功能為綱的有機整體（organically functional whole），如一活物。

這種對文學作品的基本看法，自然是中國人普遍具有的，但細部批評實際地在作品各個部分指明了這種對偶往復的關係，並以其擬象喻示及對「起承轉合」、抑揚頓挫的重視，顯現了它的批評特色。而且，從宋朝到清朝，批評家的文學觀固然彼此頗有差異，這種批評手法大體是一致的。

(二)法須活法

但是，細部批評雖然把文章看成是個活物，用象喻、起承轉合及抑揚頓挫等對偶結構來說明其複雜之內部關聯，可是它既已運用了這些批評框架，它便不太可能仍保持文章的活潑性，其中必有某種程度的割裂，損傷了文章一體渾圓的完整性。

其次，用細部批評法批閱文章，指出其中各種為文法則、建立各種條例，使細部批評有很濃的規範性和指導性意味。但是，法的規範性往往蘊含著法對人之創造性的桎梏。文無定法，文學創作本來就常衝破法的規範，另建新法。所以為了避免論法而傷及文章的整全活潑、避免桎梏作家，細部批評必然會面臨反對者苛酷的攻擊。這種攻擊，幾乎毫無例外地，都是肯定其論法之指導性規範性，具有一定的價值；但希望能超越這一層，而解消其法的限制、注意法的割裂與框套，由定法走向活法。⓲

⓲　法的內部辯證關係，詳注⓯所引龔鵬程書，頁37－70〈論詩文之法〉。

這就是法的辯證性，葉燮《原詩·內篇上》大罵：

> 所謂作詩之法，得毋平平仄仄之拈乎？村塾曾讀《千家詩》者，亦不屑言之。若更有進，必將曰：律詩必首句如何起、三四如何承、五六如何接、末句如何結；古詩要照應、要起伏，析之為句法，總之為章法。此三家村詞伯相傳久矣，不可謂稱詩者獨得之秘也。若捨此兩端，而謂作詩另有法，法在神明之中、巧力之外。

他說的就是活法。船山也以為：「詩之有皎然、虞伯生；經義之有茅鹿門、湯賓尹、袁了凡，皆畫地成牢以陷人者，有死法也。死法之立，總緣識量狹小。如演雜劇，在方丈臺上，故有花樣步位，稍移一步則錯亂。若馳騁康莊，取塗千里，而用此步法，雖至愚不為也」（薑齋詩話）。由他們的批判看來，章實齋云細部批評必為通人所竊笑，一點也不錯。

但這無妨。細部批評本來就是講法的，它要找出詩文針縷脈絡，細問其章法句法字法之經營，並示後人以創作之模範。所以論法即不免鄭重、不免嚴格。鄭重，是因為法必須尊重，是因為這些法透露了文章的奧秘，故「珍重授受，不輕以示人」。嚴格，是因為法必須遵守，不嚴格怎能稱之為法？金聖嘆說得好：

> 律詩之律，此為法律之律，……創為一體，二起、二承、二轉、二合，勒定八句。……當時天下非無博大精深之士也，然而一皆俯首其中，兢兢不敢或畔。……此正如明興之以書

義取士也，創為一體，一破、一承、一開、四比。……苟不用其法度，斯司衡者不得而妄收，求試者亦不得而妄干也。於是以其為一代煌煌之令甲也，特尊其名曰「制」。

律、制，都表示了法的規範性。法在這裡是不能踰越的，所以他用「一王之制」來加強說明。同樣地，桐城派健將方東樹說：「字句文法，雖詩文末事，而欲求精其學，非先於此實下功夫不得。此古人不傳之秘，謝、鮑、韓、黃屢以詔人，但淺人不察耳」（昭昧詹言卷一）「古人文字最不可攀處，只是文法高妙而已」（論文偶記），不也是把法講得異常鄭重嗎？說：「有物則有用，有序則有法。有用尚矣，而法不可背」（儀衛軒文集，卷六，切問齋文鈔書後），不也是把法看得十分嚴格嗎？正因為法具有這種規範性，且能具體說明文章之奧妙⑲，所以解說文法的細部批評才每每具有指導性，如章實齋所云「為初學示法」。

換句話說，細部批評並非因起源於蒙學塾課，故有指導後學之意味；而是由於法的規範性使得它具有開示指引後學的性質，遂在型態上接近蒙學塾課，而為高明者所攻擊罷了。

但法是辯證的，法的規範性本身，其實往往就蘊含了對於嚴格性的解消。例如方東樹，一方面說：「義者法也……有法則體成，

---

⑲ 方東樹《昭昧詹言》卷一：「義者法也，……有法則體成，無法則傖荒。率爾操觚，縱有佳意佳語，而安置布放不得其所，退之所以譏六朝人為雜亂無章也」「大抵筆懦力薄，不足以自達其意，或有才筆矣，而又粗獷，此皆辭上事。若氣體輕浮，寡要不歸，不能持論，是理上事。貫乎二者，詞理俱得，而文法不妙，亦由凡俗而已」，他所說的文法，實綜攝了理與辭。

無法則傖荒。率爾操觚，縱有佳語，而安置布放不得其所，退之所以譏六朝人為亂雜無章也」，強調法的規範意義；一方面卻又說：「古人不可及，只是文法高妙，無定而有定，不可執著，不可告語，妙運從心，隨手多變」（皆見昭昧詹言卷一），這就是法而無法的活法了。連金聖嘆那樣重視詩的解法，也要說：「天分高，則能眼看八句五十六字中間虛空之處；心地厚，則能推原八句五十六字都無一字之前」（魚庭聞貫），以「虛空」「無」去化解法的執著與字句的沾滯。

這即是在「義由法出」的同時，又注意到「法隨義變」。所以他們固然努力地仔細地剖示文法，也一再表示這個法乃是高妙的，是變化不測的。如方東樹云：「七言長篇，不過一敘一議一寫之法耳。即太史公亦不過此之法耳。而顛倒順逆變化迷離而用之，遂使百世下目眩神搖」「欲知插敘、逆敘、倒敘、補敘，必真解史遷脈法乃悟。以此為律令，小才小家學之，便成雜亂不通也。此非細故，乃一大門徑，非哲匠不解其故。所謂章法奇古，變化不測也」（卷十一）。活法變化，並非無法，而只是真能了解法並善用法，故能隨手觸處生姿。此即姚鼐〈劉海峯先生八十壽序〉中所說的：「為文章者，有所法而後能，有所變而後大」。法而無法，無法而不背於法。

一切細部批評，大概都可從這個辯證關係來理解：它們既以命名釋題、分別段落、分析章法句法字法及論起承轉合的方式，致力於詩文之法的指明；又常花費極多的篇幅在贊嘆詩文的神妙不測、變化迷離。批評者則因為它們論法，而慮其有纏縛執溺之病；但也因為它們之論法，畢竟不能不承認它們還是有作用、有需要的。

(三)美在空虛

正因為細部批評雖極力講明文法，其審美判斷卻是要從法走向無法。所以在這些批評家心目中，法度謹嚴的作品，只是一般之作；要能飛騰變化、神妙不測，才能算得上是佳構。如吳闓生說：「先大夫曰：『何屺瞻、姚南菁正坐此病』。是言何姚二氏皆知文章義理，並深解古人文法，而不能為佳文者，以才情不足也」，又方東樹云：「徒講義法，而不解精神氣脈，則於古人之妙，終未有領會悟入處」、吳闓生評：「先大父曰：『南菁之不滿望溪以此』……以其雖知文章義法，而識有未逮，是以其文謹嚴有餘，詼奇不足」。法度謹嚴的文章，毛病是過於質實呆板，不夠奇妙。如何才能奇妙呢？無它，亦「空」之而已、「無」之而已。曾國藩《日記》：

> 奇辭大句，須得瑰瑋飛騰之氣，驅之以行。凡堆重處，皆化為空虛，乃能為大篇，所謂氣力有餘於文之外也。

所謂化為空虛，不只是作大篇須如此，空虛空靈似乎已成為文章超妙的條件，故袁枚說：「嚴冬友云：『凡詩文妙處，全在於空，譬如一室內，人之所遊焉息焉者，皆空處也。若窒而塞之，雖金玉滿堂，而無安放此身處，又安見富貴之樂耶？鐘不空則啞矣，耳不空則聾矣』，范景文《對床錄》云：『李義山詩，填砌太多，嚼蠟無味，若其他懷古諸作，排空融化，自出精神』，一可以為戒，一可以為法」（隨園詩話），也把空視為創作的一個主要原則。這種態度，與細部批評之走向空無，有審美意識上的一致性。這個問題，我想以金聖嘆的批點為例，稍予說明。

金批《西廂》，自云：「臨文無法，便成狗嗥。而法莫備於《左傳》。甚矣！《左傳》不可不細讀也。我批《西廂》以為讀《左傳》例也」（卷四），他之重法，是不成問題的。在批《西廂》時，他並具體指出烘雲托月法、龍王掉尾法、移堂就樹法等。批《水滸》也提及倒插法、大落墨法、綿針泥刺法、背面傳粉法、弄引法、獺尾法、正犯法、略犯法、極省法、極不省法、欲合故縱法、橫雲斷山法、鸞膠續弦法等。然而，在指出作品之法及作者經營文法之文心的同時，他卻又說：

> 萬萬年來，天無日無雲，然決無今日雲與某日雲曾同之事，何也？雲只是山川出氣，升到空中，卻遭微風，蕩作縷縷。既是風無成心，便是雲無定規。都是互不相知，便乃偶爾如此。《西廂記》正然，並無成心與定規。無非此日佳日閑窗，妙腕良筆，忽然無端，如風蕩雲。（讀法之二十二）

也就是說，一切文心與手法，均是當機偶得的。即使是同一位作者，在不同的時機觸發中，也會有不同的寫法。這就保住了法的活潑性，解消了法的規範與拘執。故他大罵：「若傖近日所作傳奇，不可多、不可少，必用四十折。吾則誠不能知其遵何術而必如此也」（卷六）。

但這種法與無法，並不是對立的，乃是法而無法，為無法之法。所以他說：所謂獨傳妙處，即是妙處不傳（卷八）。前者是累百千萬言曲曲寫之，用一二言陡然直逼妙處；但既至妙處，則筆墨都停，後人要看我之得意處，便得在我筆墨都停的地方看。筆墨都停處，就是空、就是無。整部金批《西廂》，便歸結於章無章法、句無句法、字無字法，甚至筆墨都停，空無一字處。

因此，他在〈讀法〉中說子弟懂得如何組句成章時，才能給他讀《西廂》。讀了以後，才又懂得三個字也可以成一章、二個字也可以成一章、一個字也能成一章，甚至無字也能成一章。這樣他自然就「體氣異樣高妙，方法異樣變態了」。何以能如此呢？因為《西廂》只是個「無」字：

> 三十：若是字，便只是字；若是句，便不是字；若是章，便不是句，豈但不是字，一部《西廂記》真乃並無一字；豈但並無一字，真乃並無一句。一部《西廂記》，只是一章。
>
> 三十一：若是章，便應有若干句；若是句，便應有若干字。今《西廂記》不是一章，只是一句，故並無若干句，乃至不是一句，只是一字，故並無若干字。《西廂記》其實只是一字。
>
> 三十二：《西廂記》是一「無」字。趙州和尚，人問狗子還有佛性也無，曰無。是此一「無」字。

這個無，正是無執著無定規之無。因為無執著無定規，所以不但章法句法之規格可以打破，更可以憑虛幻構，不泥實事。如卷四云：「四句不意乃是一句，四四一十六字，不意乃是一字，正是異樣空靈排宕之筆。然後諦信自古至今無限妙文，必無一字是實寫」，文章是可以虛靈變化，不必呆寫實寫的。又卷五：「老氏之言曰：『三十輻共一轂，當其無，有車之用。埏埴以為器，當其無，有器之用。鑿戶牖以為室，當其無，有室之用』，然則一一洞天福地中間，所有之回看為峰、延看為嶺、仰看為壁、俯看為溪，以至正者坪、側者坡、跨者梁、夾者磵，雖其奇奇妙妙，至於不可方物，而吾有以知其奇之所以奇，妙之所以妙，則固必在於所謂『當其無』之處也矣。蓋當其無，則是無峰無嶺，無壁無溪，無坪坡梁磵之地也。……夫吾胸中有其別才，眉下有其別眼，而皆必於當其無處而後翱翔，而後排蕩。然則我真胡為必至於洞天福地？」洞天福地之奇奇妙妙，不必親眼所見，即於胸中別才、眉下別眼當無起用，便可構此妙文、顯此妙境。這就從「無」的觀點化消了讀者與作者對「境」的執著。推到極至，竟可完全放棄文章與境的關聯，說文只是文，全非實事：「夫人賴婚，乃是千古妙文，不是當時實事。如《左傳》，句句字字是妙文，不是實事。吾怪讀《左傳》者之但記其實事，不學其妙文也」（卷五），切斷讀者追索作者生平、推考作品指涉之實事的理解路線，專心看文章。

但是，作文者既可無中生有，則文之本質亦屬虛構的，亦是無中生有，且又歸於空無，不可認作真有。卷六：

今夫一切世間太虛空中本無有事，而忽然有之，如方春本無有葉與花，而忽然有葉與花，曰生。既而一切世間妄想顛倒有若干事，而忽然還無，如殘春花落，即掃花，窮秋葉落，即掃葉，曰掃。然則如《西廂》，何謂生？何謂掃？最前《驚艷》一篇謂之生，最後《哭宴》一篇為之掃。蓋《驚艷》以前，無有《西廂》，則是太虛空也。若《哭宴》以後，亦復無有《西廂》，則仍太虛空也。此其最大之章法也。

這便是張生草橋驚夢之情景：將門兒推開看，只見一天露氣，滿地霜華，曉星初上，殘月猶明，西廂佳會，俱如夢幻，「何處得有《西廂》一十五章所謂驚艷、借廂、酬韻、鬧齋、寺警、請宴、賴婚、聽琴、前候、鬧簡、賴簡、後候、酬簡、拷艷、哭宴等事哉？」（卷七）

一切原以為真有其事者，其實均是「夢中不以為夢，所有幻化皆據為實」而已。這既解消了對境的執著，同時也解消了對「文」的執著。推而廣之，又是解消了一切對人生的執著。因為看文章時以為真有其事者，原來只是幻構，則焉知人生不也是如此一場大夢？金聖嘆由草橋驚夢而悟「天地，夢境也；眾生，夢魂也」，而感嘆「填詞雖末技，立言不擇伶倫，此有大悲生於其心」，正是此種境界。

然而，作者有大悲生於心，批者又何獨不然？人生如夢的空虛感一旦激起，批者整個批書的活動，便落在一蒼茫浩蕩的人生悲感之中，前不見古人，後不見來者，獨愴然而涕下。〈序一曰慟哭古人〉〈序二曰留贈後人〉。慟哭古人者，是了悟到天地間一切皆將如水逝雲卷，俱歸泯滅，現在所有者只是暫時偶存。我的生命存在及一切作為，亦將頃刻盡去。所以我既幸而暫得有此生命，又對生命及一切作為之終將消逝感到無可奈何。而就在我現在無可奈何之際，便想到古人從前也是如此無可奈何的。「嗟呼！嗟呼！我真不知何處為九原，云何起古人。如使真有九原，真起古人，豈不同此一副眼淚，同欲失聲大哭乎哉？」批書的行動，就是在這無可奈何與慟哭中的一種消遣，所謂不為無益之事，何以遣有涯之生。至於留贈後人，是說古人不見我，後人也不見我，但我現在思古人，後人應當也會思我，這是歷史蒼茫之中的一點真情，故批書便是留贈後人以酬其思我之情。——前者聊以消遣，後者用存慰藉。此即細部批評者的歷史意識。

而在此人生空虛性的理解上，對文章的品鑑，自然也就要求有一空靈虛活之美。[20]卷四：「凡用佛殿、僧院、廚房、法堂、鐘樓、洞房、字塔、回廊無數字，都是虛字。又用羅漢、菩薩、聖賢無數字，又都是虛字。相其眼覷何處，手寫何處，蓋《左傳》每用此法」「四句不意乃是一句，四四一十六字，不意乃是一字，正是異樣空靈排宕之筆。然後諦信自至古今無限妙文，必無一字是實寫」，不實寫、用虛字，都是指文章要以其幻構想像趨於虛靈超妙，達到林雲銘所說：為「鏡花水月之妙筆」（古文析義·二編卷五·評韓愈〈送王含秀才序〉）的境界。

---

[20] 細部批評本身即蘊含一審美的心態：擺落一切道德、經濟、知識的考慮，只欣賞玩味其文字姿態之美。金批《西廂記》卷八：「吾亡友邵僧彌先生嘗論畫云：『夫天生惡樹，我特不得盡斬伐之耳。若飯後無事而携我門人晚涼閑步，則必選彼嘉樹坐立其下焉。無他，亦人之好美疾醜，誠天性則有然也。今我乃見作畫之家，純畫臃腫惡樹，此則不知何理也！』……惟文亦然」。好美疾醜的審美心態，也正是他們細評細賞文章的心理因素。

(四)眼照古人

在這種歷史意識與審美意識中形成的批評意識，無疑也是極為特殊的。——

由於在歷史的蒼茫虛幻中，前不見古人，後不見來者，故作者雖寫古人，寫的其實只是自己；評者所讀所評，雖是古人之文，其實也仍然只是自作消遣，如美人照鏡，既是看「她」，也是看自己。[21]金聖嘆常用「眼照古人」一詞，這個照字，實有深意。他說：「古人實未曾有其事，乃至古亦實未曾有其人也。即使古或曾有其人，古人或曾有其事。而彼古人既未嘗知十百千年之後，乃當有我將與寫之而因以告我；我又無從排神御氣，上追至十百千年之前，問諸古人。然則今日提筆而曲曲所寫，蓋皆我自欲寫，而與古人無與」。故作者乃是「巧借古之人之事以自傳」（卷四）；評者讀者亦是自作消遣，所以「讀《西廂記》畢，不取大白自賞，此大過也」（讀法）。這便使其批評表面上雖屬客觀分析的路子，骨子裡卻強調讀者。把閱讀視為讀者的創作，不同的讀者，手眼不同，讀出的東西便不一樣。

《水滸》第五回魯智深火燒瓦官寺。金聖嘆先感嘆施耐庵寫瓦官，千載之人莫不盡見有瓦官；忽然而寫瓦官被燒，千載之人讀之

---

[21] 金批《西廂記》卷五：「斲山云：『美人於鏡中照影，雖云看自，實是看他。細思千載以來，只有離魂倩女一人曾看自也。……杜甫王維二先生皆用倩女離魂法作詩也』，聖嘆今日讀《西廂》，不覺失笑，用寄語斲山：『卿前謂我言王杜俱用倩女離魂法作詩，原來只是用得一「遙」字也』」。遙，是美感距離的問題；倩女離魂法，則是看他看自，渾然不辨。

又莫不盡見瓦官被燒，可見一切皆文字起造，蕩然虛空，山河如夢。接著他便領悟到：

> 嗚呼！以大雄氏之書，而與凡夫讀之，則謂香風萎花之句，可入詩料。以《北西廂》之語而與聖人讀之，則謂「臨去秋波」之曲可悟重玄。夫人之賢與不肖，其用意之相去既有如此之別，然則如耐庵之書，亦顧其讀之之人何如矣。夫耐庵又安辯其是稗官？安辯其是菩薩現稗官耶？

讀者用意不同，所見自異，作品本身亦無客觀性可說，全看讀者的用意如何而定。因此在這裡，細部批評便提出了意逆的方法，如王嗣奭《杜臆》云：「臆，意也，以意逆志，孟子讀詩法也。誦其詩、論其世，而逆以意」。這種意逆，本是臆測，故作者未必然，而讀者何必不然。讀者本身的眼光及批評手法，便顯得十分重要了。

金聖嘆把這種眼光稱為別才別眼或靈眼。具此法眼，論文自與庸手不同。而且這種法眼無法假借，乃是讀者自己的眼，所以又要每個讀者自己去做批評，去發揮其私臆。細部批評本身所展示的、所說明的，只是批評家的一種示例而已。重要的還是讀者自己的閱讀與批評活動，故林雲銘說：「讀是編不妨先取坊本閱過，有不能解了者，閱此更覺會心，尤能自出議論，可以別讀他文」（古文析義·凡例），姚鼐〈與陳石士書〉也說：「文家之事，大似禪悟：觀人評論圈點，皆是借徑；一旦豁然有得，呵佛罵祖，無不可者」。

這種別眼，固然為中國一般文學評論所強調，但細部批評之所以為細部批評，即在於他們往往認為：如果文章小地方的好處都看不到，那大處就更不用談了。他們經常如上文所舉惲敬〈答姚來卿書〉那樣，從一兩個字，申論文章的奧妙。金聖嘆對這種情形，說得很清楚：

> 彼不能知一籬一犬之奇妙者，必彼所見之洞天福地皆適得其不奇不妙者也。蓋聖嘆平日與其友人斵山論游之法如此。……斵山云：「千載以來，獨有宣聖是第一善游人，其次則數王羲之。……宣聖，吾深感其『食不厭精，膾不厭細』二言；……王羲之若閑居家中，必就庭花逐枝逐朵細數其鬚」……然則如頃所云，一水一村、一橋一樹、一籬一犬，無不奇奇妙妙，又秀又皺、又透又瘦，不必定至於洞天福地而始有奇妙。（卷五）

這種「游心於小」的態度，令人聯想起英國《精審季刊》（*Scruting*）所揭櫫的理想及湯普森的《字裡行間》（*Between the Lines*）。但它與新批評畢竟是不同的。在以意逆志的辦法下，細部批評的注目小處，基本型態仍是主客合一：一方面要窺作者之用心；一方面則說是自看，是抒讀者之見解。

就前者說，窺作者之用心倒不是追究作者的原意，而只是觀察他如何寫，不問他為何寫。故與歷史考證索隱迥然不同。就後者說，則作品非先驗的存在，而是經讀者想像力重建的美學客體，跟新批評視作品為一封閉而客觀的整體語言結構之態度亦復大異。

因此，細部批評的批評過程，應該是一種「心心相印」的歷程。金聖嘆批杜，強調：「不是武斷古人文字，務宜虛心平氣，仰觀俯察，待之以敬，行之以忠，設使有一絲毫不出於古人之心田者，矢死不可以攙入也」，楊倫《杜詩鏡銓·凡例》也說：「孟子說詩貴以意逆志，但通前後數十卷參觀，自能見作者立言之意。……拙解不為苟同、亦不喜立異，平心靜氣，唯期語語求其著落」「朱子謂杜詩佳處，有在用事造意之外者，唯虛心諷咏乃能見之」。他們一再提醒批閱者「最忌先有成見橫於胸中」「在善讀者會心」（古文析義·凡例），要虛心靜氣地去體會古人文字。以我之心，會古人之心，此即所謂心心相印。但既然是以我之意，逆古人之志；以我之心，察古人之心。又怎能保證批評不是主觀的呢？這就是他們強調要虛心的緣故了。然而，何以虛心忠敬即能與古人心志印合呢？此即不能不預取一哲學的立場，那就是中國傳統哲學中普遍肯定的：心的普遍性。

每個人的心，既是個別的，又是普遍的。中國人相信某些東西是可以「得人心所同然」。所以作者寫一作品，固然是他個人的創作，卻也是寫出了大家普遍的想法：「想來姓王字實甫此一人亦安能造《西廂記》？他亦只是平心斂氣向天下人心裡偷取出來」「世間妙文，原是天下萬世人人心裡公共之寶，決不是此一人自己文集」。同理，讀者看一作者所寫之文，亦如同看一自己作的作品一般，如我口之所欲言。故讀書既是看他，又是自看。

如此，批評才能成為一種「賞心」之事。李卓吾《初潭集》自序：「至潭而讀之（類林），讀而喜，喜而復合，賞心悅目，於是焉在矣。……嗚呼何代無人，特恨無識人者；何世希音，特恨無賞音者」云云，便在強調賞音與識人皆需特別的眼光能力之外，點出了讀者閱讀時那種「快然自足」的特點，一如《杜詩鏡銓》序說：評解的工作，是「欲令後世之讀詩者，深思而自得之」。所有的批評都是在自得的情況下做出來的，故《杜臆》者，臆杜也，我讀杜而臆其大概如此也。《讀杜詩說》者，我讀杜，因而有說也。讀者也即因讀我之臆說而可能自得其臆見。

這麼一來，批評者雖自許為知言、賞音，其實是聞弦歌而知雅意，只不過此意並非追溯作者之原意，乃是在「發明」作意而已。作者未必然，讀者何必不然？「妙取筌啼棄，高宜百萬層。知詩外自有事在，而但索之於語言文字間，猶其淺也。今也年經月緯，句櫛字比，以求合乎作者之意，殆尚所云鏡象未離銓者」（杜詩鏡銓序），在此，亦無「內部批評」「外部批評」之分，知人論世與以意逆志是混合滾動為一體的。是作者之意，又不必為作者之意。

這樣的批評立場，跟「新批評」全然不同，對作品的看法、對人性的哲學觀點、對批評的功能，三者意見都不一樣。唯一相似的，只是雙方都強調了文字，都努力地評析作品的語言構造。但這種相似也是表面的。新批評的分析架構，在修辭方面，側重文句的緊密性、曖昧性、複雜度、講反諷、講矛盾語；在情節與結構上，講究「起——中——結」的集中於一個焦點的統一性，均與其悲劇傳統有密切的關係。跟細部批評一般所慣用的「起——承——轉——合」「頓挫往復」之說，亦根本大異。游心於小的審美態度，更是山水畫式的多焦點移動，與山水畫所追求的渾灝流轉之美一致，而遠於新批評。

當然，這樣的比較可能毫無意義，因為新批評的興起，具有一文學策略的目的，旨在反抗印象批評與歷史主義，對西方傳統，必須有選擇性地抑揚。細部批評則不具有這樣的意義，它不是一項具體的文學主張，只是一種批評方法，故許多作家批評家均可使用這一方法，這一方法基本上也廣泛參考吸收了或反映了中國文學批評的一般意見。故二者根本無法比較。現在勉強拿來度長挈短，只是因為在過去曾有人將細部批評擬為形式批評，不得不順著這批評史的發展，順便處理這一問題罷了。

六、結語

細部批評，原來並無此一名稱，但我以為對中國文評中某些批評，應放在這一觀念中來理解。這篇文章便是對細部批評之淵源、發展與法則的初步說明。推輪大輅，故名曰導論；論方濫觴，故亦無所謂結論。即以此結之。

——民國七十八年一月寫，《中國國學》十七期

肆、馮夢龍的春秋學

一、經世資治的馮夢龍

熟悉晚明思潮者，殆無不知馮夢龍其人。他是明末最重要的編書人和刻印出版家。所編刻以通俗小說戲曲為多，亦編有《馬吊》《牌經》，因此他通常被界定為一通俗文人；而《情史》等輯，更被認為足以與湯顯祖之激揚情教等量齊觀，具有反禮教之意義。

對於學界通行的晚明觀，我一向反對，覺得那只是畫歪的臉譜。❶例證所在多有，馮夢龍就是其中之一。他根本不反禮教，因為他最重春秋大義。在他編印《三言》《新平妖傳》《新列國志》《掛枝兒》《山歌》等書之外，他花了極大的精力去編《春秋衡庫》《麟經指月》《春秋定旨參新》《綱鑑統一》。這些書從來沒有人正視過、研究過，便高談闊論起來，以資產階級新興市民文化之代表、反理學、倡情教之先鋒等名詞來描述馮夢龍。

馮夢龍這些關於《春秋》和《資治通鑑》的書，當然與科舉分

---

❶ 詳見龔鵬程《晚明思潮》，1994，臺灣里仁書局。增訂本，2001，臺灣學生書局。

不開。據黃州麻城人梅之煥說：「敝邑麻，萬山中手掌地耳，而明興獨為麟經藪。未暇溯源，即數十年內……科第相望，途皆由此」（麟經指月·序）。可知由於明代科舉考試之故，不少人專攻《春秋》以取科甲。馮夢龍所編的那幾本書，大抵就是為這類人提供方便的，類似今天的考試參考用書。

由這個角度看，我們自然可以說他只不過是位暢銷書的編輯人或出版商，科舉用書與俚俗小說、淫艷曲子一樣，都是肆應市場流俗之需的。

但，士人治經學，早在漢代就已與祿利之途結合起來了。當時之章句訓詁、家法師法，跟明代這些舉業用書有何差別？何以談起經學，就尊崇漢儒著述而輕藐明人為科舉所編的書到此等地步？其次，編《春秋》讀本的馮夢龍，到底是為了在市場賺錢，還是為了表達自己治經之見解與成果呢？例如，他為什麼不編程文選輯，只編經義讀本？當日銷量更大，發行更廣的，顯然是前者。就是編經義讀本，為何又只編《春秋》？其他各經，或更重要的《四書》，他何以竟少涉筆？再依其弟馮夢熊〈麟經指月序〉云：

> 余兄猶龍，幼治《春秋》，胸中武庫，不減征南。居恆言精覃思，曰：「吾志在《春秋》。」牆壁戶牖皆置刀筆者，積二十餘年而始愜。其解粘釋縛，則老吏破案，老僧破律；其擘肌分理，則析骨還父，析肉還母。其宛折肖傳，字句間傳神寫照，則如以燈取影，旁見側出，橫斜平直，各得自然。蓋不只紹興講席，羽翼解頤。即康成之夢孔子、《發墨守》《鍼膏肓》，書帶草悉教鋤矣。煒煒乎古之經神也哉！而荏

> 苒至今，猶未得一以《春秋》舉也。於是撫書嘆曰：「吾懼吾之苦心，土蝕而蠹殘也。吾其以《春秋》傳乎哉？」

則是長期研治《春秋》，積二十年而成書，且與其平生志業相關，因此絕不能只從編一本暢銷書的角度來看。

由馮氏編著《麟經指月》之外，又有《春秋衡庫》《春秋定旨參新》等編觀察，他對此經也確實是情有獨鍾的，符合他弟弟的描述。何況他還有《綱鑑統一》，此亦經世資治之書。我們看明末清初文人，多只就其冶遊清談，說其肆情縱恣，不知彼等輒有經世資治之志。就像張岱有《石匱書》，後來的李漁也有《資治新書》初、二集。若只知一位《閑情偶寄》《十二樓》的李漁，面對這些文移、布告、條儀、判牘的李漁，勢必爽然若失。面對馮夢龍，也是如此。❷

但治經學且志在經世資治的馮夢龍，畢竟又是一位文人，文人治經，自有其文學性的追求。因此馮氏之《春秋》學，其實又充滿著文學觀點，既重詞氣文章，要從詞氣文例書法文勢上看出《春秋》的大義、聖人的用心；也要讓讀《春秋》的人由此揣摩出作文之法，以便應試。在這種情況下，文學性的追求、文學式解經法，遂與其經世資治結合為一體。

在晚明，如馮夢龍這樣的例子並不罕見，我這篇文章就準備討

---

❷ 目前對馮夢龍進行全面研究的，只有聶付生《馮夢龍研究》一書（2002，學林出版社）。因此他也必須面對馮氏治經資治的這一部份，但他就把治經資世跟暢情從俗視為矛盾，再努力地去「分析其種種思想觀念的矛盾及這些矛盾產生的原因」（其書李時人序）。這就走岔了路。

論這種現象與解經法。這是迄今談春秋學者尚無人問津的領域，且由我來試一試。

二、文學春秋學的發展

孟子曾說：孔子作《春秋》，其事則齊桓晉文，其文則史，其義則丘竊取之。厥後傳《春秋》者，左氏偏於事，公穀偏於義，《春秋》之文，所謂「屬辭比事」之學，其實並無發展。因為屬辭比事也者，歧為二路，一是由比事說，輯比相關事類以見義趣，各種「事類」「比事」「類編」屬之。二是由屬辭講辭例書法，趙汸《春秋屬辭》序說：「公羊穀梁以不書發義，啖趙二氏纂例以釋經，猶有屬辭遺意」，講的就是《春秋》家的凡例之學。朱鶴齡《左氏春秋集說》序謂：「屬辭比事而不亂，深於春秋者也。……自左氏之例，公穀二氏又有例，啖趙以下亦皆有例」。漢魏南北朝隋唐《春秋》學確多凡例條例之說。這些凡例，是由辭例書法以觀褒貶，它與比事以見義趣者，宗旨都在事義而不在文。分析辭例事類以及書法上的特徵，固然發展了不少語法、詞彙的知識，影響到文學上的凡例格法之學，但比事以考史、辭例以說經，重點均不在《春秋》的辭章之美。❸

重視《春秋》「其文則史」的，乃是史家而非經學家。經史分

---

❸ 《春秋》的凡例之學如何影響到文學，詳見龔鵬程〈論詩文之法〉，1988，臺灣，時報出版公司。收入《文化、文學與美學》；〈細部批評導論〉，收入1990，臺灣大安出版社，《文學批評的視野》。

家，發生在魏晉南北朝時期，待唐代，遂有劉知幾標舉《左傳》作為史文的典範，〈申左〉一篇，明謂：「所可祖述者，唯《左氏》與《漢書》二家。」這種態度，與南北朝一些「宗經」的文學思潮（如《文心雕龍》）相結合，再加上唐代古文運動的發展，乃有啖助《春秋集傳》自序所云：「今《公羊》《穀梁》二傳殆絕，習《左傳》者，皆遺經存傳，談其事迹，玩其文彩，如覽史籍，不復知有《春秋》微旨。」

經學家重視義例，史家則玩其文采，文學家更是「事出於沉思，義歸乎翰藻」，宗經學古以為文資。這樣的發展，是魏晉時期經、史、文集分化的形勢所造成的。

但天下大勢，分久必合。宋代以後，這幾條路又有逐漸趨合的現象。

在文學方面，古文家講文以載道，要用文章表達聖人之道，五經自須鑽研；而古文不同於六朝駢儷，又係因它是以五經為典範的，因此無論義理或辭章，均與五經相關。到了科舉試士以後，考的是文章，但卻是一種闡發經義的文章。經與文之合，乃成大勢所趨。

經學方面，也開始有論文之篇。題宋歐陽修編的《左傳節文》十五卷。《四庫提要》卷三十考證其為偽書，云：「前有慶曆五年修自序，序中稱胡安國《春秋傳》及真德秀《文章正宗》，是不足與辯矣」。又說其書「取《左傳》之文，略為刪削，每篇之首，分標敘事、議論、詞令諸目，又標神品、能品、妙品諸名及章法句法字法諸字」。書固然是假，但把這種以文學論《左傳》的做法，掛名到歐陽修名下，正表示元明人認為宋代已有此風。〈序〉提到真德秀《文章正宗》，真氏那本書就收了《左傳》的文章。後世許多選本如《古文觀止》《古文析義》收錄《左傳》以為文範，淵源正本於此。

又，陳振孫《直齋書錄解題》說王當《春秋釋》《春秋列國諸臣傳》：「諸贊論議純正，文辭簡古，於經傳多所發明」。陳造說：「春秋人才，尚餘三代氣質，然非左氏之文雄古嚴密，亦孰能暢敘發揚如此？……」都是由文章說。陳氏又載洪興祖《春秋本旨》云：「屬辭比事，《春秋》教也。學者獨求於義，則其失迂而鑿；獨求於例，則其失拘而淺」，顯然是反對歷來經學家的辦法，而要由文學論屬辭比事，所以黃震反駁他說此乃「文人之妄意談經，其舛甚矣」（見《經義考》卷一八六）。

這均可見以文學觀點釋《春秋》，在宋代確已出現，就連為科舉經義而作的書，如明代馮夢龍所作的那樣，在宋代亦已有了。王庭珪序王彥休《春秋解》云：「崇寧中……朝廷方以經術訓士，薄海內外悉用三舍法。獨《春秋》不置博士，故鼓篋升堂，無問《春秋》者。唯王彥休以宿學老儒，時能誦說，而學者終不暇習。彼年復詔天下立學，以經天子之事首尊用之。於是彥休之學久湮沒而近乃出焉。……以是發策決科編次其書」（同上）。王彥休之書，就是這樣的東西。

呂祖謙《左氏博議》也近乎此。自序說：「左氏博議者，為諸生課試之作也。……里中……從余遊，談餘語隙，波及課試之文，思有以佐其筆端。……凡《春秋》經旨，概不敢僭論，而枝辭贅喻，則舉子所以資課試者也」，明說重在文而不在義，故陳櫟說：「不過以教後生作時文、為議論而已」，朱熹則說呂氏《左氏說》：「遣辭命意亦頗傷巧」（同上，卷一八七）。可見他以文論《左氏》，而本身也即是文，又欲以此示人論議經義的文章該怎麼作。

此等風氣、入元愈彰。朱右《春秋傳類編》自序云：「余讀《春秋三傳》《國語》，愛其文煥然有倫，理該而事核，秦漢以下無加焉。……雖然，三傳《國語》之文不能無辨。左氏則無間然矣，……公羊穀梁為經而作，典禮詳實，詞旨簡嚴，有非他能言之士可及也。余試評之，譬如良工之繪水與木也，藝有專精則所就有深淺，然自巧心發之，則各得其一端之妙。左氏之文，煥然有章，小大成紋，猶水之波瀾也；蘂蒍敷腴，英華暢發，猶木之滋榮也。公穀之文，源委有自，派脈分明，猶水之淵泉也；根據得實，柯條深挺，猶木之枝幹也。要之，繪者雖意匠所得不同，然其心術之微、神巧之妙，變化無窮，皆工之良而無迹之可指也。……因附於編，俾學者知作文立言之有法也。語云：文勝質則史。是編也，亦史氏之宗匠，文章之筌蹄歟？」（同上，卷一九九）純由文學立說，為真德秀、洪興祖、呂祖謙之後勁。

黃祖復《春秋經疑問對》二卷，則是為科舉而作。元仁宗皇慶三年復科舉，漢人南人第一場明經、經疑二問，在《大學》《論語》《孟子》《中庸》內出題；經義一道，各治一經。因此須要有考經義的參考用書，黃氏書即其中之一。《四庫提要》謂：「其書以經傳之事同辭異者，求其常變，察其詳略，以經覈傳，以傳考經，以待舉子之問，蓋亦屬辭比事之遺意」。其書多議論，也有點像《東萊博議》。

四庫另收楊維楨《春秋合題著說》三卷，性質亦類似。宋崇寧間開始試經義，《春秋》的題目即由三傳解經處出。靖康元年改為只由本經出題。紹興五年禮部又認為《春秋》本經辭語簡約，比其他各經字少，出題容易重複，所以仍可於三傳解經處相兼出題。元朝合題之法即本此。楊氏此書，便是針對這種出題方式而作，故自序云：「《春秋》正變無定例，故關合無定題；筆削有微旨，故會通有微意。初學者不知通活法以求義，場屋中往往不得有司之意。今以當合題，凡若干各題著說，使推其正變無常，縱橫各出，以禦場屋之敝」。

明朝情形大抵如舊，以文學角度欣賞其屬辭比事者，有王鏊《春秋詞命》三卷、《鍾評左傳》三十卷、《春秋左傳評註測義》七十卷等。王氏書，自序曰：「余讀《左傳》愛其文，尤愛其詞命。……孔子曰：不學詩無以言，讀此編者亦可以有言矣」。鍾評，則其實是杜預《左傳集解》，加上鍾惺的評點。《測義》乃凌稚隆撰，凌氏曾編《史記》《漢書》評林，是評注名家。此書以杜注為主，旁採諸說以增益之，間有辨正。

為制義而作者，《四庫提要》說：「自有制義以來，坊本五經講章，如此者（指清金甌《春秋正業經傳刪本》十二卷）不一而足。時文家利於剽竊，較先儒傳注轉易於風行」（卷三十一），可見是極多的。但四庫館臣認為這種不是經學，故甄錄甚少，僅載張杞《麟經統一篇》十二卷、梅之熉《春秋因是》三十卷。張杞書不收經文，只以經文中可做試題者截其二三字為目，各以一破題括其意。後列合題數條，亦各擬一破題，並銓注作文之法。梅氏書專就比題傳題而作，每題下面載一破題，詳列作法。《四庫提要》云：「舊制以《春秋》一經可命題者不過一百餘條，慮其易於弋獲，因而創為合題。及合題之說紛紜淆亂，試官舉子皆無定見，於是此類講章出焉。……棄置經文，而惟於胡《傳》中推求語氣以行文，經以荒矣。其弊也，又於胡《傳》摘其一字兩字，牽合搭配，以連絡成篇，則併《傳》亦荒矣」。評價都不高，猶如它批評馮夢龍的《春秋》著作皆為科舉而作那樣。

這些著作，略分二類，一是文學性的，二是教人以作文科舉之法。不同處，在於前者未必著意於制義之需。相同的，則是兩者都推考詞氣行文之法，整體上都應屬於文學性解經讀經法。馮夢龍《春秋》相關著作，概為後一類。

我說過，這些作品都是在宋代以後經義與文學相結合趨勢下的產物。此一趨勢，到馮夢龍那個時代蔚為風尚。乾嘉以後，樸學興起，才努力尊經，想把經學跟這種文學經學不分的狀況分開；四庫館臣在編《四庫全書》時所體現的，就是這個新觀點。但由整個環境來看，恐怕文學經解仍佔大宗。❹

例如魏禧《左傳經世》三十卷自序說：「竊惟《左傳》自漢晉至今二千餘年，發微闡幽，成一家言者，不可勝數，然多好其文辭篇格之工，相與議論而已」（經義考，卷二〇八），可見風氣為何。就連魏禧本人，雖反對此風，但作此書，所祈嚮者，亦仍在「隆飴甥會秦伯、王城燭之武夜縋見秦伯、蔡聲子復伍舉則詞命之極致，後之學者，尤當深思，而力體之也」。是終不脫文學見解矣，此即可見一時風習。

---

❹ 另詳龔鵬程〈乾嘉時代的文人經說〉，2003，清華大學，清代經學研討會論文。收入本書。

為舉業而作的金甌《春秋正業經傳刪本》、王源《或庵評春秋三傳》、田嘉穀《春秋說》、馮李驊陸浩《左繡》、姜炳璋《讀左輔義》、李文淵《左傳評》等，也依然被選入《四庫》。據《提要》說，這裡面還頗有些與桐城派有關：「《春秋左傳》本以釋經，自真德秀選入《文章正宗》，亦遂相沿而論文。近時寧都魏禧、桐城方苞，於文法推闡尤詳。（李）文淵以二家所論尚有未盡，乃自以己意評點之」（卷三十一）。造成這種現象的原因非常簡單：科舉依舊，試經義也依舊，教舉子作文章、試經義的書當然就依舊大行其道。桐城古文義法又與時文關係密切，他們與應試者一樣關注《春秋》的文采，也是理所當然的。有他們聯手推波助瀾，文學經解之風焉得不盛？

馮夢龍的經解，即生於此一脈絡中。

過去我們講經學史，沿用清代樸學家的觀點，尊經抑文，將文人說經者屏諸視域之外；講文學史，又把文人形容成離經叛道者，不但不嫻經術，無意資治，更以反禮教反道學為事。這都是文經分途的辦法，宋元明清的人可不是如此。我在〈乾隆年間的文人經說〉一文中曾說：「元朝以來，科舉功令，考的是經義，評價之準繩則是文學。故世人寫文章論經義，乃是普天之下大家都在從事的工作。那些八股墨卷、塾課坊選，其實都是文人的經說。何況，古文運動以來，為文者皆以宗經明道為職志，寢饋經籍以求深植為文之本者，實不乏人。作古文和作八股時文的，別的地方不一樣，在研析經義這方面卻是一致的。流風所及，亦出現一大批以文學角度去評點闡析《詩經》《尚書》《春秋》的著作」。馮夢龍的經解出現於此一狀況中，當然絲毫不會令人覺得奇怪。反倒是我們若仍沿用那種經學文學分途的觀點去看，便會對馮夢龍這樣一位文人（特別是搞小說戲曲的文人）而竟戮力治經，大感詫怪不置了。

三、馮夢龍春秋學述要

(一)春秋衡庫

馮夢龍《春秋衡庫》先錄經文，次列胡安國《傳》。❺《公羊》《穀梁》《國語》《左傳》可參考者附載之，〈凡例〉云：「四傳不同者分載之，大同小異者合載之，文雖不同而事實可相貫者連載之，見於一傳者偏載之，一二語不偏廢者補載之，或先經而起，或後經而結，不便翻檢者，聯屬載之，不隸經而可備事實之考者附載之」。再則採《詩》《禮》、諸子、史籍及各家考釋以疏釋之。因此全書可算是以胡氏《傳》為衡權的一個胡《傳》新讀本。

其所考載，其實頗見心得，例如宣公十五年論稅法云：「稅畝之說，公穀何氏范氏胡氏皆以為仍是什而取一，但廢古之助法耳。惟杜氏謂既取公田，又稅其私田，則為什而取二，朱子亦從之，未詳孰是。然變法之初，未必遽至倍取，故且從胡氏」。十六年，「春王正月，晉人滅赤狄甲氏及留吁」，補《左傳》《國語》，才能明白此役是士會帥兵的，然後再補《列子》說明晉國舉國士會的

❺ 馮氏春秋學著作，四庫另收《別本春秋大全》三十卷，《提要》云：「其體例惟胡安國全錄，亦間附《左傳》事迹，以備時文捃摭之用，諸家之說則僅略數條」，與《春秋衡庫》類似，我就不評論了。

因緣。全書均可見到這類參載資料及其作用。

隨文訓詁與小考證也有可觀之處，仍以宣公十六年為例，附載《國語》有「定王饗之殽烝」語，注：「殽，折俎。烝，升也」；「禘郊之事，則有全烝，王公立殽，則有房烝」注：「全烝，血腥全體，禮之立成者為殽。房，大俎也，半解其體，升之房也」，這樣的訓詁，可謂簡要明捷。「夏，成周宣榭火」引《爾雅》解釋榭字外，又考證云：「《楚語》：『榭以講軍實』，故知榭是講武之屋。竊疑宣王南征北伐，講武於此，遂以為廟，故其制如榭」。宣王的廟為何稱為宣榭，歷來解釋不一，胡安國謂：「榭者，射堂之制，其堂無室，以便射事」。但為何廟制竟如射堂？馮夢龍的補釋就為了解決這個問題。似此之例，全書多有。

書前〈凡例〉有云：

> 國初頒《大全》於學官，使士子以意逆志，隨所取裁，猶不失窮經之遺意。其後胡氏孤行，而文定之《春秋》，未必尼山《春秋》矣。予不揣，竊欲倣朱子《四書集註》之例，廣收百家之說，採其切中情理、不涉穿鑿附會者，定為正註；其說可相參者，附之圈外，名曰權書揣摩，庶幾彙群儒之精神，備一經之羽翼。奔走多難，尚未脫稿。

據此可知馮夢龍並不以為胡安國最好，他自己也想折衷群言以追孔子之旨，故本書雖為科舉需要而編，其實並不拘泥於胡氏。引《左》《公》《穀》《國》及群經諸子以相參證，求諸儒訓詁考證以相發明，便有廣學子耳目之意，對於科考的辦法或風氣，意存匡補。這與他批評：「無傳單文，舉業家相沿以為不成題。夫題出經文，因傳廢經，是經文亦可刪而讀矣。習而不察，莫此為甚！與其苛擬傳題以供射覆，孰若明出經文以試聰明？」用心正同。明代科考，專用胡《傳》，形成了許多流弊，馮氏為之拾遺補缺，可謂煞費苦心。

惟此書以附載參證為主，文學觀點尚不明顯，只在它「即無關事實，而辭采璀燦可助筆花者，亦備錄其文，或誦或覽，惟資性是視，不令嗜古者有遺珠之嘆」的說明中可見其用心所在。

(二)麟經指月

《麟經指月》體例與《春秋衡庫》不同。不錄經文，僅就其可與胡《傳》合題及胡氏之可出題處申論之。係針對考試之需而編，更為明顯。但全書充滿辯駁的意味，是跟考試風氣和在他以前的那個科舉解經傳統相辯難，例如：

△元年　元年桓

隱稱元年，編年之法已具，但此明人君之用為第二義，故待桓而發耳。不可成題，即以大用、大法分，不以隱、桓分，亦似未妥。

△盟宿　長勺

或脫出踐土、盟戲，謬。或出踐土、清丘代盟宿。盟戲、大鹵代長勺，尤謬。

以上二條均見隱公元年。前列二語，是可出合題的擬題，底下的說明，往往批評別人亂出題，如上所示。其凡例稱：

> △舊載比合題，或前或後，殊費檢閱，今並載前傳，使人一覽而盡。
> △比合題，非整齊及有關係者不錄。傳題在崩、薨、卒、葬者，非冠冕不錄。其舊題旨雖未確，而相傳已久。新題迂怪可駭，而俗或好奇，並存其迹，并注宜刪，以戒後人之妄出者。
> △無傳題，明有寄傳，而舊或誤立他說者，今悉改從正傳。其無傳可寄者，俱刪。或相傳已久，亦注明不成題字。
> △傳題換比，邇來頗煩。今分別某可易，某不可易。務取簡確，令可遵守。

所指即此類。所謂「舊載」「邇來」都是針對科考風氣及前此坊間教人作經義之法而發，認為老題目題旨未確，新題目又迂怪不經等等。看別人不順眼，當然是因為他自己有一套看法，他說：

> 比者，彼此相形而成題，或以文比，或以意比，或以相偶而比，或以相反而比，或以書法比，或以傳語比。如初獻羽、出稅畝、作丘甲、作三軍之類，此以文之相偶而比也。如克段、納捷菑，以弗克比克，遇清、桃丘弗遇，以弗遇比遇，以此文之相反而比也。如侵陳、滅蕭，俱是驕暴。取長葛、言汶陽、各有四意，此以意之相偶而比也。如告糴、六月雨，以僖之務農重穀，比辰之不能務農重穀。會扈伐、盾免

侵，以待而後伐比遽以兵加，此以意之相反而比也。如盟唐、瓦屋，俱書日，楚救衛、貞救鄭，俱書救，此以書法之相偶而比也。如鄭人伐衛、伐衛及戰，以書戰比不書戰。楚救衛、楚子伐鄭，以削救比書救，以此書法之相反而比也。吁上發意。諸侯之師既出，翬往會之，只一次伐鄭，所以再序為重至如祭伯來、盟唐傳，各引三段，盟宿、鄭人伐衛傳，各有況字一轉，獻戎捷、用田賦傳，各有後世云云，凡此類皆以傳語比者也。合者兩邊合來，如忠、孝、兵、刑、爵、祿、君、后、禮樂、征伐、土地、甲兵、夷夏、君臣、井田、封建之類，皆先立意而後配題，此合之異於比者也。若兩邊脫母，則有比無合，救江、人陳之類是也。故脫母，非傳有明文，不可作題也。

比是相形而成題，合是意思上的兜合，一道題目成不成題、出不出得好，即以此為衡斷。他在隱公上批評：「劉和宇題有城費、盈奔，一失尊賢，一失報功。又出敗鄑、會奔，上譏以功世官，下予以賢世官，此等題俱謬，又有出至笙奔、士鞅聘、主大奸根據，人主孤立，尤可駭」等，大抵即是如此。

如此論題，其實就是在論作法，否則出題權在考官，考生那有置喙之餘地，何須討論？但一來凡有過升學競爭經驗的人都知道：考前猜題是應試工夫之重點所在，坊間編輯參考用書也用盡心思於此，彼此競爭激烈。他們猜題及擬題的方向及方式，則又反過去來會影響著考試的真正命題行為，題型會隨風氣而變。馮夢龍這樣的本子，強烈批評坊間其他版本，說人家出題荒謬可駭，正是為了爭奪題型上的正當性。其次，馮夢龍這樣的出題主張，又表現了他的觀點，亦即題目不應是由經文或傳文中隨便摘幾個字就能命題的，題成不成題，有其道理，而其理是由意思上見的。針對這個題目作文的考生，即須善於體會其意，予以闡發，才能切題。試看下例：

> 祭伯來
>
> 《春秋》不與王臣私交，正本意也。
>
> 「本」字，以王朝對列國言。然內臣意不重，全重杜朋黨之原上，「二心」字正朋黨種子。蓋人臣之義無以有己，纔有私交，便知有身，便是二心了。將權寵之念重，而公家之念輕矣。「藉權」云云，皆自二心始也。「心」字須發得醒，與取鄭傳「微」字同意。須知朝與聘之私不同。天子有命其臣出聘之理，無命其臣來朝之理。故凡聘者，必不由天子使而後為私交，若朝則皆私耳。舊泥《左氏》語，以非王命立論，謬甚。（隱公上）

祭伯來，是題。次為胡氏說。下則申明題旨應如何發揮才能切題，其凡例云：「破題雖取明顯，然庸腐可厭，今悉改易，全不用舊」者，即指此。而這就是談作法的問題了。把題跟論合起來，併論其作法，正是馮氏此書的特點所在。其論大抵如下：

> △「存而弗削」，即蔑宿傳「凡書盟者惡之」意，以外諸侯相盟之始，故另發傳耳。作文當槩論，不必拘定齊、鄭。（隱公上）

△此題因辨取字之為強奪，而因論出本邑之取亦為牽制。作文宜將擅取之不可如傳辨論。末用一二語收歸莒上便是，不宜用倒傳法。

△七遇，各要觀其所遇之故，然後知其無不期者。然須渾化入講中，若板敘起處，則文臃腫矣。二書法，依傳總收，彼、此、尊、卑四字要挑剔，正見「莫適主」處。只遇清、遇垂同或魯濟、梁丘同。

△「伐無罪」句帶過，只重定賊上，四國及翬並罪。「惡之極」，「極」字最重要描寫。玩傳末「誅討亂臣之法嚴矣」，據亦須在誅詞。

△書時，見天之四德備；書月，見人君當行此四德。德，即理也。則天人合處，分明是德合，德合而行政自與歲功合矣。全重不息上，作文只講天人一理，而法天意自見，不必另講如何法天。雖統說四時，亦須婉轉在秋上論，方與四比題有別。

△皆就聖人意思作文。上望君，用春夏秋冬、《周易》；下責相，用治教政刑、《虞史》。（以上魯隱公中）

全書都是這樣，強調作文應如何如何，分講則重切題、敘法、收束等。要人仔細玩味題意及傳文句意之外，更要由聖人的心意感情上去體貼識察。卷四閔公說：「此傳通一經之救論。傳首二句，已盡題意。下又即聖人之罪不救，與救不力者，而發明聖人善救之情。兵期於無兵，正重兵之意也。說得聖人之情懇透，則救邢之善自見，書法只書『救』。」「主『兵者《春秋》所甚重』搭，不可兩開。然倒單禿講善救，亦不是，宜以『重眾』弔起『善救』書法，而融會二比意思，總發聖人之情，方妙」等，亦是如此。科舉試經義，本是代聖立言，當然要由聖人的角度去試想此事聖人會如何想、如何評論。但聖人之情如何見之？除了靠自己揣摩、體會，主要是透過《春秋》的書法去追索。追索之法，則如下例：

> △舊云：降其罪於文姜，正以深其責於莊公。重不去姓氏書法，看傳殊誤。細玩「降文姜也」，非降之以責莊，謂文姜殺夫，哀姜殺子，罪不同耳。書法全重「屢書不諱」上。「屢書」，雖概指莊公忘親事，然孫邾之案正在此，傳末故書法如此，正應此句。而如莒傳云：故書孫邾奔莒為後永鑒，所謂「攷其所書而義自見」者也。大抵《春秋》書法，或重下文，或重上文，不拘拘本股。（卷四，閔公）

> △書「伐」，正著其自伐至圍，「更歷三時」之實。猶長葛書「圍」，著其經年不解之實也。從更歷三時上，見其必以同盟之故來告。從告命已至而不救上，見其棄同盟而非義，非謂更歷三時，猶可及其未滅而救也。「既又」二字重看。若非慕義與國，則如弦溫之滅，豈槩為齊咎哉？「城守」二字，亦有味，有望桓來救之意。（卷五，僖公上）

前者論《春秋》書孫邾奔莒事之書法，以及如何由體會其書法去作文；後者論經書「楚人伐黃」之書法，以及如何由伐字體會其意。

馮書前後藉書法以追索命意者，大概如是。

如此論書法，不知者殆亦以為尋常，實則春秋家論書法者多不如是。宋趙汸《春秋屬辭》自序已謂：「微言既絕，教義弗彰。於是自議而為譏刺，自譏刺而為褒貶，自褒貶而為賞罰」。講書法者強調褒貶，而流於深刻，遂近於刻薄寡恩，乃宋元以來之風氣。故明劉永之《春秋本旨》自序說當時人視《春秋》為刑書，所以「言之益苛而鍛鍊之益深。……使聖人者，若後世之法吏，深文而巧詆，蔑乎寬厚之意」（經義考，卷一九九）。馮夢龍論書法，恰與此風氣相反。

他不說褒貶，只就書法觀經文，考聖人之意以供作文。因此不重論案。與視《春秋》為刑書，一心想學漢人，「以春秋斷獄」而自詡老吏斷案者迥異。莊子曾說：「春秋經世，先王之志，聖人議而弗辨」，馮氏的作法，便有此遺意。如卷五僖公上論「楚人伐鄭」書法云：

> 不是前此未強，到今日始寖強盛。蓋敗蔡時固已強矣；至伐鄭之日，尤覺有日異而月不同者。觀其與伯主爭鄭，便非乘時竊發之比，勢不至「會中華」云云不止也。「會中華」四句，亦有漸，此正是寖強之實，不可認作流弊。作文就楚勢講，而經世意隱然自見為妙，不必如舊另做一段於後。稱「人」，見其漸不安於夷狄之意。

卷八又謂：

> 經世安民之道，所包甚廣，而傳讀言「謹禮」者，蓋為成公幼弱，政在三家發耳。作文只從「謹禮」立論，不必多作斷罪語。

講得更為清楚。此是言作文之法，亦是馮氏說經之法。

(三)春秋定旨參新

《春秋定旨參新》繼《麟經指月》而作。據「社弟張我城德仲氏」序說係應內憂外患而發。外患，指明朝末年的外患。內憂則指經學內部不好的考試風氣與解經風氣：

> 內憂者，從傳而有傳題，傳題而復有比合，比合不已，轉展附會，以明白正大之旨而為影響射覆之具，是非幽渺，榮辱熒亂，從此士心橫騖。猶龍氏作《指月》以救之，弗止也，復於諸說靡所不參，而又取衷于我現聞姚師。

如此廣參眾說以定宗旨，就編成了這本新書。蓋與湖北黃州同社友人集體編定。錄經文，亦錄胡《傳》，旁採諸家可與胡氏相發者。但《左》《公》《穀》《國》之可備事實考證者、辭采璀璨可助筆花者，都不錄，與馮氏前述兩本不同，音字、釋義、訓詁則列在後面。

此書既對「內憂」而發，當然大肆抨擊坊間經解擬題之書，謂其「訛訛相傳，習而不察，且如單傳，若盟宿之信，伐徐之危，突歸之不稱公子，伐沈之非義舉，此類錯解，不一而足。又如執曹畀、言汶陽、城費、牟夷、奔邊歷諸傳舊說皆輕重無倫，得一失兩……」。對於出題之謬，也沿續著《春秋衡庫》的批評。

本書吸收了不少《春秋衡庫》的內容，但論文之旨較多，亦更多格法之說，我整理輯附於後，以見一家之學：

1.治春秋要領

(1)辨體

夫《春秋》雖為褒貶時事而作，然亦有不盡然者，玩傳自見。有入事斷者、有論理者、有辨疑者、有公世者、有發明者、有重教者、有重戒者、有徵驗者、有感慨者、有屬望者，體各不同，難以律視。茍於此不明，作文必不入式。欲其科目，胡可得也？近來斷體能言之，至於他體，則懵如也。間有識者，要亦暗合，非能真知其的，各標榜之，故自不犯之也。如墨雖未有超人意者，要之體制則未嘗失。茍體一不合，則文字雖加，允無入選之望矣。故讀是經，誠以辨體為急。子勉之哉，勉之哉！

①斷體例

夫子假魯史以正王法，或褒或貶。入事斷其是非。如于鄗罪鄭莊，「盟蔑」罪魯未等。

②傳心體

《春秋》，聖人史外傳心之要典。聖人只懸論其理以召後世。不必入事便是。如大棘獲申，無會晉師干尾類。

③公世體

夫子志三代之英而未逮，故每于時事傷其衷。而欲進之于上世。此等題不可斷，只發聖人之意便是。如石門瓦屋于蒲類。

④發明體

是文定什經之意，只發得意義明白便是。如隱元年鄭人侵宋類。

⑤辨疑體

是文定辨其所宜只反覆辨難，發出聖人書法的意便是。如齊鄭入城壹，十年公如齊至之類。

⑥重教體

聖人因事以教後世。只就「人當如此，不可忽略」上講。不少斷。如大水無麥菽、滅舒蓼類。

⑦重戒體

聖人書其事以重戒後人，攔入事講，卻無褒貶。如意如至捐晉朝帶越入吳類。

⑧徵驗體

即事以見感應之效。重天人一理上。如兩木冰，石隕□飛類。

⑨感慨體

聖人觸事感傷，于書而寓其意。雖入事論去，不可斷，只重感傷意上。如會鄧王季聘類。

⑩屬望體

就聖人意思以道，期望於人說。如公至自唐，宣四年楚子伐鄭類。

⑪正本體

聖人因事推本，見本既正，則末自平意。雖是斷作，卻帶在內。如家父聘、友如陳、楚納頓類。

⑫揄揚體

作者以己意發明聖人之意。如盟宿、夏五、楚丘以歸、己卯烝類。

⑬虛實體

傳之中有入事斷、有懸理，彼此不能丟，俱當入講，謂虛實體。如盟新城歸三田、暨平凋清類。

⑭結正體

捲上數股來斷，又兼發明。如王姬歸及衛俘類。

(2)**識格**

夫格者，一篇之大式也。有是格，方有是遣詞。有是遣詞，方有是詞華，格之時義大矣哉。近來作者兩扇、二股、二頭一腳、一頭二腳之類，舉能識之，無甚難者。至於籠絡題意、枝幹輕重諸式，則難有能知其趣，是以傳題舉無著落。蓋不知籠絡題目，便拿不住。堊堊惟惟，傳題不明者有矣，不識主客，便無照應。不識枝幹，是以倒置。不識貫線，是以沓冗。求其文字之佳，難矣。況格調一差，舉均不可取，此其為害，夫豈一句一股之比哉。故讀其經必先識其格，則題方有定式，不為題目所縛，而文自然悠揚，此謂大家。

①籠絡題意格

股數太多不能一一敷衍。一循次序輕重前後，任吾意作，便是此。口南陽各傳題是所清丘傳題類。

②枝幹輕重格

前後共一套事，本股為幹當重，餘股為枝當輕。如救陳、陳逃歸、荊敗、蔡伐鄭聘、楚人伐陳類。

③主客照應格

事與本題無干，只引來發明之意，我乃打歸本股，使相照應。

是謂主客照應。如齊年聘、鄭語股等、于唐四盟等類。

④回顧本題格

藏頭無本股，卻由本股得出。起束處須點出來本題。是謂回顧本題法。

⑤兩扇分配格

傳有二意，各有事迹，則以本題為主引來。各股分配入內。如同盟于幽、齊執詹詹逃之類。

⑥索頭線格

股上相承到末，方有結果。傳雖多股，只是一意，並貫到底。一節承一節講，並不用對說，如經魁「四國伐秦」傳題。

⑦比木成材格

四股題目單作太散，合作太重。且惟收拾得一二合作，謂比木成材格。

⑧上股發下股格

正意盡在上股發揮，下股只足上股而已。如郳黎朝小邾子是。

⑨下股收上股格

上股輕講下股重發。如入向、取牟婁是。

⑩虛實相對格

或半斷例，或半發明。如莒慶逆叔姬。

⑪兩扇相對格

或二意大分，或二股對作。如元年春王正月是。

⑫鼎足相參格

三股平作。如踐土、伐衛、亳城北是。

⑬一頭二腳格

如畢松坡桃丘、于郎、惡曹是。

⑭二頭一腳格

如八月、壬午、大閱是。

⑮二意渾融格

大分無味，偏講不是，只得渾融渾作。如盟于皐鼬。

⑯兩意抽講格

本有二意，不可太分，只得互相抽講，如晉狄伐秦類。

⑶**認傳**

聖人作經，雖云褒貶繫于一字，然非淺陋可識，必于傳熟思玩味。庶幾久而貫通，或能得其萬一。若求聖人之精，而舍傳不事，是渡江河而忘舟楫也。欲其濟溺，胡可得也？近來學者，率多看題並不認傳，致有不當合而有合者、不當斷而斷者；有當重而輕者、有當輕而重者，如傳本如此，而認之如彼者；有題本明白，而議論紛紛者；有傳題數股而無處著落者，其原皆不認傳之過。若能認傳，則知此是聖人斷詞、此是聖人論理，此是文定發明、此是文定辨論，本不可差。孰為主客、孰為賓客、孰為枝幹，而格亦可識矣。夫一認傳而益無方，如此傳可不認哉？

①傳中自有起語，並下手處發揮引證收繳等。惟熟玩，一篇文字盡在目前。何必別思？只當擴充指詞而已。

②傳意自有體絡。若能細認，則孰為其意、孰為起語、孰為引來明發、孰為斷詞，則可作意者、不可作意者，自然明白。

③《春秋》題難多，要之不外于傳。惟傳熟玩，則出題來自能記憶。只刻意悟傳便是。傳題散雜，若認不精，則孰當輕、孰當重、孰為主、孰為客、孰當前、孰為後，鋪敘倒置，皆救無味。惟

認之熟，則遇隨自有一定規模。揣直依傳，自無失矣。

④傳者不同，看須斟酌。有等文定感觸時事，有慨于中，故借之發之者；有等《春秋》大機會，或盛舉、或名賢，故獨加注意者；有等名是而實非，跡是而心非，或以欺世盜名，為人所不識，故獨表而論之者；有等因人議論欠當，而復講之者。此樣傳有議論且有題目，場中出題，每每重此。

⑤經義題目，最貴冠冕。雖要逐傳細看，摘他好話來。如侵陳、狄侵衛。用王道伯功作主；楚丘城濮，便用明道正義等類，方起人觀瞻。

⑥傳不可例論。如滕子朝傳，前面是正意，後面雖是辨詞，卻一段議論，題目冠冕。有司多出合題，則亦不可忽也。又如齊桓公本是點傳，中間說他伯功不足尚，題目便大了。則崩、薨、卒、葬，亦不可避也。此樣極多，姑舉一二以例其餘。

⑷**作文新格歌**

一破二承三起講，八事及意斷制當。七陳八收異九結，此是作文新格樣。

⑸**作文舊套歌**

一破二承三原題，發問起語入事依。反意斷制並咏嘆，十收束兮及結之。

⑹**經題四訣**

合宜開發，比要相形，單須抉要，傳莫離根。

⑺**題有四貴**

傳題貴圓，合題貴方，擬題貴簡，看題貴精。

⑻**五略**

一鋪張，二判斷，三遣調，四咏嘆，五鍊詞。

①鋪張

程墨文字，雖有好歹，鋪張未嘗不同，此乃一定規度，不可或差。近來有等文字，當斷而返，當返而斷；當前卻後，當後卻前。此等文字，場中必不見取，是為大病，學者不可不知。

②斷制

《春秋》本史筆，非他經比。故經義尚斷制者，實斷其是非，不為虛詞馳逞。或設為辨難，或引故事以形之，若法司斷獄，不可出入，方是高手。近來時文率多浮詞，鮮能斷其的確。大抵作文非難，斷制為難。苟敷衍文義，人人能之矣。

③遣調

《春秋》文字，最重波瀾，若無起伏，便覺沓冗。與四書一般，不見筆力。故遣調最宜留心。

(A)曰起

如發一股，或四股對，便當收來繳斷。今其文勢斷聯，然後發去。或錯綜遣調，已經數聯，然後對入，是為起伏。如一味發揮，如大海汪洋，無此波濤洶湧，便不好看。不知收拾如光面素綾，卻無花分，不甚起觀。此謂平鋪之病。時文往往蹈此，最宜患之。

(B)曰錯綜

如前二股長，則後二股宜短。前二股短，則後二股宜長。長短參差，是謂錯綜。

(C)曰開闔

如股中或以一二句引起，後以五六句數之，是為常套。如用十數開之，而後徐以一二語喚醒，方是高手。若開以一二語，闔以如十。是如一板一刺，不足論矣。

(D)曰忌合掌

如發二股，詞意須要不同。若分二股，意思只是一樣，是謂合掌，不免為觀者所厭。

④咏嘆

經文既斷之後。正意已完，若非咏嘆以取之，便覺寂寥，不見意趣。如美女不搽脂粉，不甚精采，故必咏嘆，然後意趣悠揚，起人眼目，全在于此。

一曰《詩》。二曰《左傳》。三曰經書。或《易》，或《書》，或《禮》，或《論語》，或聖人之言是也。四曰故典。發引故事以形容之。五曰平語。

作者以己意發詞，非是成語。若陶新岑執嬰齊篇：「噫，密邇之邦，風教易人，固當為天下先者，而侮慢若此，伯王亦何賴哉？」陶同野城邢城楚丘題：「噫，王靈弗振夷禍寖昌，使塗山玉帛之國，致有遷徙奔亡之患。此固經世者所深憂也」云云，苟使措得老成亦妙。

⑤鍊詞

眾善咸備而不鍊詞，是為美而不文，非至善也，故亦不可缺。

一曰渾化。《春秋》雖尚老健，卻有一等詞句，雖近于弱，其實俊雅，蓋由所養既純渣滓盡化，出詞吐氣，自然不凡，絕無一些粗氣。此乃上等文字，要非淺淺可能。

二曰老成。詞須蒼古，莫犯于稚。

三曰錯綜。前後聯句，各自相對。須要長短參差。或一股十數句，則句法長短不得律齊。開以乎哉也者字樣。如千里奔馬，一步一步踏去，方是高手。

四曰雄健。《春秋》斷事之調，須要雄健方好。若太弱了，便不起觀。

五曰忌浮。《春秋》據事裁斷，如法司斷例。須根事情，切不可浮。若浮了，便諸事不相入。

⑼訂語

治《春秋》法總括在是。無餘蘊矣。然五經雖《春秋》習之者少，精之者難，故有許多說話。若不得此法，雖能作文入學科舉，要亦一二次之資質偶合耳，終不可稱作家，以希望上達也。故先人有言曰：珍之重之，毋輕與之。若輕與之，早自逝之。我今貽汝，慎勿忘之。

⑽附說

經義與《四書》不同，不宜四六，程文多不用。只是一氣直講到底，絕不對說，此乃第一高手，非淺學所能。近來作者，率不免此，然不可多，只可一二聯。若四六太多則便覺稚了。亦有一等文字純是遣詞，未嘗斷制。然二句各相對，或長或短，前後不同，未嘗不同四六合排將去也。

這是一篇難得一見的經義作法論。明人評、點、選、說作經義之法者甚多，然鴛鴦繡出，金針未度，求其明示格法，如詩例文律者則絕少，因此我今輯示於此。❻其中〈治春秋要領〉辨體十三

---

❻ 馮氏對格法素所講求，所以論曲時獨重沈璟，謂：「若夫律必叶、韻必嚴，此填詞家法，即世俗議論不及，余寧奉之惟謹」（新灌園序）。對於湯顯祖

條，其實是十五條；識格十八條，其實是十六條。〈作文新格歌〉〈作文舊套歌〉原編在前；論經義與《四書》文不同，原插在論遺調中，我都調整了次序，以清眉目。馮夢龍是如何地以文學觀點看《春秋》，又如何以《春秋》教人作文，看這一大篇條例，也就明白了。

四、玩辭、辨義、經世

看馮夢龍上述談治《春秋》之法的言論，很容易把他理解為一位重視格法的人，其實不然。

張我城序馮氏《春秋定旨參新》時，曾說漢代今文為盛，《左氏》不昌，「良以記事編年之書，不如斷章取義，如利刃截物，了然於目、快然於心也。漢末晉初，俘干盟、夷亂華，中國之氣日鈍，故《公》《穀》之鋒不張」。從記事而非明義、又未申張華夷之辨，這兩方面貶抑了《左氏》。這種看法，在唐代以降整個《春秋》學的大環境中，當然顯得特殊。

因為眾所周知：唐代以後《公》《穀》幾成絕學，《左氏》一家獨盛，雖胡《傳》著於功令，但在經學專業領域，《左氏》仍是最主要的，故饒秉鑑《春秋會傳》自序云：「我太宗文皇帝命集儒臣纂修《春秋大全》，必以胡氏為主，而引用諸儒傳注，必以《左

「填詞不用韻、不按律」，不僅有微詞，且直接批評刪改之，自稱：「僭刪改以便當場，即不敢允若士之功臣，或不墮音律中之金剛禪云爾」（風流夢・小引）。這種重視格法的態度，正可以解釋他何以做這一篇〈治春秋之法〉。

氏》為先，蓋有由矣」（經義考，卷二百）。至清，而朱鶴齡《讀左日抄》序更要說：「今《左氏》之書家傳戶習」（同上，卷二〇八）了。大環境如此，張氏抑左之說，自然特殊。

但張氏之見也就是馮夢龍之見。馮氏自道其書體例是：「《左氏》敘事見本末，《公羊》《穀梁》辭辨而義精。學經以傳為按，則當閱《左氏》。玩辭以義為主，則當習《公》《穀》。……今所傳，事按《左氏》，義採《公羊》《穀梁》之精者，大綱本孟子，而微詞多以程氏（伊川）之說為證」。看起來沿續著胡氏，卻正是他「玩辭以義為主」的路數說明。

玩辭以義為主，所以《麟經指月》中經常注明某說某義用《公》《穀》，有些地方也會說舊解是受《左氏》影響以致立論錯誤（如前文所舉隱公上之例，或《麟經指月》卷五：「舊主忠孝，用《左傳》通貢，卻奸二事，甚杜撰」等）。

而亦由於他玩辭以義為主，故亦與那些由研究《左傳》文采出身的論者不同。那些人多重敘事之法。亦即所重者仍在辭。馮氏不然，所以他說：「通一經中彼離此合，合而離，離而復合，多少事迹，各有個好歹，只看所以會盟者何如耳」「觀予奪會盟之迹，識自治之道矣。體傳『會盟』四句意發，不重事迹。四比皆自離而合，但所以合者有得失，故夷因之盛衰耳」（春秋定旨參新·卷四·桓公上）。重辭者，重事，尤其是敘事之法；他則不重事，重在推求事的義理，故是不重「迹」而重「所以迹」。同一件事，例如同是離而合，但因所以合不同，意義也就會不一樣。同理，卷七云：

望國駐兵，深識其非義焉。師次皆事實，只重一「俟」字。

> 傳末「其曰次，曰以俟」，即所謂「俟而次」也。非二書法。「無名妄動」與傳言「用大眾曰師」相應。罪全在勞民上。「意」字要發。聖人正從「俟而次」上推勘他出來。……傳中總敘以次者，言只觀其所以次者，而美惡自著，非以伐與救形本股也。

敘事只是講軍隊駐兵，即師次。但馮氏認為我們須注意的，不是師次而是所以次。卷十一云：「觀《春秋》所致意者正名與善之心見矣。主『以義正名』二句，此因事見得《春秋》大法如此，勿黏定事迹」，卷二：「王臣因夷橫而失節，罪在怠義者也。戎以徒眾劫凡伯，故書伐。只解事實，無貶戎語」……等，宗旨皆同。有些褒貶予奪，是由事迹上未必能看得出的，必須玩辭見義。玩辭見義，乃馮氏主要方法。其例如《麟經指月》：

> △此傳對會扈、伐陳傳看。下傳予晉，全在「然後」二字；此傳責晉，全在一「遽」字。「遽」與「然後」正相反。「毋乃與己有闕」亦是傳者揣度之詞，不曾實說何闕。傳蓋據《左氏》「陳及楚平」之下，荀林父便伐陳，而今又侵之，略不踰時，故曰「遽」。看傳者多忽此。就德言，則曰「仁智」；就兵言，則曰「義」；就主盟言，則曰「道」。要之，省德而反仁反智，則必以義用兵，此正是盟主之道。仁智泛論。或以救陳貼愛，伐陳貼治，非也。林父原是伐，盾免原是侵，但伐者有詞之稱，侵者無詞之稱，故削林父之伐，而獨書侵耳。不書陳及楚平，只入敘

事中，以不討歸生作束。（卷七）

△只重「謹禮」意發「體險之大用。」「大」字對「微」字看。「體」字、「用」字、便自緊關。將一「險」字說入禮中，將一「禮」字把作險用，真堂簾森嚴氣象。須體貼一「險」字發揮。中城在郛之內、宮之外，故曰「益微」。城亦設險大端，不可說謹禮即不用城，玩「獨」字可見。（卷八）

這就發展出了「玩辭」之法，仔細體會經傳的遣詞、用字、語氣、句式。但玩辭旨在論義，故與純論文法修辭者又有所不同，談文章的格例時，也以義為斷，因此《麟經指月》卷一有云：「須發聖人所以述作之義，不當以立文之例泛論」，《春秋定旨參新》卷四也說：「上自衰之盛，下自盛之衰，如此搭配，似亦可出，但於本傳離合之義有礙耳。總之，細碎分貼，便屬支離」。

也就是說，馮氏這種文學解經法，也並不純是文學的。並不是把經傳當文學作品看，去分析其遣詞、用字、敘事之工，再以此為作文之法，教人如何為文而已。經傳仍然是經傳，是聖人制作，故其中有微言大義。觀者須玩義以見辭，也要以義斷辭，才不至於支離。在此，經義與文采，乃是二而一的。

這才能達成他「文章經世」的願望。馮夢龍於五經僅重《春秋》，本就是因「春秋經世，先王之志」，故其論《春秋》亦以經世為念，著意闡發聖人經世之意。《春秋定旨參新》卷四：「志內弱外強之事，經世之慮也」「聖人有感於內外，示治禦之道焉。自聖人經世意發。上三國自謂知懼，而聖人已預為之傷。……下中國尚謂無事，而聖人已早為之慮」，《麟經指月》卷十一：「作文只要發得《春秋》明王道正人倫之功出，便見文成麟至，與羲畫□韶、〈騶虞〉〈鵲巢〉同一感應了」，講的都是這回事。

《春秋定旨參新》卷十一又說：「觀《春秋》所致意者，正名與善之心見矣。主『以義正名』二句。此因事見得《春秋》大法如此，勿黏定事跡」。讀經，要因事見義，事只不過是個例子，重點在義不在事。義是什麼呢？一在見聖人之善心，二在見聖人之大法。

前者，如「性命之文，在聖人修經，因事褒貶無容心上說。……聖人雖因羊以書，卻有精義存焉，非通徹性命，曉暢治理者不能解」（春秋定旨參新，卷五），即是指應見聖人之善心。什麼善心？「仕者世祿，帝王不以私愛害公選。耕者九一，君子不以天下奉一人」（同上）「人君之心極重，乃體天地立君養民之心。『民力足』四句有次第，此正人君所以重民力之意」「既曰人君之用，又曰體元，非體、用對說，體即是用，言當體此而用之也。『用』字固重，『職』字亦重，必到朝廷百官遠近，莫不一於正，方是盡職。而其所先在正心，則是元也，安可不體備於我而用之哉！『深明其用』句要玩，只為當時人君但求正人而不求正己之心，把君職都廢了，故《春秋》深明之。元者，天地生物之心，人君體此為心，便是正心，無缺經綸，總不外此」（麟經指月，卷一）「前只有伐宮一事，伐菜尚在後。故曰『善惡之感萌於心』云云，言天人感應，其幾甚微也。玩『宣公不知』云云，全是要他今日戒心天變而修德之意」（同上，卷七）「此題是即今日之得，而斷前日之失為不恭，須有分曉。『不恭』字，與肅敬之心相應。魯失其政，是病根；陪臣擅權，由失政來。『雖先公分器，猶不能守』，『守』字極重。看『雖』字『猶』字，及此可概見魯政之非矣，故總之曰『其能國乎』？『此義行』三句，正打轉魯失政來。各知所守之職，則有國守國，必不使政權下逮；有家守家，必不敢上陵諸侯。政既不失，而陪臣亦豈有擅權之事哉？」（同上，卷十一）……都是。

見聖人之大法，則隨文闡發之。如正名、「上杜朋黨、下懲淫慝、正其本、存其防」（麟經指月·一）及禦夷狄等都是。杜朋黨及禦夷狄均極重要。因馮夢龍論夷夏之辨很特殊，不是就夷夏之防說，或由尊華賤夷說，而是就中國本身的作為說。如《春秋定旨參新》卷四：「《傳》中予奪抑揚，皆就中國說。能自治禦夷，則進而予之、揚之。不能自治、懼夷，則退而抑之、奪之」。如此論夷夏以及強調要杜絕朋黨，顯然都與其時世之感有關。

張我城曾說：若依馮夢龍之見，則「中國可尊，夷狄可攘，無兄弟鬩納之醜。……三家何所藉以逐君？六親何所飾以分國？晉、楚、齊、秦何所假以兼併？君、臣、夷、夏可無支離影附之說。比者，不強比，無背公死黨之臣；合者，不強合，無翻案翻局之擾。何至以幺麼小醜，至主上孤立，獨憂社稷哉？」刻意指出馮氏著作蘊含的時世之感與經世之意。馮夢熊〈麟經指月序〉也說：

> 高皇帝尊用儒說，獨取胡氏列官學者，非但以其為嚴冬大雪獨秀之松柏者，取其憂患憤發之意，合焉而可以為異日撥亂之書也。今天下鎬京磐石，邈禾黍之離，辮琛叩關，絕金繒之恥，似無所用其憂患憤發。然而綱紀之隳窳，形式之單靡

> 也，夷狄之欺陵也，亦以儒臣專以《春秋》入侍時也。諸葛武侯勸其君曰：「申、韓之書，益人意智。」豈時可以申韓則申韓；時可以《春秋》，而反不可以《春秋》歟！邇者夷氛東肆，廟算張皇，即行伍中冀有狄武襄、岳少保深沉好《春秋》者，而研精覃思積二十年者，獨令其以《春秋》抱牘老諸生間，痛土蝕而悲蠹殘也！

深以馮夢龍有經世之學而不得經世之用為憾。事實上，不僅馮夢龍友人有此感慨，馮氏本人亦不諱言其書確有感慨時事之處。《麟經指月》卷一云隱公時「『莒人擅興』一段，固見莒之玩法而稔惡，亦有感慨時事意」，即有此感。❼

五、文學經學史新版圖

以上介紹並分析了馮夢龍幾部「春秋學」著作。明人之春秋學，在經學史上夙少研究者，是個冷門的學問。馮氏著作，自己雖很耗精神，編寫態度迥異於他那些小說戲曲作品，在友朋間也很受推崇。但蕭條異代，未獲賞音，根本乏人重視，更是明代經學中的冷門。唯我「性與俗殊」，專喜打抱不平，抉微發隱，闡潛德之幽

---

❼ 馮氏在明亡之後，曾輯程氏《孤臣紀哭》、陳氏《再生紀略》、無名氏《燕都日記》，予以增補，刊為《甲申紀事》十三卷，另編《中興實錄》《中興偉略》等。可見時世之感，並非虛語。其《壽寧待志》述其治壽寧之政績，於「時事之行促，風俗之淳澆，民生之肥瘠，吏治之難易」特所致意，亦可見其經世理政之心，與其時事之感相發。

光，故略為勾勒其要，以供知人論世。

但本文並不只想如此。除了發馮氏之潛德幽光外，我更想藉此對經學史、文學史乃至思想史之研究，提供一條批判反省之路。

本文第一節即曾指出：晚明思潮的研究目前存在著「典範」（Paradigm）錯誤的危機。我們常把晚明形容成一個變動的時代，經濟發展了、生產力改變了、生產關係調整了，資本主義萌芽了、市民階級出現了，因此思想與文學隨之有了變化，既好貨又好色，晚明王學亦刺激著顛覆著程朱理學；性靈思潮、小品文人、小說戲曲作者，打破了復古的正統的文壇勢力；發抒性靈、重視情欲生活，提倡情教，反擊了禮教道學的傳統等等。李卓吾、袁中郎、馮夢龍、湯顯祖等人，都是在這個框架與脈絡中被納入思想史文學史中討論的。這樣的典範，形成於民國初年，如今早已充斥於各種教科書及論著中；許多人也靠它升等、拿學位、評職稱。但它其實是個失去效力的典範，存在著太多的破綻。

別的不說，晚明王學，流布四方，浙中、江右人才鼎盛，而上項論述偏偏僅就泰州一脈說，豈足以論大勢乎？朝廷科舉，士人研治，均仍以宋學程朱為主，其勢，又非王學所能劫也，看馮夢龍的例子就可以知道。連陽明，都還要編《朱子晚年定論》，拉朱夫子為自己背書，說陽明學能奪程朱之席，寧非笑話？真正的史實，是越到晚明，批判王學及王學末流的力道就越大；公安派、李卓吾、王心齋等，不但聲勢小、時間短，而且基本上都成為負面的人物。晚明的東林、復社，更都是講理學、復古道、作七子之詩、寫漢魏文章的。至於李卓吾與公安那些人，也不像現在文學史思想史所描述的。他們「克己復禮」、用心於性命之學，俱詳我《晚明思潮》

一書。在那本書裡，我仔細分析了羅近溪、焦竑、李卓吾、公安三袁等等之思想與文學，由技術上的崩潰（technical breakdown）說明那個老典範已經完全不適用了。

本文就是沿續此一批判的補論。以馮夢龍為例，來說明過去那個視域有多麼空洞無力。它不僅完全無法處理馮氏論《春秋》大義、編經義教材、寓經世資治理想的現象，更會把人對馮氏的認識誤導到另一個方向，使得意存俳諧的馮夢龍跟談論學經世的馮夢龍格格不入。❽就此而言，本文乃是藉馮氏以彰舊惡，說明以往的詮釋模型大成問題。

其次，科舉與宋代理學的勢力太大且太久，當然會有反對者。但除了陽明學做弱勢的反抗外，較強的反抗力量其實就是漢唐經學。我在《晚明思潮》中曾舉何良俊、錢牧齋等為例，說明嘉靖以後，復倡經學、講漢唐章句訓詁的企圖。這個企圖或趨勢，是與馮夢龍相關的。牧齋之言曰：

---

❽ 以前舉聶付生之書來看，他就對馮夢龍擔任壽寧縣令時，建牀元坊、表彰先達孝子節婦，且說：「磨世砥俗，必彰勸誡。故忠孝節義，日而月之；下者醇謹無咎，備名耆宿，亦宜表著，用風頑鈍」（壽寧待志，卷下），感到「令人吃驚不小」（見注❷所引書頁 85）。在其研究中，除於馮氏生平中介紹了他曾治經、曾憂心世道外，於馮氏文藝思想，文學成就，情教思想，著述研究中均不再論及馮氏的經世與經學。這就足以顯示目前研究馮夢龍的困局了。另外，現在談晚明「情教論」的人，都搞不清楚情教之說非唯不反儒家禮教，且根本是要恢復漢代經學的說法。馮氏之說，更與經學有關，詳龔鵬程〈儒家的性學與心性之學〉，收入《儒學反思錄》，2001，臺灣學生書局。

> 生心而害政，作政而害事，學術蠱壞，世道偏頗，而夷狄寇盜之禍，亦相挻而起。孟子曰：「我欲正人之心，君子反經而已矣」。誠欲正人心，必自反經始，誠欲反經，必自正經學始。聖天子廣廈細旃，穆然深思，特詔儒臣，諟正遺經進御，誠以反經正學為救世之先務。（初學集，卷廿八，新刻十三經注疏序）

晚明世事之亂、國勢之衰，被解釋為是由於學術人心太壞。欲正人心，即須變學風。欲變學風，就要提倡漢唐經學。這樣把經學跟心術關聯起來，且欲以治經來對應夷狄寇盜之禍，不是與馮夢龍很相似嗎？據胡萬川〈馮夢龍與復社人物〉所考，馮與張德仲為社友，梅之熉對馮自稱「古亭社弟」，馮又與文震孟、姚希孟、錢牧齋同社，錢稱馮為同社長兄。馮氏友人梅之煥、陳仁錫、祁彪佳皆與復社關係密切，張明弼，沈幾、耿克勵、王挺等則為復社人物。錢氏此種治經復古之說，與馮夢龍實際參加過的治經之社，恰好可以看成是桴鼓相應的舉動。❾

只不過，何良俊以迄錢牧齋、馮夢龍，治經之途非一。一種是「革」，提倡漢唐經學以矯宋元明說經之陋，以藥理學空疏之弊的，牧齋所言，即屬於此；一種則是「因」，就當時之說經者而改造之，馮氏之說屬此。

---

❾ 胡文載聯經公司出版《中國古典小說專集》第一輯，胡小偉〈馮夢龍與東林復社〉，1989 年 3 期《文學遺產》亦可參看。馮氏與東林黨人的關係，詳注❷所引聶氏書，頁 89。

當時人非不治經，但治經以取功令而已；非無經學，但讀朱注、胡傳，讀《大全集》而已。馮氏之法，非教人幡然改途，而是仍讀胡《傳》，可是不能廢經，故其書多錄經文，以矯「信傳遺經」之病。次則他亦知胡安國的《春秋》非尼父之《春秋》，但自己仿朱子《四書集注》那樣真正想探索《春秋》精義的書無緣面世，就只能藉胡《傳》來講話。參附《左》《公》《穀》及諸子百家，就是變相地開拓學子之視野，讓讀書人勿只知有胡氏而不知其他。再進一步，則發揮胡氏尊王攘夷之思想，以寓經世之意，把讀經跟正人心、禦夷狄關聯起來。這就是因物付物，因其勢而思有以轉化之。在說解時，力破當日流俗坊刻之謬，亦屬於此一工作。

無論牧齋式的說法，抑或馮夢龍式，整體上共同促進了經學在晚明的發展。過去，講經學史或思想史，都沒注意到這個現象。所以一種看法是把經學之興起與明代滅亡關聯之，認為明代滅亡後，士人痛定思痛，推源禍始，以為乃學術之壞使然，故反對宋明理學，或如顧亭林之提倡「經學即理學」，或如顏習齋之提倡經世實學。另一種看法，則強調清代經學考證之風不能只由反宋學這個角度去理解，而是由宋明理學發展來的。因為宋明理學內部除了「尊德行」之外，也有「道問學」的傳統，而宋明理學家之論爭也越來越需要求證於經典，故由理學乃逐漸發展出經學考證。❿

這兩種解釋，前者未注意晚明經學，把經學看成是清代的新興狀況，後者又只從理學這條脈絡去想事情，其實均不達事理，是應重新來談的。

---

❿ 這主要是指余英時先生的研究，詳其《論戴震與章學誠》一書。

重新解釋時，還要把文學考慮進去。一如我在本文第二節所描述的，古文運動以後，文人作文，以昌明聖道為職志，文章本來就要宗經徵聖；科舉考試，又要考經義、試文章，兩者是宋元明整個社會上士人主要勢力及精力所萃，而恰好集精義與文學為一體，只不過，在發揮經義與道理時，又深受宋代理學之影響。在這種情形下，大趨勢、大環境流行著的就是帶有理學氣味的文人經說。細分，則說經者有文學性的解經人，也有教人以科舉作經義文的人。這些人及著作，既是文學，也是經學的。

因此，我們說晚明經學漸盛並不意味著前此經學就不盛了，而是晚明有發展著上述脈絡的（如馮夢龍就是），也有反對的（如錢牧齋）。入清以後，同樣是如此。直到乾嘉，擴大發展了反對的那一路，既反宋學，又反科舉經說，也反對文學式解經（如鍾惺之評點），於是辭章義理與考證正式分途。雖然如此，但我們只要脫離乾嘉樸學的觀點，就可以發現科舉說經之風仍如明代之舊；帶有理學氣味的文人經說，以及帶有時文氣味、文以載道的古文也仍舊在桐城派等人身上可以看到。

這個新的文學史脈絡，才能真正解釋宋元明清諸朝經學、道學、文學之間的關係。它們的關係，基本上又是文學的。道學奠定地位，維持聲勢，靠的是科舉試經義與四書文；經學被鑽研，如梅之煥說其鄉之所以成為麟經淵藪，也是靠科舉試經義；而經義與四書文即是文章。要把這種文章作好，經學與道學便須講求，既須探其義，亦須玩其辭。後來清初經世文風或再晚一點的桐城派「義法」說，皆自此流衍而下。桐城派文章學唐宋，立身則自許在程朱之間，淵源可見。經義文章之格法（如馮夢龍所述者），與古文家之義法，自亦有脈絡潛通之處。

文學經解大盛於明清，也可以從這一脈絡中見之。不只《春秋》，其他經典，乃至老莊墨列荀韓諸子、史漢諸書，都出現大批由文學角度去評點論議之作。那是一個由文學角度全面解讀經史諸子的時代。只可惜這樣的時代，還未被我們這個時代的研究者所注意、所理解啊！

伍、六經皆文：晚明對《春秋》三傳、《禮記》等書的文章典範化

一

康熙《安陸府志》卷廿〈文學列傳〉謂譚元春：「崇禎丁丑會試。行至長店，去京三十里。時夜半猶讀《左傳》，平明起攝衣，一晌而逝」。

赴試應考，用心《左傳》，足徵其制藝之取徑。但論譚氏者，大抵均僅述其詩，而罕道其古文時文；僅《啟禎野乘》一集卷七〈譚解元傳〉載高世泰祀譚之文，稱其「制藝追正始之音，古文寫空玄之影」而已。

按：譚元春〈冷光亭制義序〉有曰：「我朝之時藝，若晉人之放達，窺竇脫褌，風俗成矣。其中不乏清言微論，爭為第一流者。而樂令之言曰：『名教中自有樂地』，允為古今談論之宗。阮嗣宗，至放人也，而文帝以為至慎。知至慎之即為至放，吾與之言時

藝矣」（文集卷卅一）。

譚氏論文，大家都知道他宗旨在於性靈。既講性靈，當然就該不拘格套，似阮籍、嵇康等人破棄禮法那般。這樣的人與主張，又怎麼能拘束於八股制義之中呢？其實不然，他是很重視八股文的。他用「名教中自有樂地」及阮籍既放又慎來解釋自己這個立場，持說甚巧。惜世之論竟陵派者，但知其詩，而不知其論八股與古文；又只知它講性靈，而不知它的發抒性靈即是講求格法，皆可謂僅得一偏。

因此，現在我們覺得作八股制義的，都是迂腐窘束的人，譚元春卻說：「善作時藝者，必天下之奇人」。時藝之美者，也如他所欣賞的詩一般：「脈清、格渾而詞幽」（同上）。差的，則是「效不可句之文以為高奇，不可了之篇以為長才」（賈太守季考序）。缺的似非個性，而是規矩典範。是要通過典範才能讓性靈之奇得以表現的。

他的典範是什麼呢？〈柏鷥堂合藝序〉自云與胡用涉、金正希「朝夕談文學，出時賢好尚之外。世久不談先正、久不談古文、久不談書意，唯余三人猶閉門私言之」，可見先輩典型及古文就是他的典範。

這與〈耿克勵哀喜草序〉說作文者「出於經史者不讓前輩，出於子集者不讓時賢」相似。一般士子作制義，都是揣摩坊刻，追逐風氣，他及少數同輩乃自詡能振拔於時賢流俗之外。法先正，即高世泰所謂「追正始之音」；談古文，則是通過跟寫古文一樣的方法，去融經鑄子。

文集卷廿二又說這種學古融鑄之法是：「古人之文，不可及矣。生於其後者，無可附益。不能端居無為，必將穆其瞻矚、暇其心手，出吾之幽光積氣日與賞延，或不能無去取其間，久之成一書，而是人性情品徑，已胎骨於一書之中」（古文瀾編序）。此即是學古而又顯性靈的辦法，讓自己的幽氣穿穴於古人之文中，漸與之相浹而化。

但不是所有古人之文都具有相同的價值，他最看重的仍是六經。所以他接著說：「夫奄有古人之文而自成一書，其事豈細也哉？徐偉長云：『六籍者，群聖相因之書也。今之學者，勤心以取之，亦足以到昭明而成博達』，斯言誠是也」。又〈蔡清憲公全集序〉說蔡氏「日妙思經書，如寒流淵人，窺深領奧，窮其要眇，以入無際。我輩下帷終日，獲者鱗爪耳」，也是推崇他研經之功。

譚元春有《詩經》評點，自稱：「似於雅頌獨有所入」「看得雅頌與國風更為有味」（卷廿七，與舍弟五人書）。而其制義選評則不傳，否則當可在其中發現更多他討論時文應如何「勤心以取之」六經的例子。

不過，譚元春的同志鍾惺卻曾編過一冊《鍾評左傳》三十卷，具體顯示了竟陵一派取法《左傳》的態度，與譚元春「夜半猶讀《左傳》，平明起攝衣，一晌而逝」的傳奇故事，適相符應。

二

以上我講這個竟陵派人物讀《左傳》或談古文、窮六經以為制義的故事，主要是想說明晚明的風氣。

在那個時代裡，制義是重要的文學創作，許多文家也將它跟古文一併看待，甚或看得更重，不像現在我們的文學史根本就不予討論。而且，當時之論者議論制義，亦有取徑於六藝經典一脈，像竟陵就是。一般文學史著都說竟陵是反對學古的，獨抒其性靈，實乃大謬不然。

但竟陵派自己認為他們這種做法「出時賢好尚之外」，卻也不盡如此，因為他們不自覺地也受到時代風氣的影響。在他們同時，除馮夢龍外，有張杞《麟經統一篇》十二卷、凌稚隆《春秋左傳評注測義》七十卷，稍前更有歸有光，都體現著類似的路數。

歸有光當然最為重要。他是古文大家，也是制義宗師。他以五色筆評點的《史記》，被人奉為文章圭臬，《文章指南》一編更是把古文與時文混著說，統論文章作法。

《文章指南》前面的〈論文章體則〉，性質等於一部文話；後面分仁、義、禮、智諸集選錄佳作，具體評析，等於一部選文評點。其體例影響甚大，後來如林雲銘《古文析義》等本子多採用此法。

而無論選文或論文章體則，歸有光都明說其教人作文之法旨在有助於舉業。如〈立論正大則〉云：「凡學者作文，須要議論正大，有臺閣氣象方佳。如蘇子瞻〈孔子從先進論〉……何等正大，場中有此等文字，主司自當刮目」，〈神思飄逸則〉云：「陶淵明〈歸去來辭〉於舉業雖不甚切，觀其詞義，瀟灑夷曠，無一點風塵俗態」，〈文勢重疊則〉云：「李遐叔〈政事堂記〉、〈臧哀伯諫魯公納宋郜鼎〉、夏文莊〈廣農頌〉，此三篇文字，文勢如峰巒層出，如波濤疊湧，讀之快心暢意，不覺其煩，此正舉業者所當取以為法也」……等，均就其有益於舉業說。

過去我們講文學史，在明清一段，也都會談到古文與時文融通的現象，但基本上是說古文家之所謂「義法」多取法於時文。要看歸有光這些言論，才曉得恰好相反，乃是要寫作時文制義者由古文或古文的祖宗（六經）中取法。故〈兩柱遞文法〉說：「王陽明〈玩易窩記〉篇內發明易理，而以觀象玩詞觀變玩占立柱，下即雙承逐節推去，是謂兩柱遞文也。這樣文法，於策論題甚切，錄之以示後學」。

六經，在此觀點中，自然就成了文章寫作的最高典範，《文章指南》禮集收王禕〈文訓〉一篇，借豫章黃太史之口說：「文而為史，誠極天下之任矣。抑吾聞之，文有二，有紀事之文、有載道之文。史者紀事之文，於道則未也……。諸子之文，皆以明夫道，固也。然而各引一端，各據一偏，未嘗窺夫道之大全」。只有六經，才是「聖人之至文」，學者須「本於詩以求其恒、本之易以求其變、本之書以求其質、本之春秋以求其斷、本之樂以求其通、本之禮以求其辨」。

禮集又收了王禕另一篇〈四子論〉講四書。謂治易必自中庸始、治書必自大學始、治春秋必自孟子始、治詩及禮樂必自論語始。把四書跟六經通起來，且從文學的角度說，其實是為了把孟子也列入可以宗法的行列去，其地位與一般諸子不同。

於是，經過如此處理，我們就會發現他標舉的典範，一是六經；二是古文，特別是那些論經傳的文字，如程頤〈易傳序〉、東坡〈孔子從先進論〉、王陽明〈尊經閣記〉、宋濳溪〈六經論〉等；三是孟子；四才是史著。於史重其敘事，而經典之中，《左傳》既是經，又擅敘事，故尤為他所推重。

論孟子者，如〈譬喻則〉云：「詩有比有興。比者，以彼物比此物也。興者，以彼物興此物也。體雖有二，而取喻之意則同。孟子文法，多本於此，故後世文章皆例用之」，〈先疑後決則〉：「文章於下手處，最嫌直突，須先以疑詞說起，然後以正之決之，方見文勢曲折之妙。……這樣文法，卻自孟子中來」，〈說為問答則〉：「又有一等文字，不直發揮，乃學孟子文法。隨問隨答者，亦是一格」。這些地方都顯見他特別強調孟子之文。

因為孟子固然擅於譬況，但取義比興，乃是常法。於《詩經》比興以下，不說別人，偏云孟子，並說後世文章例用之，其意至為明顯。同理，設為問答，凡諸子皆然，何必一定是孟子之文法？刻意把設問一法歸入孟子影響之列，亦可見歸氏論文之旨。嗣後古文家皆喜談孟子文法，如吳闓生就有一本《孟子文法》，淵源亦見於此。蓋明正德年間已出現依託蘇洵所評《蘇評孟子》二卷，孫緒《無用閑談》稱其論文頗精。歸氏推舉孟子文法，即沿此風氣而來。

史部則主要是說《史記》。如「文章非識不足以厚其本、非才不足以利其用，才識俱備，文字自會高人，如司馬子長〈太史公自序〉所以發《史記》之大意而其辨駁之才、淹貫之識，盡見於此矣」（通用則）「學者作文，最難敘事。古今之稱善敘事者，惟左氏司馬氏而已」（敘事典贍則）等等。

明末有一種以文學觀點論《史記》之風，歸有光批點《史記》或凌稚隆《史記評林》均為此一風氣之產物，此處所談，也反映了這種風氣（又詳後文）。清桐城派方苞云：「蓋古文所從來遠矣，六經、語孟，其根源也。得其支流而義法最精者，莫如《左傳》《史記》」（古文約選序例，望溪集外文，卷二）「惟《左傳》《史記》各有義法，一篇之中，脈絡灌輸，而不可增損，然其前後相應，或隱或顯，或偏或全，變化隨宜，不主一道」（文集，卷二，書五代史安重誨傳後）等，都明顯源於晚明的這種風氣。方苞甚至認為「義法」一詞也出於《史記》哩！

由方苞之說，亦可見他們雖以六經為典範，但六經其實只是虛說，乃是高曾祖禰，尊而不親；真正效法作文時，下手的地方，卻以《左傳》《史記》為主。❶

歸有光大抵也具此傾向，因此推尊六經，選了許多後人論經義的文章，如伊川〈易傳序〉、陽明〈玩易窩記〉〈尊六經論〉〈元年春王正月〉、歐陽修〈春秋論〉、柳宗元〈晉文公問守原議〉、宋濂〈六經論〉、獨孤及〈吳季札論〉等，而對六經本文則均未選。這當然也是由於這些文章發揮經義，足供舉業士子揣摩，比光看經文更為實用。但相對來說，他卻於《左氏》情有獨鍾，選了不少篇，比其他經典多得多。

如仁集收了〈鄭伯克段於鄢〉，謂其敘事典贍，為《左傳》中筆力最高者。學者能熟玩本篇及東坡〈表忠觀碑〉，敘事自然有體。因東坡那篇即是彷彿《史記》的。同集又錄〈晉侯使呂相秦〉，稱其詞氣委婉，云：「秦漢以下，去聖人漸遠，故其辭氣，往往有迫切之病。惟左氏所載諸國往來之辭與君臣相告謀之語，辭不迫切，而意亦獨至。今錄此篇，兼取其文也」。義集則收〈子產

---

❶ 王葆心《古文辭通義》引陳壽祺〈與高與農書〉云：「文必本於六經，固也。諸經之中，易以道陰陽，卦彖爻象，自為一體；書絕質奧；詩專詠言，皆非可學。獨左氏傳、禮記於修辭宜耳」，把這個道理點破了。正可為本文論點之佐證。

論重幣〉，云：「凡文章議論，或引證古人，此常格也。然須要用得精當。如此篇論令德令名，而引詩證之，……可法也」。這些都是直接摘出一段文字來，加上個標題，就變成了一篇範文。

這種做法，影響很大。《左傳》本是按年紀事，非紀事本末之體，更不是一篇篇單獨的文章，跟唐宋八大家古文以篇為格局者體制迥異。可是歸有光從文章的角度選取它，截其段落，逕令成篇，整個扭轉了它的史著意義，使它成為一篇一篇的文學作品：文章。

這種做法，廣泛被選文家使用。如林雲銘《古文析義》第一卷所收，就全是《左傳》，二編第一卷也一樣。把《左傳》拆解摘選成一篇篇文章，而且成了「古文」的第一典範。不但林雲銘如此，《古文觀止》開卷第一篇也是〈鄭伯克段於鄢〉。

《左氏》而下，被具體標舉出來，做為文字指南的，是《戰國策·樂毅報燕王書》、李斯〈諫逐客書〉、《史記》、《漢書·異姓諸侯年表》、揚雄〈解嘲〉、諸葛亮〈出師表〉、孔稚圭〈北山移文〉、陶潛〈歸去來詞〉、唐宋八大家諸文，以及獨孤及、程伊川，宋濂、王陽明諸論義理之文。

這樣的譜系，有幾個值得注意之處：

一、通常論古文，都會留意到明中葉以後茅坤對「唐宋古文八大家」之選評。古文八大家之稱，殆至此時乃定，而古文宗傳，亦由韓愈柳宗元始。這其實是宋代已成形的古文觀，發展到茅坤而定型。東坡推崇韓愈，說他「文起八代之衰」「挽狂瀾於既倒，障百川而東之」，也就是這個意思。整個古文運動，強調它對前一文學文化世代（亦即六朝）的反叛、革新；而韓愈在古文運動中，無論主張或創作，遂都具有最高的典範意義。唐宋古文八大家，這個稱號，其實也就是一個以韓愈為核心的創作群體。而柳宗元是韓愈的朋友，歐陽修是學韓愈的，東坡為歐公所拔擢且又盛贊韓愈，於是所謂八大家，乃又以韓柳歐蘇四人為主。

可是，歸有光所代表的，卻是晚明另一種新態度：古文八大家仍是他們所尊崇的典範，但古文宗傳卻不該由韓愈講起，而是由《左傳》講起，且又因講《左傳》而聯類及於《史記》。❷

這都是新的講法。韓愈〈進學解〉中評價《左氏》只說它「浮誇」。這個評語，相對於「春秋謹嚴」或「易奇而法，詩正而葩」來說，恐非太好的詞彙。「太史所錄」也只放在「莊、騷、子雲、相如」之間，對《孟子》更是沒有提到。要到真德秀《文章正宗》才開始選錄《左傳》的文字。❸歸氏則虛尊六經，實法左氏，屏棄

---

❷ 推尊《左傳》並聯類及於《史記》，在後世視為理所當然，不知乃歸氏之觀點使然。為什麼？一、始選《左傳》固然由於真德秀《文章正宗》，但真德秀並不從「敘事」這方面去推崇《左傳》，反而教人去學《尚書》，說：「記以善敘事為主，前輩謂〈禹貢〉〈顧命〉乃記之祖，以其敘事有法故也」。到歸有光把善敘事做為《左傳》《史記》之長處後，其典範意義才彰顯出來，後世論敘事之法，遂無人再溯源於《尚書》。二、明人推崇《史記》的說法不一。七子派，沈德潛謂其「師先秦漢京，句取其拗，字取其僻」（與滑苑祥書）；孫月峰則說《史記》本諸《論語》，兼取《國策》。歸氏把《左傳》跟《史記》關聯起來說，與他們並不相同。

❸ 劉孟塗〈與阮芸臺宮保論文書〉在這一點上看得很清楚，它說：「夫詩書，退之既取法之矣。退之以六經為文，亦徒出入詩書，他經則未能也」。認為韓愈並未取法於《左傳》《禮記》等。

莊騷，高抬太史公，揚雄僅取其〈解嘲〉，司馬相如根本不入品裁。

這一方面把古文淵源或學習典範往上推，且明確跟儒家傳統扣合在一塊兒；一方面抬高《左傳》，替代了韓愈的地位與作用；三則也不採「文起八代之衰」的革命式斷裂歷史觀，把漢魏南北朝期間的〈出師表〉〈北山移文〉〈歸去來辭〉等都列入選擇，做為可效法的對象。

這種新的古文觀，是由茅坤到姚鼐《古文辭類纂》出現之間，最盛行且最具統攝力的觀點。本文一開頭之所以引譚元春為說，即在顯示這一點。

也就是說，古文云者，實經二次典範轉移：韓愈至茅坤為第一階段；歸有光以後一變，為第二階段；姚鼐之後再變，為第三階段。姚鼐的情形，底下會談到，此處無法細表。但基本上是歸有光之擴大、發展與變化，故溯源更廣、採摭更博，辭賦亦多甄錄，以迄湘鄉之《經史百家雜鈔》，古文竟無施而不可，亦不必如歸有光之斤斤於聖人經義矣。嚴復以之譯述哲理、林紓以之譯介小說，即其流也。斯乃古文之流變，而歷來論者皆未審晰，不知同樣說唐宋八大家，而其實在歸有光以前和以後，是大不相同的。

二、韓愈文章，頗有俳諧為戲的部分，其友人張籍即以此批評過他，也就是〈毛穎傳〉之類。另外，諛墓應酬之作也太多。唐宋八大家其他各家亦皆是如此。歸有光於此俱予芟除，把文章寫作完全扣合到儒學義理上。因此〈體則〉第一條說：「文章以理為主，理得而詞順，文章自然出群拔萃，如程伊川〈易傳序〉王陽明〈博約說〉，此皆義禮之文，卓見乎聖道之微者」，第二則說：「為文必在養氣，氣充乎中而文溢乎外，蓋有不自知者，如諸葛孔明〈前出師表〉胡澹庵〈上高宗封事〉皆沛然肺腑中流出，不期文而自文，謂非正氣之所發乎？」前面論理，明指聖道之理，舉的例子，也都是說經典及聖人道理的。後面論養氣，舉例雖非談聖人之道的文章，卻是合乎聖人之道的正氣所發。底下接著說文章要有關世教：「文章不關世教，雖工無益也。李太白〈袁州學記〉，議論臣子之分，懇惻切至，讀者輒起忠孝之心」云云，其意亦同。

相較於從前的古文傳統，歸有光顯然對闡發聖道與經義之作較感興趣。所收歐陽修〈春秋論〉、伊川〈易傳序〉、陽明〈龍場生問答〉〈元年春王正月〉〈尊六經論〉〈玩易窩記〉、宋濂〈六經論〉〈七儒解〉、王禕〈四子論〉〈文訓〉等。分量之多，足見特色。

試比較姚鼐《古文辭類纂》便可知如此選文有多麼特別。姚選於伊川陽明宋濂王禕等均棄不錄，更別提此類尊經文字了。勉強算，只有蘇洵〈易論〉〈樂論〉〈詩論〉〈書論〉幾篇，精神旨趣，遠不能與歸氏相比。更進一步說，姚氏「載《春秋》內外傳者不錄」「余撰次古文辭，不載史傳」，所以非但論聖道談經義者少，根本也就不錄《左傳》，只從戰國文字，如《國策》《楚辭》開始選起，與歸有光代表的明末清初風氣，顯然異趣。❹

---

❹ 姚鼐以後，古文家其實越來越不喜歡說道說經，包世臣明白說：「虛言道以張其事者，自退之始，而子厚和之。至明允、永叔乃用力於推究世事，而子瞻尤為達者。然門面言道之語，滌除未盡。以致近世治古文者，一若非言道則無以自尊其文，是非世臣所敢知也」（與楊季子論文書），直以古文家言道為門面語。吳汝綸〈與姚仲實書〉云：「說道說經，不易成佳文。道貴正

故第三點值得注意處是：姚氏所重，在於文章本身，如神、理、氣、味、格、律、聲、色之類。要學者揣摩格律聲色，以遇其神理氣味。其所云「文章之事」，亦僅此而已。歸有光論文則不然，文章除了修辭及技法上的問題，如用意奇巧、遣詞平淡、造語蒼勁、敘事典贍、辭氣委婉、神思飄逸、句法長短錯綜、文章前後正反相應、先虛後實、先疑後決、綴上生下、疊上轉下、文短氣長，字少意多，相題用字、駕空立意……等等之外，整個文章寫作有個倫理上的要求：「文章不關世教，雖工無益也」。其所以多錄論聖道經義之文，也就是為了這個目的。

在這個方面，方苞是較類似歸有光的。方氏〈答申謙居書〉說：「古文之傳，與詩賦異道。魏晉以後，奸險汙邪之人而詩賦為眾所稱者，有矣。……若古文則本之於經術，而依于事物之理，非中有所得，不可以偽為。……茲乃所以能約六經之旨成文，而非前後文士所可比併也」（集，卷六）。認為古文應約六經之旨成文，不同於一般文章，所以可以明道、可以經世：「蓋聞風教之興，士能宿道而民胥效焉，文章者，道藝之餘也」（檄濟寧諸生會課，集卷十八）。此類說法，均可見歸氏的影子。

因此，一般論桐城而不分方姚是不對的。方苞仍沿明末歸氏這類說法，故其《古文約選》《左傳舉要》，可歸入這一期。

而文者必以奇勝；經則義疏之流暢、訓詁之繁瑣、考證之賅博，皆於文體有妨。故善為文者，尤慎於此。退之自言達聖之權，其言道只〈原性〉〈原道〉等三篇而已。歐陽辨易、論詩書諸篇，不為絕盛之作，其他可知」，勸人不要說經說道，且認為說也說不好。立論全與歸有光相反，此即可以觀流變。

方氏之後，劉海峰承其學，亦云：「作文本以明義理，適世用。而明義理、適世用，必有待於文人之能事」（論文偶記）。但這個道理固然與方苞相同，輕重之間卻已有了轉折。語意是說為了明道經世，所以要講究文章的寫作技巧。所以接著就開始講神、氣、音節、字句。可是歸有光說養氣，是指人的精神性修養，劉海峰卻只從文氣上說，所謂：「行文之道，神為主，氣為輔」。說至此，文章合不合乎義理之所歸，遂成第二義矣，因此他又說：「至專以理為主者，則猶未盡其妙」（同上）。最後這一句，針對誰說的？我們別忘了，歸有光論文章體則，第一句話就是說：「文章以理為主，理得而詞順」。劉大櫆在此，顯然已掉轉了一個方向。

劉氏是姚鼐的老師，姚鼐神理氣味云云，即本諸劉氏，且進而論為學三途。說義理考證辭章三者「苟不善於用之，則或至於相害」，如一些說道理的文章就有這個毛病：「世有言義理之過者，其辭蕪雜俚近，如語錄而不文」「固文之陋也」（與陳碩士書，惜抱軒全集，卷六）。這不是明顯站在辭章的立場惜其不文嗎？古文家在此，最重要的品德，便是把文章寫好，而不再是去明道經世了。❺

由方到劉再到姚，轉變之歷程大抵如此。透過與他們的比較，也更可以讓我們明白歸氏選文論文之特點所在。

---

❺ 這個問題與注❹相關。張裕釗（濂亭）曾說過歸方之文「真六經之裔」，姚鼐就不行，「別創神韻一宗。……其高者可追《史記》，得其風趣；下者修辭雅飭，僅比元人。……有序之言多，而有物之言則少」。吳闓生雖不服此說，謂：「濂亭此語似菲薄姚氏，蓋未得姚氏深際也」，可是實際上張氏才真懂姚鼐。姚氏的本領不在有物而在有序，姚氏之後的古文家基本上也走這個路子。詳注❹。

當然，第四，與歸有光方苞相較，姚鼐也洗除了古文與時文的關係。這似乎也是值得注意之事。

歸氏論文，有意於舉業，前已申論過。方苞亦是如此，乾隆間錢大昕最看不起方苞，曾云：「金壇王若嘗言：『靈皋以古文為時文，以時文為古文』。論者以為深中望溪之病」（潛研堂文集，卷卅一，跋方望溪文），又說：「方苞所謂古文義法，特世俗選本之古文，未嘗博觀而求其法也」（卷三十，與友人論文書）。其所指方苞採摭的世俗選本，就是晚明清初歸有光《文章指南》一類選本。此類選本一方面論法，一方面談義理，肇啟了方氏「義法」說的規模，而又與制義科舉文字關係匪淺，故錢大昕薄之如此。

風氣所鍾，姚鼐自須力矯此弊，以避口舌。《古文辭類纂》之編，用心正在於此。推出一個新選本，來替代舊的典範之外，同時也要洗刷古文與時文的關係。

姚氏門人吳啟昌〈刻古文辭類纂〉對此說得非常清楚：「文辭之纂，始自昭明，而《文苑英華》等集次之，其中率皆六代隋唐駢麗綺靡之作，知文章者，蓋擯棄焉。南宋以後，呂伯恭、真希元諸君，稍取正大，而所集稍隘。迄於有明，唐應德、茅順甫文字之見實勝前人，然所選或只科目時文之什。自茲以降，蓋無論矣」。選六朝駢儷的，與古文不同道。古文之選，南宋始立，但門庭未廣，明人選本又雜於目科時文，都與姚鼐異轍。

在吳啟昌的評論中，未提到歸方，這是有意的。姚鼐之古文宗傳，本於歸方，若罵倒歸方，不啻欺師滅祖。因此姚吳師徒的做法並非顯斥，而是暗中扭轉。在姚選中，除唐宋八大家外，唐宋而下只選了歸有光、方苞、劉海峰三人，正是明其淵源。但於歸氏，選文只在序跋、贈序、傳狀、碑志、雜記這幾類，也就是以寫人情事態者為主，完全沒有什麼關世教、談經義、益科舉的氣味。於方苞亦然。

方苞自己對古文可不是這麼看的，故其〈古文約選序例〉說：「自魏晉以後，藻繪之文興，至唐韓氏，起八代之衰，然後學者以先秦盛漢辯理論事質而不蕪者為古文。蓋六經及孔子孟子之書之支流餘肆也」。論事辯理，顯然才是方苞所認為的古文核心價值，義法之義，就顯示在這個地方。是以不但論六經義理之文特多，集中談治法治道之篇也極多。吳孟復〈方望溪先生遺集序〉說：「方氏之論經制、論地丁銀兩、論常平倉穀、漕運、荒政，皆有關財賦也。澤望之爭、苗疆之議，塞外屯田、臺灣建城，皆有關邊闈也。三讀《通志堂經解》、十治《儀禮》、校訂樂律算全書……議開海口，論治渾河、議黃淮、議圩田、論禁烟酒，皆吏事也」。指出的，就是方苞文集中這種論事辯理的特色。

可是這些特色在姚選中全都不見了，〈與執政書〉〈與德濟齋書〉〈與顧用方書〉〈答陳可齋〉〈與蔡太守書〉及論經制事理者均不錄，僅取其〈宣左人哀辭〉〈李抑亭墓志銘〉〈白雲先生傳〉〈送左未生南歸序〉這些篇，文辭抑揚以見人情世故而已。整個選文的態度，可說跟方苞大相逕庭。而方苞也與歸有光相同，在姚選中變了一付模樣。熟悉姚選，且從姚選去認識歸有光方苞的人，恐怕再也不易發現他們兩人的文集都是以論六經之文冠首的了。

又按：惠棟《松崖文鈔》卷一〈上制軍尹元長先生書〉云：「國家兩舉制科，猶是詞章之選，近乃專及於經術，此漢魏六朝唐宋以來所未行之曠典」。清初科舉猶沿明末風氣，故自歸有光至方苞，對古文的設想，大體相似。乾隆以後，制科漸重經術，經學考證成為顯學，照理說，好像更應該刺激時人把文章和經義做更好的結合，可是不。因為此時的經學是考證式的，與明代文章式的經說經論性質殊異。所以經學家如戴震說為學三途，辭章、義理、考據，文章家姚鼐也說為學三途，辭章、義理、考據。辭章都是跟經學考證分開來說的。姚編《古文辭類纂》即代表了這麼個新狀況。

可是在此之前，如上文所述，歸有光式的古文觀卻是大宗。風氣所被，如譚元春、鍾惺、林雲銘、吳楚材、方苞等均與之相似。

四

吳楚材《古文觀止》刊於康熙三十四年，卷一收《左傳》十八篇，卷二收《左傳》十六篇，卷三為《國語》十一篇、《公羊傳》三篇、《穀梁傳》二篇、《禮記》六篇則全採〈檀弓〉。這架構是受林雲銘《古文析義》影響的。

林雲銘基本上彷彿歸有光，大量採錄《左傳》以為最高典範，據傳文以說文法，但又擴大了範圍，把《公》《穀》也選了進來。姚鼐說自己編的《古文辭類纂》「載《春秋》內外傳者不錄」，就是針對歸氏林氏吳氏這類做法而發。

林氏《古文析義》分卷及選文情況，和上面說的《古文觀止》差不多。但因其書有一編二編，故所選多於吳氏本。《公羊傳》一編收了〈癸未葬宋繆公〉〈宋人及楚人平〉〈吳子使札來聘〉〈齊陳乞弒其君荼〉四篇；二編收了〈元年春王正月〉〈公子牙卒〉〈晉里克弒其君卓及其大夫荀息〉〈晉趙盾衛孫免侵陳〉〈齊侯唁公子野井〉。

吳氏本於《公羊傳》收了〈春王正月〉〈宋人及楚人平〉〈吳子使札來聘〉，都是林雲銘已收的。

在《穀梁傳》的部分，林氏一編收〈虞師晉師滅夏陽〉，二編收〈元年春王正月〉〈鄭伯克段於鄢〉〈晉殺其大夫里克〉〈隕石于宋五是月六鷁退飛過宋都〉〈楚靈王伐吳殺齊慶封〉〈九月大雩〉。吳氏本，選了其中〈虞師晉師滅夏陽〉一篇。

至於〈檀弓〉，林雲銘一編摘了〈晉獻公殺世子申生〉〈曾子易簀〉〈有子之言似夫子〉〈公子重耳對秦客〉〈杜蕢揚觶〉〈晉獻文子成室〉六段，成為六篇。二編收了〈公議仲子之喪〉〈子上之母死而不喪〉〈魯縣子論哭陳莊子〉〈孔子之喪〉〈有子子游論喪之踊〉〈陳太宰對吳行人儀〉〈陳子亢止殉葬〉〈苛政猛於虎〉〈原壤登木而歌〉〈趙文子知人〉。此外又收了〈考工記〉中的〈粵無鎛〉〈輪人為工輪〉〈輈人揉輈〉〈梓人為筍簴〉四段。

我看林雲銘本，在〈吳子使札來聘〉底下曾有評注云：「坊本有解臣榮而君辱是不臣，子榮而父辱是不子」等語，可見在林雲銘之前已有坊本開始選《公羊傳》的文章了。這是大量以文學角度評選《左傳》之後必然的發展，春秋三傳都被選家由文章的角度去欣賞、評注。三傳文事之優劣，漸亦有人開始討論了。

例如林雲銘在《穀梁》虞師滅夏陽一段後面評曰：「此一事，左氏公穀各擅其妙。《左》載宮之奇語，詳得妙；此篇宮之奇語，略得妙。《公羊》虞公抱璧牽馬獻公，戲得妙；此篇荀息牽馬操璧，自戲得妙。俱算上乘文字。然至寫荀息料事處，獨此篇最為曲盡。所云玩好在耳目數語，利令智昏，千古龜鑑。較之《左傳》

《公羊》尤見結構精神」。這樣的評論就比歸有光那種只就《左傳》之足以為典範處說話更進了一層。

至於推崇〈檀弓〉，更是歸有光所無的特色。林雲銘不僅選了〈檀弓〉中許多段，而且評價都極高。例如說晉獻公殺申生一段：「真覺得一字一淚，左國公穀皆遜其妙」；杜蕢揚觶一段：「此天壤間不可無二之文，《左傳》視此，走且僵矣」。這樣的言論，並不會貶低《左傳》的地位，因為《左傳》的地位早已奠定，因此這麼說只會形成以《左傳》襯托〈檀弓〉的效果，用以「證明」〈檀弓〉確是好文章。故此等做法亦應視為文學經典化《左傳》後的擴大效果。畢竟由林雲銘《古文析義》整本書的結構看，《左傳》仍是最大的典範。選文之多，非任何經傳所能比擬，也排在最前面。

五

以上是環繞著歸有光說的。以歸氏為中心，看茅坤、方苞、劉大櫆、姚鼐這古文一系，及林雲銘吳楚材這類選本。

章學誠曾說：「歸氏之於制義，則猶漢之子長、唐之退之，百世不祧之大宗也。故近代時文家之言古文者，多宗歸氏」（遺書，卷二，文理篇），歸有光自己也說：「余自石佛閘與鉛山費楙文步行至濟州城外，遇泉州舉子數人，共憩市肆中。數人者問知予姓名，皆悚然環揖」（震川先生文集，別集卷六，己未會試雜記），其為時人所重可知。他在當時影響甚大，如錢牧齋就說自己：「與練川諸宿素遊，得聞歸熙甫之緒論」（有學集，卷三九，答山陰徐伯調書）。練川諸宿，指唐時升叔達、婁堅子柔、程嘉燧孟陽、李流芳長蘅，即所謂嘉定四先生，皆承歸氏之學者。牧齋與之遊，並訪求歸氏文集於其孫昌世，為之刊定，見《初學集》卷八三〈題歸太僕文集〉。牧齋之所以如此傾服歸有光，就是因為得聞歸氏流傳在當時的一些「緒論」。

本文前面論敘歸氏選文論文宗旨所依據的《文章指南》，便是現今尚能查考的部分歸氏「緒論」。據該書詹仰庇序說，此書乃二人相與議論舉業利病時，歸氏說讀古文有益，因而取出古文一帙示詹。詹授其友黃鳴歧，黃氏校刻後題為《文章指南》。

由於歸氏把此帙拿給詹仰庇時曾說：「余之幸至今日者，賴有此耳」，因此本帙也可能尚有所承。但無論如何，此帙縱非歸氏自編，亦屬歸氏所傳，乃當時流傳之歸氏「緒論」之一，是無庸置疑的。

過去論歸有光，受姚鼐之影響，只從古文這一面去看，不能兼綜古文與時文。不知歸有光是要以古文之法去濟時文之弊的，把古文時文打通了說，而以經傳為典範。

其次，談歸有光的人，往往也只從明代七子「秦漢派」和反七子的「唐宋派」角度去看。不知歸有光與茅坤不同。茅坤雖亦有「本之六經」（茅鹿門文集，卷一，復唐荊川司諫書）之說，也稱道司馬遷，但他與秦漢派的不同，便在於茅坤真正宗法者畢竟仍在《唐宋八大家文鈔》。歸有光於唐宋，選文多在八家之外；重視經義，亦甚於茅坤；以六經，尤其是以《左傳》為典範，更與茅坤殊異，故將他列入所謂唐宋派中去理解，並不妥當。

此外，由於姚鼐《古文辭類纂》在明代只選了歸有光一個人，因此大家也就忽略了歸有光與姚鼐之間的差異，對歸有光在晚明清初的實際影響狀況亦少探究。

而討論歸有光與清代古文義法之關係者，又僅注意到歸有光以五色筆評點《史記》的部分。除章學誠論〈文理〉時特舉此以為說外，王拯《歸方評點史記合筆》亦由此顯示歸有光與方苞古文義法的關係。歸有光與方苞當然都很重視《史記》，但僅由其評點《史記》看，就會看不清楚歸有光論時文古文真正的典範其實更在六經《左傳》，且十分重視經義聖道。

這種毛病，非今人始有，在牧齋時大概就頗有些人是僅從《史記》上窺測震川之法的，故牧齋〈震川集序〉說：「輇材小生，謏聞目學，易其文從字順，妄謂可以幾及，家龍門而戶昌黎，則先生之志益荒矣。先生嘗序沔人陳文燭之文，諷其好學《史記》，知美矉而不知矉之所以美」（有學集，卷十六）。看這番話，就可知歸有光甚或牧齋都不贊成只「家龍門而戶昌黎」，僅由《史記》以求歸氏之法，亦不恰當。可惜歷來論者於此均未及審辨，亦未一考《文章指南》。

《文章指南》，四庫館臣以為係鄉塾教授之本，非有光所編。此書非歸氏自編原貌，誠然。詹仰庇序文已自說明，無待考辨。書首大標〈歸震川先生總論看文字法〉，亦足以證明書不是歸氏自己的編本。但選文與論文語，卻正是所謂「歸熙甫之緒論」，足堪重視。林明昌《古文細部批評研究》（2003，淡江大學中文所博士論文）取此書為匡廓，討論古文義法，殆即有見於此。唯所論僅及歸氏論文章體則部分，而未注意它宗法祈嚮及選文狀況，故我就這兩方面做了些補論。並比較它在宗法祈嚮上與方苞姚鼐等人的異同、在選文狀況上跟林雲銘吳楚材的關係等。這些，都不是以往講明清文學史、談古文或研究歸有光的人所能知道的。

可是，本文的目的並不在重新詮釋歸有光，只是借歸氏去看晚明的一種風氣或傾向，所以文首以鍾惺譚元春開端。在鍾譚那個時代，傳習著「歸熙甫緒論」的那些人，講說著一種宗本六經的古文時文創作法，乃是有志改革流俗時文制義者非常普遍的方向。奉歸有光為名號的人如此，鍾譚如此，孫鑛月峰也是如此。

孫月峰自謂：「四十以前，大約惟枕藉班馬，以雄渾質峭為工。丁亥以後，玩味諸經，乃知文章要領。……萬古文章，無過周者」（月峰集，卷九，與李于田論文書）。又說：「鑛昔童時，於先君案上，竊取《史記》讀之，見其新奇而偉麗，心極愛之，如獲奇寶，以為天下書惟此一部而已。……釋褐後又一年，乃讀《左傳》。……又進之十三經，乃大有悟。蓋文章之法盡於經矣」（同上，與余君房論文書）。

談晚明文學史的人，若僅注意到歸有光評點《史記》對於講筆法文法的人的影響，就會忽略七子一脈正是推崇《史記》的。所謂「文必秦漢」之秦漢便以班馬為代表。所以反對七子或想超越七子的人，一條路是如唐荊川茅鹿門或公安派：七子派不讀唐以後書，我就偏來唱反調，由唐由宋找典範。茅氏標舉八家、公安揭揚歐蘇，均屬此類。二是入室操戈：你說文必秦漢、詩必盛唐，但你所謂的秦漢盛唐未必即為秦漢盛唐之真面目，我通過對秦漢盛唐之再詮釋來顛覆你。歸有光之所以要評《史記》，就屬此類。情況彷彿後來漁洋之編《唐賢三昧集》，一改七子以高華闊大為盛唐氣象，而代之以王孟之靜淡幽遠。同樣講秦漢盛唐，卻篡位奪席了。三是再上一層樓。你說文須法古，但只法秦漢就不如法秦漢以前，那就是經了。歸有光之推尊六經、譚元春之「勤心以取之」六經，均屬於此，孫月峰亦然。前引月峰自述為學途徑，便明白說了他如何由《史記》上追先秦，而以經為典範。

孫氏《評經》，完全以評點之法施之於經，逕視經文為文學作品，連牧齋都批評他：「訶〈虞書〉為排偶，摘〈雅〉〈頌〉為重複，非聖無法，則餘姚孫氏鑛為之魁」。但牧齋也曉得這是「浸淫於世運，薰結於人心」（有學集，卷十七，賴古堂文選序）的事，非孫氏一人刻意作怪。

孫氏有〈與呂甥玉繩論詩文書〉說：「世人皆談漢文唐詩。……愚今更欲進之古，詩則建安以前，文則七雄而止。文則以易書周禮禮記三春秋論語為主，兩之語策，參之老莊管」（孫月峰集，卷九）。把自己更上一層樓式的想法說得十分清楚。

相對於後來章學誠「六經皆史」的說法，孫氏此類論調可稱為「六經皆文」。認為六經本身就是最好的文學，所以後世學作文章也都應取法於六經。故曰：「宋人云：三代無文人，六經無文法。弟則謂惟三代乃有文人，惟六經乃有文法。周尚文，周末文勝，萬古文章，總之無過周者。論語左氏公穀禮記最有法」（與李子田論文書）。

論語左氏公穀禮記最有法，這句話便說明了他取法的對象主要在這幾本經書。其中他比較特別之處是認為《史記》本之《論語》，見〈與李子田、余君房論文書〉。其餘推法左氏公穀禮記云云者，則可見一時風氣，為林雲銘吳楚材等人之先導。

據四庫《提要》說：康熙間王源撰《文章練要》，「分六宗百家。六宗以《左傳》為首，百家以《公羊》《穀梁》為首。然六宗僅《左傳》有評本，百家亦惟評公穀二傳而已。」。乾隆間姜炳璋《讀左補義》「簡端又冠以評，或論事或論文，如坊選古文之例」。又，李文淵《左傳評》三卷，四庫館臣亦曰：「《春秋左氏》」本以釋經，自真德秀選入《文章正宗》，亦遂相沿而論文，近時寧都魏禧、桐城方苞，於文法推闡尤詳。文淵以二家所論尚有未盡，乃以己意評點之」（均見卷三十一）。這些，都是孫鑛的後勁。

以上是左氏公穀部分。

《禮記》部分。萬曆間流傳宋謝枋得《批點檀弓》二卷，四庫館臣謂：「書中圈點甚密，而評點章法句法等字，似孫鑛等評書之法，不類宋人體例。因枋得有《文章軌範》，託為之」。此外林兆珂《檀弓述註》二卷、姚應仁《檀弓原》三卷，牛斗星《檀弓評》二卷、雍正間孫濩《檀弓論文》二卷尤為集大成之作。當然，通評《禮記》，不限於某篇的也不少。例如萬曆間朱泰貞的《禮記意評》四卷就是。四庫謂其「惟事推求語氣，某字應某字，某句承某句，如場屋之講試題」。這種批評，是四庫館臣慣用的語氣與觀念，殊不知元朝仁宗皇帝慶中已以《禮記》注疏取士，可是推求其語句字辭文法的書並未大盛於元，而是風行於明末，為什麼？這就不是一句「場屋應用之需」所能解釋的了，而應想想我所說的這種以文學觀點去看六經之風氣。

陸、以詩論詩：文學詩經學導論

一、《詩經》的文學性解釋

宋《許彥周詩話》引「瞻望無及，佇立以泣」二語，謂：「真可以泣鬼神矣！張子野長短句云：『眼力不如人，遠上溪橋去』，東坡與子由詩云：『登高回首坡隴隔，惟見烏帽出復沒』，皆遠紹其意」。

錢鍾書《管錐篇》論《毛詩正義》第十五條，根據這段話，說：「《彥周詩話》此節，陳舜百《讀風臆補》全襲之」。又說：「《項氏家說》譏說詩者多非詞人，《朱子語類》卷八十亦曰：『讀詩且只做今人做底詩者』，明萬時華《詩經偶箋·序》曰：『今之君子，知詩之為經，而不知詩之為詩，一敝也』，賀貽孫《詩觸》、戴忠甫《讀風臆評》及陳氏之書，均本此旨。諸家雖囿於學識，利鈍雜陳，而足破迂儒解經窠臼。阮葵生《茶餘客話》卷十一：『余謂三百篇不必作經讀，只以讀古詩樂府之法讀之，真足陶冶性靈，益人風趣不少』。蓋不知此正宋明以來舊主張也」。

這番話，乃是錢先生論《詩》的綱領；其解《詩》之法，可說也只是「全襲之」。亦即發揮詩只做詩讀的原則，把《詩》中語句拿來跟古今詩詞文章並看，以見文心，並以見《詩經》沾溉後人之廣。而此等辦法，錢先生自己講明了，乃是從宋明以降的一種解《詩》之傳統。由許彥周到賀貽孫、戴君恩、陳舜百、阮葵生等人，蔚為大觀的。❶

由宋朝興起的這個文學解經傳統，相較於毛詩鄭箋那種以訓詁名物或風刺美惡說詩之傳統，當然顯得較新也較小，故一向不為正統詁經者所看重。這批以詩解《詩》者，索性也就擺出一付叛逆的姿態，自外於解經的陣營，動輒如錢先生這樣，嘲笑正統解經者是「迂儒」「知詩之為經，而不知詩之為詩，一蔽也」；認為唯有如他們這樣解，才能妙得真銓，力破迂儒解經的窠臼。

自認為非解經而只是解詩的這些詮解，當然仍是豐富著《詩經》的解釋，且足以與正統詁經者相發。因此雙方的路數雖異，作用上卻非仇敵，非得以矛陷盾不可。

而亦正因為如此，所以歷來經學史對這一路數的貶抑與漠視，也就值得檢討了。例如《四庫提要》卷十七詩類，評價戴君恩《讀風臆補》說：「是書取《詩經・國風》加以評語，纖仄佻巧，已漸開竟陵之門徑，其於經義固了不相關也」。凡把詩只做詩讀者，受到的評語，大多類此。可是，《詩經》既然是經，就是文化的源頭。在各種經典中，《詩經》這個源頭，又特別對詩文辭章言語之

---

❶ 錢先生漏掉了宋代嚴粲的《詩緝》，此書明揭以詩論詩之法，〈自序〉及林希逸〈序〉，都對此闡述甚精，但常被大家忽略，很奇怪。另詳下文。

美有所影響，是後世詩歌最直接的泉源。則後世文人閱讀《詩經》，且以文學眼光去看它，為何竟會「與經義了不相關」？難道經典的意義不是開放的嗎？

其次，經義之明，非徒賴訓詁名物或說美刺勸戒而已也。詩本是詩，文學性地閱讀非但不可少，甚且才足以讓後世讀《詩》者重新或深入體會詩旨，例如陳舜百《臆補》說《周南・采采卷耳》：「詩貴遠不貴近，貴淡不貴濃。唐人詩：『裊裊邊城柳，青青陌上桑，提籠忘採葉，昨夜夢漁陽』，亦猶是〈卷耳〉四句意耳。誠取以相較，遠近濃淡，誰當擅場？」評〈嚶嚶草虫〉說：「採薇厥而傷心，正所謂『忽見陌頭楊柳色，悔教夫婿覓封侯』也。若杜審言詩：『獨有宦遊人，偏驚物候新』，則與詩意相對照矣」，這樣的評論，不是大有益於讀者感會嗎？豈能說是與經義毫不相關？

或許，將此類詩評劃出「經義」疆外，非謂其不解經，而是不認同其解經之旨趣。什麼旨趣呢？仍以《臆評》《臆補》為例來做說明。請看底下這兩段：

△之子于歸，言秣其馬。永叔云：「猶古人言，雖為執鞭，所欣慕焉者也」。朱子悅之深，意亦同。唐人香奩詩云：「自憐輸廄吏，餘暖在香韉」，此即歐朱意也。孰謂〈周南〉正風乃豔情之濫觴哉！（臆補・周南・南有喬木）

△匪風二語，即唐詩所謂「係得王孫歸意切，不關春草綠萋萋」。經乃云：「當時風發而車偈」。顧瞻周道，中心怛兮，多少含蓄，註更補「傷王室之陵遲」。無端續脛添足，致詩人一段別趣盡行抹殺，亦祖龍列焰後一厄也。

（臆評・檜風・匪風）

這兩段，一是認同朱注，一是反對。但雖認同朱注，順著朱注講，卻把《詩經》跟後世豔情詩搭上關係，視為豔情詩的老祖宗。這對經學家來講，自然覺得它太佻太褻。至於那反對朱注的，直謂詩有別趣，譏解經者不懂詩，經學家以是心生反感，亦是勢所必至。偏偏這兩種態度，在文學性解《詩》傳統中都非常普遍。乃此一路數之特徵所在。經學家對於它老喜歡談《詩》跟豔情的關係、老喜歡擺落史事名物訓詁而獨標詩趣的解經手法，卻是一貫地不能接受。

但經學家也往往忽略了他們如此解詩的用心。把豔情推溯於《詩》，或以後世民歌豔曲、男女豔情去揣想詩旨，其實代表著對《詩經》中某些詩篇性質的一種認定。而這種認定，也並非要把詩淫佚化，朝豔情方向去解釋，而仍是要就豔情予以貞定之的。亦即將豔情傳統納入《詩》的流變中，然後告訴人應怎麼樣寫豔情，才能如《詩》那般樂而不淫、哀而不傷、得其中聲、溫柔敦厚。如上舉戴陳二君論〈卷耳〉〈匪風〉，就很可以看出這種態度，教人作詩應含蓄、應淡遠。不只對豔情詩如此，其他類型的詩，也常用此法處理，如賀貽孫《詩筏》說：

> 〈巷伯〉之卒章曰：「寺人孟子，作為此詩」，〈節南山〉之卒章曰：「家父作誦，以究王訩」，是刺人者不諱其名也。〈嵩高〉之卒章曰：「吉甫作誦，穆如清風」，〈烝民〉之卒章曰：「吉甫作誦，其詩孔碩」，是美人者不諱其名也。三代之名，直道而行，毀不避怒，譽不求喜。今則為

> 匿名謠帖，連名德政碑矣。偶觸褊心，醜語叢生，唯恐其知。忽焉搖尾，則諛詞泉湧，唯恐其不知也。至於贈答應酬，無非溢辭；慶問通贊，皆陳頌語。人心如此，安得有詩乎？

底下舉儲光羲〈張谷田舍詩〉及杜甫〈遭田父泥飲美嚴中丞〉二詩為例，說唐人作此應酬贊頌尚能自占地步，若在今人則不知如何醜態云云。這不也很顯然是將應酬詩的傳統上溯於《詩》，再予貞定嗎？

也就是說，此類解詩法，大多數其實正是持守著溫柔敦厚的詩教精神，而且藉著解《詩》來發揮其批判、貞定整個詩歌傳統的功能。

就前者來說，此類《詩》解當然就是經解。《禮記·經解篇》云：「溫柔敦厚，詩之教也」，此類詮解，多符茲義。就後者來說，其解《詩》之語，與經生解經又確實不盡相同。經生解經，不管實際情況如何，心態上總是為人作嫁型的，亦即為經典服務，而不甚注重是否能藉由經注表達個人自己之學術見解。總是努力想趨向客觀文本與作者。此類詩解，則文本的意涵和評論者本人對詩的見解往往混融難分。既是《詩》解，又是評者本人的詩論。在他說《詩》是什麼時，通常也就是說凡歌詩創作即應如此。既是描述性的，也是規範性的。既闡明著《詩經》，同時也闡述了自己的詩觀。

四庫館臣批評戴君恩評《詩》：「已開竟陵之門徑」，正是有見於此。評《詩》者通過評《詩》，開啟了他自己那個時代的詩學流派，論古與開新，遂滾合為一體。四庫館臣的評價，其實就準確地點明了這個性質。

但四庫館臣太執著於竟陵現象，對這一點之認識又未盡確實。怎麼說呢？以詩解《詩》，並即以其所解示人以作詩讀詩之矩矱，風氣之漸，起於宋，而昌於明。戴君恩《讀風臆評》、萬時華《詩經偶箋》暢此宗旨，恰與鍾惺譚元春上下其時代，鍾譚也是以此法詮《詩》的。而竟陵一派，在明末清初，頗受批判，四庫館臣推源懲流，遂將此一詮《詩》塗徑，全數歸入竟陵一系。不說是竟陵的先鋒，就說是竟陵的波衍，似若如此解《詩》只是竟陵一派、晚明某個時代的一隅之見。如評戴氏，說其說已開竟陵門徑。評萬氏書，說：「其自序有曰：『今之君子，知詩之為經，而不知詩之為詩，一蔽也』云云。蓋鍾惺譚元春詩派盛於明末，流弊所及，乃至以其法解經。《詩歸》之貽害於學者，可謂酷矣」。又評賀貽孫《詩觸》說：「其所從入，乃在鍾惺《詩評》，故亦往往以後人詩法詁經，不免失之佻巧」，凡此等，都集矢於竟陵。賀貽孫這些人，固然跟竟陵脫不了干係，可是如此這般，只把這一路詮解方式視為竟陵家風，又妥當嗎？

這就是成見蔽人，遂至心有蓬塞了。一來，此等解《詩》之法遠有端緒，既不起於竟陵，也不止於竟陵。入清以後，頗有嗣響，且多與竟陵無涉。二來，竟陵既以此手眼開創宗派，其他宗派事實上也同樣運用著這種辦法。故此法不特在清朝運用廣泛，也與各詩派各論詩大家關係密切，絕非竟陵一派獨擅之門徑。四庫館臣編纂四庫的那個時代，此類現象就多得很了，只可惜他們把焦點全放在竟陵派身上，以致於沒發現這一現象。三則是，宋明以來這文學解

《詩》之風，雖遭四庫館臣所代表的漢學樸學風潮之反對，卻並未消失，發展勢頭也未減弱，依然暢旺得很。

我現在就準備替大家稍事勾勒這個現象。不過因戴君恩、萬時華、賀貽孫、姚首源、牛空山、郝蘭泉、陳舜百這些人詮釋《詩經》的著作，周作人先生已都做過介紹；因此我除了要順著《四庫》的脈絡，將其中以文學解經的作品鉤輯出來，做個清理之外❷，還要倒過來，不再只從論《詩經》的著作中去看人們怎麼論詩，而是由清人論詩的詩話中去看他們如何論《詩經》，以及如何藉著論《詩經》而論詩，亦即「以詩論《詩》」和「以《詩》論詩」。只因清代詩話材料太多，因此這兒暫且只以《清詩話》《清詩話續編》為範圍。

二、《四庫全書》所收文學詩經學著作

《四庫全書總目提要》所論以文學方法解釋《詩經》的著作，約有以下十八種。

卷十六所載二種如下：

詩經稗疏四卷

國朝王夫之撰。夫之有《周易稗疏》已著錄。是書皆辨正名物訓詁，以補傳箋諸說之遺。……四卷之末，附以考異一

---

❷ 周作人先生這些文章，都已輯入鍾叔河編《知堂書話》上下卷。1989，臺灣百川書局出版，最便檢閱。見〈郝氏說詩〉〈毛氏說詩〉〈讀風臆補〉〈賀貽孫論詩〉諸則。

篇，雖未賅備，亦足資考證。又〈叶韻辨〉一篇，持論明通，足解諸家之轇轕。惟贅以〈詩繹〉數條，體近詩話，殆猶竟陵鍾惺批評國風之餘習。未免自穢其書，雖不作可矣。

詩所八卷

國朝李光地撰。光地有《周易觀象》已著錄。是編大旨不主於訓詁名物，而主於推求詩意。其惟求詩意，又主於涵泳文句，得其美刺之旨而止。亦不旁徵事跡，必求其人以實之。……。

卷十七所載十二種如下：

讀風臆評

明戴君恩撰。君恩字仲甫，長沙人，嘉靖癸丑進士，官巴縣知縣。是書取《詩經・國風》加以評語，又節錄朱《傳》於每篇之後，烏程閔伋以朱墨版印行之。纖巧佻仄，已漸開竟陵之門徑，其於經義固了不相關也。

詩經正義二十七卷

明許天贈撰。天贈字德天，黟縣人，嘉靖乙丑進士，官至山東布政使參政。是書不載經文，但標章名節目，附以己說，頗為弇陋。如於〈采蘋〉章云：「大夫妻，講中不可說出，此就說詩者而言，非詩人口氣」，書中大率如此，蓋全為時文言之也。經學至是而弊極矣。

詩經說通十三卷

明沈守正撰。守正字允中，號無回，錢塘人，萬曆癸卯舉人，官國子監博士。是編成於萬曆乙卯，其說頗以朱《傳》廢〈序〉為非，然又不甚用古義，其所列引用諸書，不過三十六種，而以豐坊僞魯詩為冠。又謂《隋志》稱韓詩雖存，乃其外傳，竟不知《崇文總目》尚有韓詩。持論多茫無考證，故所引皆明人影響之談。雖大旨欲以意逆志，以破拘牽，而純以公安竟陵之詩派竄入經義，遂往往恍惚而無著。如解〈關雎〉云：「所謂憂之喜之者，不必泥定文王，亦不必泥定宮人」，然則究何指也？至於以〈行露〉〈野有死麕〉為貞女設言自誓，不必定有強娶私誘之事。然則女子待年於室，無故而作一誓詞傳播於眾，天下有此情事乎？又謂文王之化，必無強暴之男子。然則堯舜之世，亦不當有四凶矣。其膠固不解，更甚於訓詁之家，烏在其能得言外意也？

詩通四卷

明陸化熙撰，化熙字羽明，常熟人，萬曆癸丑進士，官至廣西提學僉士。是編不載經文，止標篇什名目，而發揮其意旨。大都依文詮釋，尋味於詞氣之間。其〈自序〉云：「朱注所不滿人意者，只因忽於所謂微言託言，致變風刺淫之語，概認為淫；變雅近美之刺，即判為美耳」。故書中於鄭衛之詩，多存〈小序〉，即二雅三頌，亦多引序說，而又間引《鄭箋》《孔疏》以證之，頗異乎株守門戶者，但所得不深耳。

詩經脈八卷

明魏浣初撰，其標題又曰閔非臺先生增補。浣初字仲雪，常熟人，萬曆丙辰進士，官至布政司參政。閔非臺則不知何許人也。其書分上下二格，如高頭講章之式，下格為浣初原書。前刻正文，後有附考，頗知源本。注疏旁及諸家，如

〈君子偕老章〉「副笄六珈」毛傳云：「笄衡，蓋述追師追衡笄之文」，衡垂於耳，笄貫於髮，見於追師註疏甚詳，浣初引以證朱《傳》衡笄，一物之誤，尚小有考證。惟大致拘文牽義，鉤剔字句，摹仿語氣，不脫時文之習。上格為閔氏，補義則純乎鄉塾之說矣。

毛詩發微三十卷

明宋景雲撰。景雲字祥禎，博興人，萬曆己未進士，官至監察御史，巡按湖廣。其說詩以朱子《集傳》為主，亦間採毛《傳》及他說以參之。為例有三，標正字者衍《集傳》者也。標附字者，採他說者也。標考字者，釋名物者也。然大抵以批點時文之法推求經義耳。

言詩翼六卷

明凌濛初撰。此編仍刻詩《傳》〈序〉於每篇之前，又以《詩傳》〈詩序〉次序不同，復篆書《詩傳》冠於篇端，而雜採徐光啟、陸化熙、魏浣初、沈守正、鍾惺、唐汝諤六家之評。直以選詞、遣調、造語、鍊字諸法論三百篇。每篇又從鍾惺之本加以圈點。明人經解，真可謂無所不有矣。

詩牖十五卷

明錢天錫撰。天錫字公永，竟陵人，天啟壬戌進士，官至僉都御史。是編大抵推敲字義，尋求語脈，為程式制藝之計。首載馮元颺序，謂其書不但存朱子、存毛詩，并可以存齊存魯存韓，祧衛宏而禰子夏，其功不在鄭孔下，亦夸之甚矣。

詩經偶箋十三卷

明萬時華撰，時華字茂先，南昌人，是編成於崇禎癸酉，大旨宗孟子以意逆志之說，而掃除訓詁之膠固，頗足破腐儒之陋。然詩道至大而至深，未可以才士聰明測其涯際，況於以竟陵之門徑，掉弄筆墨，以一知半解訓詁古經？其〈自序〉有曰：「今之君子，知詩之為經，不知詩之為詩，一蔽也。謝太傅嘗問諸從：毛詩何句最佳？過以『楊柳依依』對。公所賞乃在『訏謨定命，遠猶辰告』。譚友夏亦言讀詩不能使國風與雅頌同趣，且覺雅頌更於國風有味，易入處便入，終是讀書者之病，今之君子少此玄致，二蔽也」云云。蓋鍾惺譚元春詩派盛於明末，流弊所極，乃至以其法解經，《詩歸》之貽害於學者，可謂酷矣。

詩經副墨八卷

明陳組綬纂，組綬字伯玉，武進人，崇禎甲戌進士，官兵部主事。是書前刻讀書二十四觀，次為通考，次為總論，每篇之前，皆竝列《集傳》〈小序〉之文，而以《集傳》居〈小序〉前。其每章詮解，則循文敷衍而已。卷首凡例有曰：「諸說雖精，或於制義未當者，吾從宋」。是其著書之大旨矣。

詩觸四卷

明賀貽孫撰，貽孫字子翼，禾州人，是書前後無序跋，不著作書年月。考陳士業《筠莊初集》有賀子翼制藝序，而凡例中引梅膺祚《字彙》，書中多引鍾惺詩經評，亦皆明末之書，當即其人也。是書以〈小序〉首句為主，而刪其以下之文，以為毛萇衛宏之附益。蓋宗蘇轍之例，大旨調停於〈小序〉《朱傳》之間。作詩之旨，多從序，詩中文句，則多從傳。國風多從序，〈雅〉〈頌〉則多從傳。每篇先刻小序，次釋名物，次發揮詩意，主孟子以意逆志之說，每曲求言外之旨。故頗勝諸儒之拘腐。而其所從入，乃在鍾惺《詩評》，故亦往往以後人詩法論先聖之經，不免失之佻巧。所謂楚既失之，齊亦未為得也。卷首冠以四論，其第三篇論淫詩、第四篇論風刺，皆為有見。第二篇論以意逆志，是全書之根本，而涉於掉弄聰明。全書之病，即坐於是。第一篇論詩與歌謠謳誦諺語不同，三百篇皆樂章，其說甚是。而謂漢魏之樂府、宋之詞、元之南北曲，皆用此例，則不盡然。無論宋詞元曲各有宮調，其句法之長短、音律之平仄、字數之多少，具有定譜，不可增減，與三百篇迥殊。即漢魏樂府，有倚聲製詞者，亦有採詩入樂者，觀郭茂倩《樂府》所載，孰為本調、孰為魏樂，所奏晉樂，所奏其增減字句以就聲律者，班班可考，何嘗有一定之調？亦何嘗田夫販婦一一解音律哉？故三〈頌〉者，郊祀歌之類也，自諧管弦者也。二雅十五國風者，相和歌之類也，採以被之管絃者也。貽孫所說，似是而非。蓋迂儒解詩，患其視與後世之詩太遠；貽孫解詩，又患其視與後世之詩太近耳。❸

詩經精意

---

❸ 明清間人，或入明或入清，往往兩可，賀氏即其一例。其人乃方以智友，然入《清史稿》卷四八四，故亦可視為清人，《四庫提要》此處所考，頗欠詳。詳見龔顯宗《詩筏研究》，1993，高雄復文書局，第一章，頁 1—9。又羅天祥《賀貽孫考》，江西人民出版社。賀式《水田居文集》，收入《四庫全書存目全書》。

明詹雲程撰。雲程字念庭，江西人，是編詮釋經文，皆敷衍語氣為時文之用，乃塾師訓蒙講章也。

卷十八還有五種：

詩經比興全義一卷

國朝王鍾毅撰，鍾毅字遠生，華亭人，順治中松江府學歲貢生。是書據朱子《詩傳》發明比興之義，每詩各標篇名，而推求託物抒懷之意。前有〈大意〉一篇，篇末有云：「〈關雎〉之為求賢，〈菁莪〉〈棫樸〉之為養士，此等義非不佳，然與《集注》全異。功令所格，不敢濫收」云云，蓋專為科舉作也。

詩經集成三十卷

國朝趙燦應撰，燦英字殿颺，武進人，是書成於康熙庚午。大旨為揣摩場屋之用，故首列朱子《集傳》，次敷衍語氣為串講，串講之後為總解。全如坊本高頭講章。至總解之後，益以近科舉會試墨卷，則益非說經之體矣。

詩經詳說

國朝冉覲祖撰，覲祖有《易經詳說》已著錄。是書以朱子《集傳》為主，採毛、鄭、孔及宋元以下諸儒之說附錄於下，每章〈小序〉與《朱傳》並列，蓋欲尊《集傳》而又不能盡棄〈序〉說，欲從〈小序〉而又不敢顯悖《傳》文。故其案語，率依文講解，往往模稜，間有自出新義者，如〈鄭風・有女同車〉謂男女同車為必無之事，改為二女同車。改〈溱洧〉為夫婦皆游之作，又以〈國風・伐柯〉為東人得遂室家之願，歸美周公之詞。考之古說，皆無所依據也。

復菴詩說六卷

國朝王承烈撰，承烈字復菴，涇陽人，康熙己丑進士，官翰林院檢討。是書奉朱子《詩集傳》為主，以攻擊毛鄭。其菲薄漢儒，無所不至，惟淫詩數篇，稍與朱子為異耳。蓋揚輔廣諸人之餘波，而又加甚焉者也。其中間有不從〈序〉亦不從《傳》者，如謂〈關雎〉為周公擬作之類，皆懸空無據。至於注釋之中，附以評語，如論〈周南〉云〈周南〉十一篇，祇就文字而論，其安章、頓句、運調、鍊字、設想，無一不千古絕頂。論〈女曰雞鳴〉云：「弋禽飲酒，武夫之興，何其豪。琴瑟靜好，文人之態，又何其雅」。如是之類，觸目皆是，是又岐入鍾譚論詩之門徑矣。

豐川詩說二十卷

國朝王心敬撰，心敬有《豐川易說》已著錄。是編大旨謂自宋至今，毛氏之《傳》廢於朱《傳》之盛行，郝敬云〈序〉近古而朱在後，不合以後說而反廢前說，固為得之。然使後說而合經，安在不可舍前而遵後？且齊魯韓三家盡在毛詩之前，而皆以毛《傳》盡廢，安在後之更合者不可獨行？又將謂〈毛序〉必承傳有自不可改。不思三家之傳，亦必承傳有自，而一廢盡廢，何也？其持論頗近和平，故其書從《毛傳》及郝敬解者居其大半。然自二家以外，諸儒之書，無一字引及，則亦抱殘守匱之學耳。其每節必效鄉塾講章，敷衍語氣，尤可以無庸也。

《四庫全書》所收以文學角度析論《詩經》者，大抵如上。除王夫之《詩經稗疏》李光地《詩所》以外，均只存目，不錄全書。

這就可見褒貶了。對於王夫之的書，欣賞其名物訓詁，而對末尾所附〈詩繹〉大表不滿，更可以看出館臣們的態度。

卷十七詩類存目一與卷十八詩類存目二，批評這批以文學解《詩》著作的，主要有兩點，一是說它們受了公安竟陵的毒，二是說它們中了科舉的害。

前者，「依文詮釋、尋味於詞氣之間」（論《詩通》），「直以選詞、遣調、造語、鍊字諸法論三百篇。每篇又從鍾惺之本加以圈點」（論《言詩翼》），「蓋鍾惺譚元春詩派盛於明末。流弊所極，乃至以其法解經。《詩歸》之貽害於學者，可謂酷矣」（論《詩經偶箋》）「是又歧入鍾譚論詩之門徑矣」（論《復菴詩說》）。明指淵源，謂其風氣起自鍾譚，偶或牽聯及於公安。這個看法當然甚謬。

何則？一、公安本不同於竟陵，且無如此說詩之法。二、風氣之起，不始竟陵，前文曾有辨明。作《詩經稗疏》的王船山，也一併歸入竟陵，尤其是個大笑話。三、竟陵論《詩經》之法，又不只如此。鍾惺別有《詩經圖史合考》二十卷，《四庫提要》云其書：「雜考詩之名物典故，亦間繪圖，故稱圖史合考」「名雖釋經，實則隸事」。又《毛詩解》一種，四庫謂其「取古人說詩之書，卷帙簡少者，合為一編。曰詩序、曰外傳、曰讀詩一得、曰山堂詩考、曰困學紀詩、曰詩地理考、曰詩考、曰逸詩、曰文獻詩考、曰詩傳綱領、曰詩識、曰讀詩錄、曰印古詩語」，大約屬於資料叢編。這些也都是鍾惺討論或研究《詩經》的辦法，僅以選詞造句鍊字諸法評《詩》者歸諸竟陵遺風，也未必公平。四、晚明以文學評點方式圈批《詩經》者，還頗有其人，如孫鑛月峰，《四庫提要》就沒收入。孫氏也不能算是竟陵一派。

後者，則如說許天贈之書：「全為時文言之也」；魏浣初之書：「大致拘文牽義，鉤剔字句，摹仿語氣，不脫時文之習。上格為閔氏補義，則純乎鄉塾之說矣」；宋景雲之書：「大抵以批點時文之法推求經義耳」；錢天錫之書：「大抵推敲字義，尋求語脈，為程試制藝之計」、陳祖綬之書：「書首凡例有曰：『諸說雖精，或於制義未當者，吾從宋』，是其著書之大旨矣」；詹雲程之書：「詮釋經文，皆敷衍語氣，為時文之用，乃塾師訓蒙講章也」；王鍾毅之書：「蓋為科舉作也」；趙燦英之書：「大旨為揣摩場屋之用」；王心敬之書：「每節必效鄉塾講章，敷衍語氣」。

然明人科舉，制義之文，實以四書為主。研讀《詩經》，對科舉制義的幫助，只是間接的。因此，認為這些著作「推敲字義，尋求語脈，為程試藝之計」，實在是太高估了這些書在科舉體制中的作用。反之，由於科舉盛行，士人習於場屋之文與講章，以致讀《詩》時，也遂用其法以解經，卻是非常有可能的。

但這一點又並不能太簡單地看，只說是當時人用了時文評點講說之法去讀《詩》。要知道，那整套評點及講說文脈語氣選詞遣字的方法，也是由古經學凡例的「屬辭比事」之學，和古文運動以後宋人對文學的講求而來的。且文人階層勢力漸增，使得科舉考試變成了文學品評；而勢力漸盛的文人，也同時用著文學之眼去看《詩經》，所以兩者有著類似的面貌，倒不是說經者用了時文講章之法。❹

---

❹ 相關的背景知識，詳龔鵬程〈細部批評導論〉。收入本書。

四庫館臣在這方面，辨識未晰，故凡碰到此類以文學解《詩》的，不是歸因於鍾譚之影響，就是說它們染了時文場屋習氣。不知此類詩說不唯往往與竟陵無涉，亦輒與訓蒙講章、時文批點殊趣。

不說別的，以第一例王船山來說罷。船山《詩經稗疏》末附〈詩繹〉一卷，清光緒間王啟源將之與〈夕堂永日緒論〉內篇一卷合起來輯入《談藝珠叢》，丁福保又將之改題為《薑齋詩話》。而就在船山此書中，他就明確說：「近有顧夢麟者，作《詩經塾講》，以轉韻立界限，劃斷意旨。劣經生桎梏古人，可惡孰甚！」又說：「經義之有茅鹿門、湯賓尹、袁了凡，皆畫地成牢以陷人者，死法也」。此外，船山反對竟陵更是不待說的。把這樣一位反竟陵又痛批當時塾師講章的人，歸入「竟陵鍾惺批評〈國風〉之餘習」，豈不冤枉？

當然，四庫館臣的見解也並非全然錯誤，他們觀察到明清間以文學論《詩經》者的一些共同特徵，仍然值得注意。

什麼特徵呢？「大旨不主於訓詁名物，而主於推求詩旨。其推求詩旨，又主於涵泳文句，得其美刺之旨而止。亦不旁徵事跡，必求其人以實之」，它評李光地書的這段話，就是特徵之一。

也就是說，傳統的解經方法，主要是語言性與歷史性的。透過名物訓詁，以期對《詩經》做一番語言性的了解，以「達其辭」。再通過對《詩經》中詩語所涉及的人物事跡，做一番考證，以達成歷史性的理解，以「知其事」。通過這樣的考察，經學家認為才足以得知詩旨。可是文學性的解經者，並不採上述辦法，他們主要藉著對文句的體會涵泳去進行理解。這當然也是語言性的了解，但其所謂「語言」，卻是一種「詩語言」。對這種詩語言的了解，並不能僅恃一般語言了解的名物訓詁之法，而是別有竅門的。

其一，就是要了解到這不是一般的語言，乃是詩。是詩，就有選詞、遣調、造語、鍊字、氣脈，乃至微言託諷等問題。以往的解經者，對這種詩特點，未遑究心，所以文學性的解經人才要戮力於此。四庫館臣批評他們：「大都依文詮釋，尋味於詞氣之間」「大抵拘文牽義，鉤剔字句，摹仿語氣」「直以選詞、遣調、造語、鍊字諸法論三百篇」「推敲字義，尋求語脈」「論〈周南〉云：〈周南〉十一篇，只就文字而論，其安章、頓句、運調、鍊字、設想，無一不千古絕頂」等，指的其實都是這一面。這種對詩語言的理解，固然也是語言性理解，但又同時是詩語言的審美理解。訓詁字詞名物者，所想知道或能知道的，是《詩經》的詩說了些什麼。這些解詩者卻更想知道詩是如何說，又為何能說得如此漂亮。

其二，對於詩說了什麼，文學性的解詩者也不認為那些傳統經學家用語言性與歷史性的方法即能掌握。他們覺得那都是不懂得詩語與一般語言不同者所幹的蠢事。例如王鍾毅書名《詩經比興全箋》，顯然就是強調詩有比興，非僅賦事，故重點是要「發明比興之義，而推求託物抒懷之意」。詩既然多比興寄託，就不能由名物訓詁、歷史事跡上去指實。因此歷來之經解，就他們看，都太膠固穿鑿，不懂得詩有託興博通之趣，遂致拘泥不通。如沈守正《詩經說通》謂〈關雎〉：「所謂憂之喜之者，不必泥定文王，亦不必泥定宮人」、陸化熙《詩通》自序說：「朱注所不滿人意者，只因忽於所謂微言託言，致變風刺淫之語，概認為淫。變雅近美之刺，即判為美耳」，或萬時華《詩經偶箋》自序說：「今之君子，知詩之為經，不知詩為詩」，指的都是這一點。

既然名物訓詁及歷史考證之法，不可能理解詩旨，那麼，我們該怎麼辦呢？這些解詩者提出了「以意逆志」的方法。如賀貽孫《詩觸》：「發揮詩意，主孟子以意逆志之說，每曲求言外之旨」，沈守正之書：「大旨欲以意逆志，以破拘牽」，或李光地之書：「涵泳文句，得其美刺之旨」，均是如此。

孟子說讀詩書者應知人論世、以意逆志。這兩句話合起來，常被利用為歷史性理解的方法依據。可是這些文學性解詩者通常不講「知人論世」，只說以意逆志。以意逆志，是透過審美的體會，在涵泳文句時，去體會、探求詩人作詩時如此這般說話，到底想說些什麼。詩人之語，比興無端，微言託諷，其言外隱衷，也唯有用這種審美的體會，才能逆求得知。

換言之，自宋朝以後，文學性解詩者其實已有清楚的方法意識，並據此方法，在發展一個新的詮釋傳統。四庫館臣對他們的批評，正可以看成是不同詮釋路數間的質疑、對諍。

某些時候，四庫編纂者也覺得他們對老派解經傳統的批評頗有見地，以名物訓詁及歷史事跡解說詩旨，確有膠固拘牽之病。但「以意逆志」，往往僅依讀者本身的審美體會（讀者之意），去說作者之意，又令四庫館臣感到缺乏客觀性。強調詩的博通，亦令人覺得太過模糊，此即四庫館臣指斥冉覲祖《詩經詳說》：「依文講經，往往模棱」，批評沈守正：「以意逆志，往往恍惚而無著」的緣故。文學性解詩者那種分析詩語言之美的做法，四庫館臣也不認同。覺得那只是修辭之末技，非經義大旨之所在；而且就遣辭、用字、語氣文句上細做推求，也顯得纖巧瑣碎。

平心而論，這些批評也不全是敵對者的惡詬。詮釋方法本身既有其利，亦必有其弊，明清之際那些實踐者，剛在發展這套方法，利弊互形，甚或弊不勝其利的情形也很普遍，故不免遭人譏議。四庫館臣，格於漢學矩矱，對之尤其不能欣賞，也是很自然的。

三、清代詩話論《詩經》資料輯錄

(一)薑齋詩話　王夫之

1.王仲淹氏之續經，見廢於先儒，舊矣。續而僭者，〈七制〉之詔策也。仲淹不任刪；〈七制〉之主臣，尤不足述也。《春秋》者，衰世之事，聖人之刑書也。平、桓之天子，齊、晉之諸侯，荊、吳、徐、越之僭偽，其視六代、十六國相去無幾；事不必廢也，而詩亦如之。衛宣、陳靈下逮乎溱洧之士女，〈葛屨〉之公子，亦奚必賢於曹、劉、沈、謝乎？仲淹之刪，非聖人之刪也，而何損於采風之旨邪？故漢、魏以還之比興，可上通于風、雅；檜、曹而上之條理，可近譯以三唐。元韻之機，兆在人心，流連泆宕，一出一入，均此情之哀樂，必永於言者也。故藝苑之士，不原本於三百篇之律度，則為刻木之桃李；釋經之儒，不證合於漢、魏、唐、宋之正變，抑為株守之兔罝。陶冶性情，別有風旨，不可以典冊、簡牘、訓詁之學與焉也。隨舉兩端，可通三隅。

2.「《詩》可以興，可以觀，可以群，可以怨」，盡矣。辨漢、魏、唐、宋之雅俗得失以此，讀《三百篇》者必此也。「可以」云者，隨所以而皆可也。於所興而可觀，其興也深；於所觀而可興，其觀也審。以其群者而怨，怨愈不忘；以其怨者而群，群乃益摯。出於四情之外，以生起四情；遊於四情之中，情無所窒。作者用一致之思，讀者各以其情而自得。故〈關雎〉，興也；康王晏朝，而即為冰鑑。「訏謨定命，遠猷辰告」，觀也；謝安欣賞，而增其遐心。人情之遊也無涯，而各以其情遇，斯所貴於有詩。是故延年不如康樂，而宋、唐之所由升降也。謝疊山、虞道園之說詩，井畫而根掘之，惡足知此？

3.「采采芣苢」，意在言先，亦在言後，從容涵泳，自然生其氣象。即五言中，〈十九首〉猶有得此意者。陶令差能彷彿，下此絕矣。「采菊東籬下，悠然見南山」、「眾鳥欣有託，吾亦愛吾廬」，非韋應物「兵衛森畫戟，燕寢凝清香」所得而問津也。

4.「昔我往矣，楊柳依依；今我來思，雨雪霏霏。」以樂景寫哀，以哀景寫樂，一倍增其哀樂。知此，則「影靜千官裏，心蘇七校前」，與「唯有終南山色在，晴明依舊滿長安」，情之深淺宏隘見矣。況孟郊之乍笑而心迷，乍啼而魂喪者乎？

5.唐人〈少年行〉云：「白馬金鞍從武皇，旌旗十萬獵長楊。樓頭少婦鳴箏坐，遙見飛塵入建章。」想知少婦遙望之情，以自矜得意，此善於取影者也。「春日遲遲，卉木萋萋；倉庚喈喈，采蘩祁祁。執訊獲醜，薄言還歸；赫赫南仲，玁狁于夷。」其妙正在此。訓詁家不能領悟，謂婦方采蘩而見歸師，旨趣索然矣。建旌旗，舉矛戟，車馬喧闐，凱樂競奏之下，倉庚何能不驚飛，而尚聞其喈喈？六師在道，雖曰勿擾，采蘩之婦，亦何事暴面於三軍之側耶？征人歸矣，度其婦方采蘩，而聞歸師之凱旋。故遲遲之日，萋萋之草，鳥鳴之和，皆為助喜。而南仲之功，震於閨閣，室家之欣幸，遙想其然，而征人之意得可知矣。乃以此而稱南仲，又影中取影，曲盡人情之極至者也。

6.始而欲得其歡，已而稱頌之，終乃有所求焉，細人必出於此。〈鹿鳴〉之一章曰：「示我周行」，二章曰：「示民不恌，君子是則是效」，三章曰：「以燕樂嘉賓之心」，異於彼矣。此之謂大音希聲。希聲，不如其始之勤勤也。杜子美之於韋左丞，亦嘗知此乎！

7.「庭燎有煇」，鄉晨之景，莫妙於此。晨色漸明，赤光雜煙而𩥇𩥇，但以「有煇」二字寫之。唐人〈除夕〉詩「殿庭銀燭上熏天」之句，寫除夜之景，與此彷彿，而簡至不逮遠矣。「花迎劍佩」四字，差為曉色朦朧傳神；而又云「星初落」，則痕跡露盡。益歎《三百篇》之不可及也！

8.蘇子瞻謂「桑之未落，其葉沃若」，體物之工，非「沃若」不足以言桑，非桑不足以當「沃若」，固也。然得物態，未得物理。「桃之夭夭，其葉蓁蓁」、「灼灼其華」、「有蕡其實」，乃窮物理。夭夭者，桃之穉者也。桃至拱把以上，則液流蠹結，花不榮，葉不盛，實不蕃。小樹弱枝，婀娜妍茂為有加耳。

9.「子之不淑，云如之何」，「胡然我念之，亦可懷也」，皆意藏篇中。杜子美「故國平居有所思」，上下七首，於此維繫，其源出此。俗筆必於篇終結鎖，不然則迎頭便喝。

10.句絕而語不絕，韻變而意不變，此詩家必不容昧之幾也。「天命玄鳥，降而生商。」降者，玄鳥降也，句可絕而語未終也。「薄污我私，薄澣我衣。害澣害否？歸寧父母。」意相承而韻移也。盡古今作者，未有不率繇乎此。不然，氣絕神散，如斷蛇剖瓜矣。近有吳中顧夢麟者，以帖括塾師之識說詩，遇轉則割裂，別立一意。不以詩解詩，而以學究之陋解詩，令古人雅度微言，不相比附。陋子學詩，其弊必至於此。

11.知「池塘生春草」、「胡蝶飛南園」之妙，則知「楊柳依依」、「零雨其濛」之聖於詩。司空表聖所謂「規以象外，得之圜中」者也。

12.「賜名大國虢與秦」，與「美孟姜矣」、「美孟弋矣」、「美孟庸矣」一轍，古有不諱之言也，乃〈國風〉之怨而誹、直而絞者也。夫子存而弗刪，以見衛之政散民離，人誣其上；而子美以得「詩史」之譽。夫詩之不可以史為，若口與目之不相為代也，久矣。〈魯頌〉，魯風也；〈商頌〉，宋風也，以其用天子之禮樂，故仍其名曰「頌」。其郊禘之升歌也，乃文之無慚，侈心形焉。「鼓咽咽，醉言歸，于胥樂兮。」與〈鐃吹〉、〈白紵〉同其管急絃繁之度，雜霸之風也。鮑昭、李白、曹鄴以之。

13.「女也不爽，士貳其行；士也罔極，二三其德。」語似排偶，而下三語與上一語相匹。李白「劍閣重開蜀北門，上皇車馬若雲屯。少帝長安開紫極，雙懸日月照乾坤」，竊取此法而逆用之。蓋從無截然四方八段之風雅也。

14.謝靈運一意回旋往復，以盡思理，吟之使人卞躁之意消。〈小宛〉抑不僅此，情相若，理尤居勝也。王敬美謂：「詩有妙悟，非關理也。」非理抑將何悟？

15.用複字者，如形容之意，「河水洋洋」一章是也。「青青河畔草，鬱鬱園中柳」，顧用之以駘宕。善學詩者，何必有所規畫以取材？

16.興在有意無意之間，比亦不容雕刻；關情者景，自與情相為珀芥也。情景雖有在心在物之分，而景生情，情生景，哀樂之觸，榮悴之迎，互藏其宅。天情物理，可哀而可樂，用之無窮，流而不滯，窮且滯者不知爾。「吳楚東南坼，乾坤日夜浮。」乍讀之若雄豪，然而適與「親朋無一字，老病有孤舟」相為融浹。當知「倬彼雲漢」，頌作人者增其輝光，憂旱甚者益其炎赫，無適而無不適也。唐末人不能及此，為「玉合底蓋」之說，孟郊、溫庭筠分為二壘。天與物其能為爾䪨分乎？（以上卷上）

17.興、觀、群、怨，詩盡於是矣。經生家析〈鹿鳴〉、〈嘉魚〉為群，〈柏舟〉、〈小弁〉為怨，小人一往之喜怒耳，何足以言詩？「可以」云者，隨所以而皆可也。詩《三百篇》而下，唯十九首能然，李杜亦髣髴遇之，然其能俾人隨觸而皆可，亦不數數也。又下或一可焉，或無一可者。故許渾允為惡詩，王僧孺、庾肩吾及宋人皆爾。

18.古詩及歌行換韻者，必須韻意不雙轉。自《三百篇》以至庾、鮑七言，皆不待鈎鎖，自然蟬連不絕。此法可通於時文，使股法相承，股中換氣。近有顧夢麟者，作《詩經塾講》，以轉韻立界限，劃斷意旨。劣經生桎梏古人，可惡孰甚焉！晉〈清商〉、〈三洲〉曲及唐人所作，有長篇拆開可作數絕句者，皆蛣蟲相續成一青蛇之陋習也。

19.「海暗三山雨」接「此鄉多寶玉」不得。迤邐說到「花明五嶺春」，然後彼句可來，又豈嘗無法哉？非皎然、高棅之法耳。若果足為法，烏容破之？非法之法，則破之不盡，終不得法。詩之有皎然、虞伯生；經義之有茅鹿門、湯賓尹、袁了凡，皆畫地成牢以陷人者，有死法也。死法之立，總緣識量狹小。如演雜劇，在方丈臺上，故有花樣步位，稍移一步則錯亂。若馳騁康莊，取塗千里，而用此步法，雖至愚者不為也。

20.〈小雅·鶴鳴〉之詩，全用比體，不道破一句，《三百篇》中創調也。要以俯仰物理而咏歎之，用見理隨物顯，唯人所感，皆可類通；初非有所指斥，一人一事，不敢明言，而姑為隱語也。若他詩有所指斥，則皇父、尹氏、暴公，不憚直斥其名，歷數其慝；而且自顯其為家父，為寺人孟子，無所規避。詩教雖云溫厚，然光昭之志，無畏於天、無恤於人，揭日月而行，豈女子小人半含不吐之態乎？〈離騷〉雖多引喻，而直言處亦無所諱。宋人騎兩頭馬，欲博忠直之名，又畏禍及，多作影子語巧相彈射。然以此受禍者不少。既示人以可疑之端，則雖無所誹誚，亦可加以羅織。觀蘇子瞻烏臺詩案，其遠謫窮荒，誠自取之矣；而抑不能昂首舒吭以一鳴，三木加身，則曰「聖主如天萬物春」，可恥孰甚焉！近人多效此者，不知輕薄圓頭惡習，君子所不屑久矣。（以上卷下）

(二)答萬季埜詩問　吳喬

1.又問：「詩與文之辨？」答曰：「二者意豈有異？唯是體制辭語不同耳。意喻之米，文喻之炊而為飯，詩喻之釀而為酒；飯不變米形，酒形質盡變。噉飯則飽，可以養生，可以盡年，為人事之正道；飲酒則醉，憂者以樂，喜者以悲，有不知其所以然者。如〈凱風〉、〈小弁〉之意，斷不可以文章之道平直出之，詩其可已於世乎？」

2.又問云：「人謂作詩須合於《三百篇》，其說如何？」答曰：「未卵而求時夜，耳食者之言也。倘未識唐人命意遣辭之體，而輕言《三百篇》，可乎？且《三百篇》〈風〉與〈雅〉、〈頌〉異，變與正異，宋註與漢註異，僕實寡學，不敢妄說。如少陵〈玄元廟詩〉，誰人做得？尚只是變雅耳。卑之無甚高論，嚴絕宋、元、明，而取法乎唐，亦足自立矣。如楊妃事，唐人云：『薛王沉醉壽王醒。』宋人云：『奉獻君王一玉環。』豈直金矢之界而已哉？使其作〈凱風〉、〈小弁〉，必大詬父母矣。余所見《三百篇》僅此，餘實不能測也。《苕溪漁隱》曰：『彼時薛王之死已久。』史學善矣，不必如是責酒以飽也。宋人長於文，而詩不及唐，三體不能辨。」

3.又問：「唐詩亦有直遂者，何以獨咎宋人？」答曰：「世間龍蛇混雜，誠是淆訛公案也。七律自沈、宋以至溫、李，皆在起承轉合規矩之中。唯少陵一氣直下，如古風然，乃是別調。白傳得其直遂，而失其氣。昭諫益甚。宋自永叔而後，竟以為詩道當然，謬引少陵以為據；而不知少陵婉折者甚多，不可屈古人以遂非也。且唐人直遂者亦不止少陵，皆少分如是，非詩道優柔敦厚之本旨也。《三百篇》亦有〈相鼠〉等，豈可使作〈小弁〉、〈凱風〉者如此直遂出語耶？雖宋人詩薄、明人詩厚，直遂則同。禪家宗旨既亡，必不能復；詩教優柔敦厚之旨亦然，唯一嘆耳！」

4.諸君又問曰：「《三百篇》之意渺矣，請更詳言之。」答曰：「〈國風〉好色而不淫，〈小雅〉怨誹而不亂。」發乎情，止乎禮義。所謂性情也。興、賦、比、風、雅、頌，其體格也。優柔敦厚，其立言之法也。於六義中，姑置風、雅、頌而言興、賦、比，此三義者，今之邨歌俚曲，無不暗合，矯語稱詩者自失之耳。如『月子彎彎照九州』，興也。『逢橋須下馬，有路莫登舟』，賦也。『南山頂上一盆油』，比也。行之而不著者也。明人多賦，興、比則少，故論唐詩亦不中竅。如薛能云：『當時諸葛成何事，只合終身作臥龍。』見唐室之不可扶而悔入仕途，興也。升菴誤以為賦，謂其譏薄武候。義山云：『侍臣最有相如渴，不賜金莖露一盃。』言雲表露未能治病，何況神仙？託漢事以刺憲、武，比也。于鱗以為宮怨，評曰：『望幸之思悵然。』呂望何等人物？胡曾詩云：『當時未入非熊夢，幾向斜陽嘆白頭。』非詠古人，乃自況耳。讀唐詩須識活句，莫墮死句也。」

5.又曰：「請將風、雅、頌，再詳細言之。」答曰：「《離騷》出於變風、變雅，唐人大抵宗之，不可具述。如『明堂聖天子，月朔朝諸侯』、『得罪風霜苦，全生天地仁。青山數行淚，白首一窮鱗』、『身多疾病思田里，邑有流亡愧俸錢』，盛唐人〈早朝〉諸篇，不可謂非〈二雅〉之遺音也。少陵〈玄元廟詩〉極似頌體，而頌乃稱道老君功德於宗廟中，此詩多諷刺，體似頌而意非也。今世用於宗廟中者，皆是元曲宮調，難以詩言，此義置之可也。」

6.又問：「《尚書》云：『詩言志，歌永言，聲依永。』則詩乃樂之根本也。樂既變而為元曲，則詩全不關樂事；不關樂事，何以為詩？」答曰：「古今之變難言，夫子云：『〈雅〉、〈頌〉各得其所。』則《三百篇》莫不入於歌喉。漢人窮經，聲歌、意義，分為二途。太常主聲歌，經學之士主意義，即失夫子〈雅〉〈頌〉正樂之意。而唐人〈陽關三疊〉，猶未離於詩也。迨後變為小詞，又變為元曲，則聲歌與詩，絕不相關矣，尚可以《尚書》之意求之乎？詩在今日，但可為文人遣興寫懷之作而已。漢人五言古詩，平淡高遠，而樂府則濃譎吞吐；意者樂府入歌喉，而古詩已是遣興寫懷之作也。古今事變不能窮究矣。」

(三)圍爐詩話　吳喬

1.問曰：「言情敘景若何？」答曰：「詩以道性情，無所謂景也。三百篇中之興『關關雎鳩』等，有似乎景，後人因以成煙雲月露之詞，景遂與情並言，而興義以微。然唐詩猶自有興，宋詩鮮焉。明之瞎盛唐，景尚不成，何況于興？」

2.問曰：「詩文之界如何？」答曰：「意豈有二？意同而所以用之者不同，是以詩文體製有異耳。文之詞達，詩之詞婉。書以道政事，故宜詞達；詩以道性情，故宜詞婉。意喻之米，飯與酒所同出。文喻之炊而為飯，詩喻之釀而為酒。文之措詞必副乎意，猶飯之不變米形，噉之則飽也。詩之措詞不必副乎意，猶酒之變盡米形，飲之則醉也。文為人事之實用，詔敕、書疏、案牘、記載、辨解，皆實用也。實則安可措詞不達，如飯之實用以養生盡年，不可矯揉而為糟也。詩為人事之虛用，永言、播樂，皆虛用也。賦而為〈清廟〉、〈執競〉稱先王之功德，奏之于廟則為頌；賦而為〈文王〉、〈大明〉稱先王之功德，奏之于朝則為雅。二者必有光美之詞，與文之摭拾者不同也。賦而為〈桑柔〉、〈瞻卬〉刺時王之秕政，亦必有哀惻隱諱之詞，與文之直陳者不同也。以其為歌為奏，自不當與文同故也。賦為直陳，猶不與文同，況比興乎？詩若直陳，〈凱風〉、〈小弁〉大詬父母矣。」

3.詩不越乎哀樂，境順則情樂，境逆則情哀。〈明良之歌〉，順而樂也，〈棫樸〉、〈旱麓〉其類也。〈五子之歌〉，逆而哀也，〈民勞〉、〈南山〉其類也。後世不關哀樂之詩，是為異物。

4.問曰：「唐詩六義如何？」答曰：「風、雅、頌各別，比、興、賦雜出乎其中。後世宗廟之樂章，古之頌也。三代之祖先，實有聖德，故不愧乎稱揚。漢已後之祖先，知為何人，樂章備禮而已，不足論也。求〈雅〉于杜詩，不可勝舉。而如王昌齡之『明堂坐天子，月朔朝諸侯。清樂動千門，皇風被九州』，韋應物之『身多疾病思田里，邑有流亡愧俸錢』，王建為田弘正所作之〈朝天詞〉，羅隱之『靜憐貴族謀身易，危覺文皇創業難』，皆〈二雅〉之遺意也。〈風〉與〈騷〉，則全唐之所自出，不可勝舉。『忽見陌頭楊柳色，悔教夫婿覓封侯』，興也。『夕陽無限好，只是近黃昏』，比也。『海日生殘夜，江春入舊年』，賦也。」

5.朱子盡去舊〈序〉，但據經文以為注，使《三百篇》盡出于賦乃可，安得據比興之詞以求遠古之事乎？宋人不知比興，小則為害于唐體，大則為害于《三百》。

6.大抵文章實做則有盡，虛做則無窮。〈雅〉、〈頌〉多賦，是實做；〈風〉、〈騷〉多比興，是虛做。唐詩多宗〈風〉、〈騷〉，所以靈妙。

7.梵偈四五七字為句而無韻，殊不礙讀，子瞻雜文多效之。詩入歌喉，故須有韻，韻乃其末務也。故三百篇叶者居多，〈菁菁者莪〉篇叶「儀」以就「莪」、「阿」，固可，叶「莪」、「阿」以就「儀」，亦無不可，于意無傷故也。詩宗《三百篇》，自當遵其用韻之法。漢至六朝，此意未失。休文四聲韻，小學《家言》，本不為詩，詩人亦不遵用。唐玄宗時，孫愐始就陸法言之《切韻》以為《唐韻》。肅宗時以此為取士之式，詩從此受桎梏。元、白作步韻詩，直是葅醢。或曰古體可用古韻，唐體當用唐韻。夫然則唐體別自為詩，不宗三百耶？古人多有韻，韻又皆叶用，毛晃誤以為古人實有是讀而作《古韻》，何異于袞衣玉食之世，論茹毛飲血事耶？

8.古人作詩，不惟不拘韻，并不拘四聲，宜平則仄讀為平，宜仄則平讀為仄，觀「望」、「忘」二字可見。《三百》至晉、宋皆然，故不言聲病。休文作四聲韻，而聲病之說起焉。可知聲病雖王元長等所立，而實因乎沈氏之四聲矣。梁武帝不許四聲，詩中高見。

9.問曰：「如《尚書》所言，則詩乃樂之根本也。後世樂用曲子，則詩不關樂事乎？」答曰：「古今之變，更僕難詳。聖人以〈雅〉、〈頌〉正樂，則知《三百篇》無一不歌。秦火之後，樂失而詩存，太常主聲歌，經生主意義，聖人之道離矣。而唐時律詩絕句，皆入歌喉；及變為詩餘，則所歌者詩餘，而詩不可歌。故陳彭年〈送申國長公主為尼〉七律，人以詩餘〈鷓鴣天〉之調歌之；子瞻〈中秋〉七絕，山谷以詩餘〈小秦王〉之調歌之，是其證也。元曲出而詩餘亦不入歌喉矣。《尚書》之言，難可通于今也。《三百篇》中，〈清廟〉、〈文王〉等專為樂而作詩，〈關雎〉〈鹿鳴〉等先有詩而後入于樂。」

10.問曰：「唐體于何而始？」答曰：「凡事無始，有始乃邪說也，僅可如《春秋》之託始于隱公耳。唐體托始于古詩，古詩托始于《三百篇》，《三百篇》託始于〈五子〉、〈喜起〉，此前之託于緯書史子者，不敢據言也。……」

11.馮定遠云：「《文選》詞賦始于屈、宋，歌詩起于荊軻〈易水之歌〉，權輿于姬、孔已後，于理為得。近代詩選必自上古，年紀綿邈，真贋相雜，或不雅馴。又書傳引逸詩，多不過三四句，皆非全篇。《三百五篇》既是仲尼所定，又不應掇聖人之所棄者以炫人。余嘗與程孟陽言詩，謂其『如狗之拾骨』，非戲言也。詩至屈、宋，變為詞賦。《漢書・經籍志》不載五言。五言盛于建安，陳思王為之冠冕，潘、陸以下，無能與並者。子美言『詩看子建親』，故蘇子瞻云：『詩至子美，一變也。』元和、長慶以後，元、白、韓、孟嗣出，杜詩始大行，後無出其範圍者矣。今之論詩者，但當祖述子建，憲章少陵，古今之變，于斯盡矣。詩、騷以前，可勿問也。」（按：《漢書・經籍志》，當是〈藝文志〉）

12.又云：「古人文章，自有阡陌。湯之盤銘、孔子之誄，其體古矣。而《三百五篇》都無銘誄之文，故知孔子不以為詩也。元微之云：『賦、頌、銘、贊，有韻之文，體自相涉，謂之詩則不可。』近世馮惟訥撰《詩紀》，盡收古逸之銘誄等句，何歟？詩，言志者也。《易林》止論陰陽，王司寇欲以《易林》為詩，何歟？」

13.詩不可以言求，當觀其意。譏刺是人，不言其所為之惡，而言其爵位之尊、車服之美，而民疾之，以見其不堪，「君子偕老，副笄六珈」，「赫赫師尹，民具爾瞻」是也。頌美是人，不言其所為之善，而言其容貌之盛、冠服之華，而民安之，以見其無愧，「緇衣之宜兮」「服其命服」是也。喬謂漢、唐為黃河，《三百篇》為星宿海。（以上卷一。按：此語隱襲《詩人玉屑》卷六古詩之意條。）

14.作四字詩多受束于《三百篇》句法，不受束者惟曹孟德耳。《太平廣記》載劉諷宿山驛，月明，有數女子自屋後出，命酌庭中，歌曰：「明月清風，良宵會同。星河易翻，歡娛不終。綠尊翠杓，為君斟酌。今夕不飲，何時歡樂？」山谷、子瞻謂為鬼中子建。又有一篇云：「玉戶金缸，願陪君王。邯鄲宮中，金石絲簧。鄭女衛姬，左右成行。紈綺繽紛，翠眉紅粧。王歡瞻盼，為王歌舞。願得君歡，長無災苦。」子瞻謂「邯鄲宮中，金石絲簧」二句，不惟人不能作，知之者亦極難得。誠然誠然。孟德英雄、此女貴姬，各言其實境，不受束縛耳。（卷二）

15.或問曰：「初盛中晚之界如何？」答曰：「商、周、魯之詩同在〈頌〉，文王、厲王之詩同在〈大雅〉，閔管、蔡之〈常棣〉與刺幽王之〈旻〉、〈宛〉同在〈小雅〉，述后稷、公劉之〈豳風〉與刺衛宣、鄭莊之篇同在〈國風〉，不分時世，惟夫意之無邪、詞之溫柔敦厚而已。如是以論唐詩，則初、盛、中、晚，宋人皮毛之見耳。不惟唐人選唐詩，不分人之前後，即宋、元人所選，亦不定也。自《品彙》嚴作初、盛、中、晚之界限，又立正始、正宗以至旁流、餘響諸名目，但論聲調，不問神意，而唐詩因以大晦矣。」（卷三）

(四)茗香詩論　宋大樽

1.詩之緣起，見於毛公說《詩》、紫陽夫子詩序。知詩之何為而作，與上之所以為教，則知不徒在作詩，亦不可徒作詩，且盍誦詩乎？即以辭章論，古無踰於《三百者》，以人論，〈二南〉親被文王之化以成德，作雅頌者，往往聖人之徒，人之足重，無踰於此者；曾經聖裁，刪本之善，無踰於此者；章句訓詁皆大儒注釋之，精詳無踰於此者；童而習之，習熟亦無踰於此者。

2.李仙、杜聖固已。李則曰：「我志在刪述，垂輝映千春。」杜則曰：「別裁偽體親風雅。」遐哉邈矣！學語仙聖語，當思仙聖胸中何所有。有仙聖胸中所有，稱心而言，不已足乎？明道夫子曰：「〈周南〉、〈召南〉如乾、坤，聖人且訓伯魚為之。」於虖！第誦之，仰而見光，俯而見土，以遊以嬉，樂莫大焉。

3.《易》取象、《詩》譎諫，猶之寓言也。但取象如《詩》之有比，譎諫則不必於象。第以經解經，有離合矣，固而求之風人，其傖父乎？

4.太白有云：「將復古道，非我而誰！」古道必何如而復也？《三百》後有〈補亡〉，〈離騷〉後有〈廣騷〉、〈反騷〉、〈蘇李贈答〉、〈古詩十九首〉，樂府後有雜擬，非復古也，勦說雷同也。《三百》後有《離騷》，《離騷》後有蘇李贈答、古詩十九首，蘇李贈答、古詩十九首外有樂府，後有「建安體」，有嗣宗〈詠懷詩〉，有陶詩，陶詩後有李、杜，乃復古也，擬議以成其變化也。或且患其流而塞其源，病其末而刈其本，蒙竊惑焉。夫古道何為其不可復也？

5.或問：「詩至靖節，色香臭味俱無，然乎？」曰：「非也，此色香臭味之難可盡者，以極澹不易見耳。太平之世，風不鳴條，雨不破塊，雷不驚人，電不眩目，霧不塞望，雪不封條，陰陽和也。和氣之流，必有色香臭味。雲則五色而為慶，三色而成矞。露則結味而成甘，結潤而成膏。人養天和，其色香臭味亦發於自然。有《三百》之和，則有《三百》之色香臭味。有靖節之和，則有靖節之色香臭味。」

6.前人謂孔氏之門如有詩，則公幹升堂，思王入室，景陽、潘、陸，自可坐於廊廡之間。噫！是何言也？以漢之樂府古歌辭升堂，〈十九〉首入室，廊廡之間坐陶、杜，庶幾得之。

7.漢詩之於〈二南〉，猶春秋時之魯；魏猶齊；陶詩猶漢之文帝，雖不用成周禮樂，尚時時有其遺意。

8.遊山水無本，雖模山範水，道不存焉。陶貞白〈尋山誌〉曰：「倦世情之易撓，迺杖策而尋山。」得志者忘形，遺形者神存。元雖遠其必存，累無大而不忘。物我之情雖均，因以濟吾之所尚也。謂萬感其已會，亦千念而必諧；反無形於寂寞，長超忽乎塵埃。既靜且壽，貞白似之。康樂雖有冥會，顧身為車騎將軍之孫，襲封爵，宋受禪復仕。則「倦世情之易撓」者無之，已不及貞白之靜；其不免於見法也，則「反無形於寂寞，長超忽乎塵埃」者無之，亦自賊其壽矣。淵明田園詩之佳，佳於其人之有高趣也。使淵明遊山賦詩，不知又當何如？至宋之詩人，無踰康樂者，遂與陶並稱，幸矣！若董江都〈山川頌〉，尤獨見其大者。蓋貞白綜析無形者也，江都包括無外者也。〈考槃〉之詩曰：「碩人之軸」。言卷而懷之也，山居之本也。

9.宜言飲酒者莫如詩。飲，詩人之通趣矣，奈參迹者殊多焉。〈七月〉言酒者二，惟用之於親親尊上而已，此飲之聖乎？靖節嗜飲，曰：「有酒斟酌之。」又曰「但恨多謬誤，君當恕醉人。」昭明所稱「情不在於眾事，據眾事以忘情」者也。其飲之中行乎！太白則曰：「古來聖賢俱寂寞，惟有飲者留其名。」放已太甚，殆飲之狂乎！劉、阮昏酣，雖曰有託而逃，然乖名教者大矣。何曾責阮籍曰：「卿縱情背禮，敗俗之人。」曾之責，眾皆醉而我獨醒者也。顏延之稱劉伶非荒宴；庾信論其未飲酒反無真氣。二子蓋餔其糟而歠其釃者也。然則太白猶古之狂也肆，劉、阮則今之狂也蕩乎！〈抑〉之戒曰：『三爵不識，矧敢多又？』殆飲之猖乎！嗣宗所云「委曲周旋儀，姿態愁我腸」者，其中或有飲之鄉愿乎！山簡為征南將軍，出鎮襄陽。於時朝野危懼，簡惟優游卒歲，惟酒是躭，乃下愚不移者矣！

10.曲寫閨怨，如水益深、如火益熱，非教也。「我心匪石」，性不可改。「不能奮飛」，義不可去。「實命不猶」，命又不可挽。〈蝃蝀〉止奔曰：「不知命也。」知命若此，不知命若彼。千古英雄失足，豈不以此哉？

(五)詩辯坻　毛先舒

1.詩學流派，各有顓家，要其鼻祖，歸源〈風〉、〈雅〉。〈風〉、〈雅〉所衍，流別已夥，舉其巨族，厥有三支：一曰詩，二曰騷辭，三曰樂府。〈離騷〉興于戰國，其聲純楚，哀誹淫泆，類出〈小雅〉；而詳其堂構，不近詩篇，雖瓜瓞于古經，蓋別子而稱祖者也。後遂寖變為賦，又其流矣。樂府興于漢孝武皇帝，曲可弦歌，調諧笙磬，〈練日〉奏于郊禋，〈鷺茄〉謳于玉帳。蓋以商、周雅、頌歌法失傳，故遣嚴、馬之徒維新厥製，已而才人辭士，下逮于閭巷閨襜，咸各有作，颷流濫焉。「昔有霍家奴」，雅留曲閡，「相逢狹路間」，燕女溺志，稾酌四詩，情亡不有。魏、晉相承，體緒頗雜，而並隸樂府，莫之或變。然周、秦歌謠及〈鴻鵠〉、〈騅逝〉諸作，併采入樂苑者，以類相景附云耳。至于唐世樂府，絕句為多，而章句俳齊，稍同文侯恐臥之響，故填詞出焉。爾時但有小令，聽者苦盡，故宋人之慢調出焉。慢調者，長調也。

金人欲易南腔為北唱，故小變詞法，而弦索調出焉。然弦索調在填詞為長，在曲又嫌其短，故元人之套數出焉。元曲偏北而不嫺南唱，故明興，則引信宋詞，拗旋元嗓，參伍二製，折衷九宮，而今南曲出焉。故漢初已彰樂府，六朝稍演絕句，唐世肇詞，宋時未亡而金已度北曲，元未亡而已見南曲。要皆萌芽，各入其昭代而始極盛耳。斯則樂府之統系，是《三百篇》之支庶也。若夫古詩，大約以五言為準。何者？後代四言，率多窘縛，附庸三古，難起一宗。五言，西漢則〈十九〉、〈河梁〉，東京則伯喈、平子，建安則子建、仲宣，魏晉則阮、陸、陶、謝，六代翩翩儁儷之風，四唐英英律絕之製。又既趨近體，則七言兼著。故其物章比興，辭班麗則，調務淵雅，旨放清穆，蕩樂府之詼褻，閑騷人之怨亂者，其惟詩乎？若乃詩有變風雅，而端木氏又別小大正續傳。予謂騷辭樂府，大約得于變傳為多，而詩人有作，必貴緣夫〈二南〉、〈正雅〉、〈三頌〉之遺風，無邪精義，美萃于斯。是則六義之冢嫡，元音之大宗也。（原系篇）

2.世目情語為傷雅，動矜高蒼，此殆非真曉者。若〈閒情〉一賦，見擯昭明；「十五王昌」，取呵北海。聲響之徒，借為辭柄，總是未徹〈風〉、〈騷〉源委耳。

3.古今談詩家，其持論大有三弊，而世鮮覺悟，其失往往雷聲，余當辯之。其一則以作詩必有合於古之六義，斯言似矣。然風、雅、頌固是分體，不必詳論。以賦、比、興言之，此三者是詩人之志。蓋即婦人童兒發口矢辭，非直陳事，即婉轉附物，或因感抒述，三者之內，必有攸當。是凡詩中，自有此三義，非謂具此三義而後為詩成也。譬諸樂然，有五音耳，任舉陶瓦叩之，弦索彈之，亦必中宮羽之一音，豈謂不為琯器者便無音耶？自謂詩備六義，然後為佳，而牽拘膠盭，不勝其敝，但有櫛比，無復神來。又或以莊辭為備六義，殆又不然。夫古人作詩，取在興象，男女以寓忠愛，怨誹無妨貞正，故〈國風〉可錄，而《離騷經》辭乃稱不淫不亂。《詩三百篇》，大抵言情為多，乃用《尚書》，〈禮運〉之義相繩，何其固耶？即以麗辭果流佚者，但可指為靡音，目為變聲，不可謂外於六義。何則？就其靡變，亦必固自有賦比興耳。自斯言出，而《楚辭》、樂府盡為外篇，而傅玄〈豔歌行〉為賢於〈陌上桑〉，李唐一代便當尸祝退之，然後晚唐衰宋之作，悉登高坐矣。此一弊也。

4.詩有賦比興，然三義初無定例。如〈關雎〉，毛傳、朱傳俱以為興。然取其摯而有別，即可謂比；取因所見感而作詩，即可為賦。必持一義，殊乖通識。唯〈小序〉但唱大指，義無偏即，詞致該簡，斯得之矣。

5.戴君恩《讀風臆評》云：「〈葛覃〉題伏章中，『為絺為綌』是也，卻退一步先寫中谷始生時景物。三章虛設歸寧一段，認為實境，便自味索。國君夫人歸寧，亦何至浣洗煩悶若里媼耶！」

6.韓文注謂〈兔罝〉、〈魚麗〉隔句用韻，然愚以為恐屬偶爾。

7.〈漢廣〉：「不可休息。」「息」字當是「思」字之誤。

8.〈采蘋〉，戴君恩云：「前連用五『于以』字，奔放迅快莫可遏，末忽接『誰其尸之，有齊季女』，萬壑飛流，突然一注。」又云：「詩本美季女，俗筆定從季女賦起。且敘事絮絮詳悉，至點季女，只二語便了，尤奇。」

9.戴云：「〈行露〉妙于用反。」又云：「首章如游魚啣鉤而出淵，二三如翰鳥披雲而下墜。」

10.〈邶·柏舟〉二章，先言心不可轉，次及容止，見非徒內志方嚴，即貌亦未嘗有失色失笑之嫌，即從朱氏作婦人解，亦佳。

11.〈燕燕〉，戴云：「一二三都虛敘，四纔實點，亦是倒法，與〈采蘋〉略同。」

12.子美詩：「別離已昨日，因見古人情。」是因我而獲古人之心，自〈綠衣〉篇末句化出，而稍變其意，意味便長。

13.〈凱風〉，鍾惺伯敬云：「『棘心』、『棘薪』，易一字而意各入妙，用筆之工若此。」

14.（毛）先舒以首章「南」、「心」相叶，「夭」、「勞」相叶，次章「南」、「善」不韻，「薪」、「人」相叶，用韻之變若此。

15.〈谷風〉「送畿」正當與「唾井」對，一厚一薄，而三章反以涇自比，以渭比新，可謂怨而不妬。

16.〈泉水〉，戴云：「『有懷于衛』，詩之題也，下但藉以寫其極思。蜃樓海市，出有入無，詩人用虛之妙。」

17.〈君子偕老〉，鍾惺云：「後二章只反覆嘆咏其美，更不補不淑，古人文章含蓄映帶之妙。」

18.「玼兮玼兮」三章，寫美人驚艷，便是宋玉〈二招〉之祖，而中通兩句為一處，七字成韻，法亦相類也。

19.「氓之蚩蚩」中著「桑未落」、「桑落」兩段，妙有吞吐之趣。若首章後徑接「三歲為婦」，便率直乏態矣。

20.〈王·揚之水〉，孫鑛文融云：「本怨戍申，卻不戍申為辭，何其婉妙！」

21.「載獫歇獢」，鳳州謂其太拙，月峰賞其饒態。然〈禹貢〉「惟箘簵楛」，〈招魂〉「倚沼畦瀛」，句政相類，自是古人恆調，不足致譏，亦無庸深嘆。

22.〈蒹葭〉，華亭陳臥子先生云：「此秦人思周之詩。」

23.〈棠棣〉，俗筆必先從和樂敘至急難，便乏味。又宋蘇子美〈報韓持國書〉，引「詩曰：『凡今之人，莫如兄弟。』兄弟以恩，急難必相拯救。後章曰：『喪亂既平，既安且寧。雖有兄弟，不如友生。』謂朋友尚義，安寧之時，以禮義相琢磨。」亦詩之別解也。

24.〈天保〉，鍾云：「九『如』字筆端鼓舞，奇妙。」先舒案：九如句法長短參差，極錯綜之妙，而中更著「吉蠲」、「神弔」兩章，尤見篇法變化。

25.「五日為期，六日不詹」，鄭箋謂是五月之日，六月之日，此頗近理。若止差一日，何詎極思？〈豳風〉「一之日」、「二之日」，亦是隔月敘也。

26.〈采綠〉後二章，上雙言狩釣，下只承釣，是古文不拘處。後代詩人亦用此法，如杜詩「學業醇儒富，詞華哲匠能」，下云「筆飛鸞聳立。章罷鳳騫騰」，亦單承次句耳。

27.〈文王〉七章，語相承而下，便是陳思〈白馬〉、靈運〈酬弟〉所祖。唐初歌行，猶存遺法，如「長安大道連狹斜」等篇是也。

28.〈大明〉頌二母而未及尚父，邑姜已在其中。蓋芝本醴源，文詞之妙，所謂意到而筆不到耳。

29.〈思齊〉本頌文王，卻及其祖母與母及妻耳。然妙在先出太任，逆及太姜，凡手當從祖母順敘下，無復詞致。

30.〈皇矣〉，孫云：「長篇繁敘，卻有精語為之骨，有濃語為之色。」又云：「首章是走勢，故次章用緩排語承之，一直一橫，正是節奏。」

31.「無矢我陵」四句，未能有其物而皆已為我有矣。此四語似是文王誓師之詞，不無稍加夸大，如後世檄敵者然。

32.「俾晝作夜」，不曰「俾夜作晝」，造語妙甚。此與「綢直如髮」同，非倒句也，乃倒意也。〈檀弓〉：「喪冠之反吉，非古。」句意亦同，古文多有之。唐李賀有〈夜飲朝眠曲〉，或時君有是事，故云爾耶？

33.「人有土田」章，四「之」字為語詞，當以「有」、「收」相叶，「奪」、「說」相叶，迺是隔句韻也。

34.「哲婦傾城」，李延年歌「一顧傾人城」出此，便渾然是漢歌謠語。此以為刺而彼以為勸，殆不侔耳。

35.孫云：「〈振鷺〉，《毛傳》作興，若『亦有斯容』，則又是比，益見賦比興之無定在也。」

36.鍾云：「〈載芟〉前半寫田家景象，有讓畔爭席之意，後忽說向宗廟朝廷，作大文字，筆端變化如此。〈豳風〉亦然，而體裁不同。」

37.〈魯頌〉，史克所作，而班固〈兩都賦序〉：「皋陶歌虞，奚斯頌魯」，王延壽〈靈光殿賦〉：「奚斯頌僖，歌其路寢」，二公皆誤。蓋以〈閟宮〉詩云「新廟奕奕，奚斯所作」故耳。奚斯但作廟，非作頌也。

38.〈閟宮〉祝僖公，乃云「萬有千歲」，猶古人臣子皆得稱朕，崇卑之勢不甚懸隔，故臨文不忌如此。

39.《列女傳》載莊姜始往齊，淫泆冶容，傅母乃作〈碩人〉之詩。予謂莊姜賢女而為是，豈有德耀之心，先衣綺傅粉以觀夫子之志耶！然觀「膚如凝脂」等語，作傅母所賦，似為得之。

40.「穀則異室，死則同穴」，《列女傳》謂息夫人之所作，夫人與息君遂同日俱死。詩解既別，而事亦與《左傳》小異。（以上卷一）

41.情語肇允，故原《三百》，大抵雍、歧篤貞，淇、洧煽淫，二者之中，仍判悰苦。〈氓〉蚩啟「唾井」之源，〈綠衣〉開宮詞之始，此哀之緒也。漢宮蹋臂，徵于「荇菜」，楊方〈同聲〉，亦本「弋雁」，此愉之端也。就茲二情，復有二體。其一專模情至，不假粉澤，搖魂洞魄，句短情多，始于「束薪」、「芍藥」，衍于〈九歌〉，暢于清商，至填詞而極，此一派也。其一則鋪張衣被，刻畫眉頰，藻文雕句，寓志于辭，則始于〈碩人〉、〈偕老〉，靡于〈二招〉，流于〈白紵〉，至元曲而極，此一派也。李唐作者，不一其途，最者右丞聯會真之韻，協律奏〈惱公〉之曲，檢校開西崑之製，承旨發無題之咏。飈流符會，餘弄未湮，故格有穠穢，旨有正變。識乖揚搉，概云擯于大雅，則無乃拙目之嗤歟！（情語篇）

42.十三覃韻古詩少見，梁吳孜〈春閨怨〉用之。觀毛詩「節彼南山」首章，又「亂之初生，僭始既涵；亂之又生，君子信讒」，又「泰山巖巖，魯邦所詹」，知覃、鹽、咸三韻古蓋通用矣。（以上卷二）

43.詩者，溫柔敦厚之善物也。故美多顯頌，刺多微文，涕泣關弓，情非獲已。然亦每相遷避，語不署名。至若亂國迷民，如「太師」、「皇父」之屬，方直斥不諱。斯蓋情同痛哭，事類彈文，君父攸關，斷難曲筆矣。而《詩》猶曰：「伊誰云從，惟暴之云。」又曰：「凡百君子，敬而聽之。」其辭之不為迫遽，蓋如斯也。後之君子，喜招人過，每相摭拾以資輸寫。夫朋友之道，本以義合者也，小瑕宜合好而掩惡，大過宜忠告而善道，至不獲已，則徐引而退耳。今乃小垢宿愆，動見抵巇，深辭巧詆，務盈篇牘，不卹彼恤，蘄竭我才。約而數之，戾十有七：古人所糾，必務其大，乃有義不繫于君親，事不交乎邦國，可以略置忘言，而得已不已。其戾一也。人非齊聖，孰無過端？閭巷之人，正復多摘，徒以交罕載筆，無與錄之耳。屬為文士，宜有同聲，而小露痕瑕，輒被鉛槧，文章所播，疾於置郵。於是帷牆既隱而郡邑交談，夙昔可磨而千古莫洗，是則君子之有朋，不如閭巷之無友。其戾二也。偶爾寄托，聊復鋪張。盈盈非蕩，生見呵于《拾遺》，〈封禪〉非諛，死受嗤于和靖。原厥初情，未如所刺，吹索之後，方將見瑕。其戾三也。又若衍歸往昔，德已更新，咒逝水以求廻，吹宿灰而成焰，將令日月一蝕，永絕還輝，使夫人而君子則非以諱賢，使夫人而小人則重之放棄。其戾四也。又或生有密交，死無血胤，賴子一瞑，托我千秋，爾乃未闡幽光，更搜隱痏。夫交密則無微弗識，胤絕則莫與致爭，九原可作，其能瞑乎？其戾五也。骨肉天性，倫極人彝，稍中乖嫌，未淪恩紀。記云：「師無當于五服，五服弗得不親。」則默斡潛調，職在朋友。乃有形諸謠詠，洗發詞篇，或為下而訕上，或代彼而非此。夫隱諸心者，發口為成言；隱諸事者，入文為成案。

是以未經藻思，情在纏綿茹吐之間；一奉評題，便有弦絕雨墜之勢。其戾六也。等斯而上，益有難言。夫懷罪引慝，昔人之明規；思古無訧，臣子之正訓。又況遇非正則，寃異〈小弁〉，訕父兄以為名，斥乘輿而見直，一唱群和，號稱孤憤，險情悖節，孰甚于斯？其戾七也。……（以上卷三）

44.詩作七古，宜從唐人詩韻，乃為無弊。五古須論體裁風雅，宜用先秦韻，漢、魏稍密，晉、宋漸近于唐韻矣。倘于韻學未能精，只以唐韻行之為妥。如古詩〈關雎〉首章，〈皇皇者華〉第五章，〈天保〉九如兩章，漢詩「今日良宴會」、「攜手上河梁」、「骨肉緣枝葉」等篇，亦符唐韻。下此益復可知，無所譏駁。倘不知古韻離合而妄通之，必為識者所笑。

45.《選》體蘊藉方雅，須源于《毛詩》而出之。歌行宕往奇變，須源于《楚辭》而出之。

46.王、李之弊，流為癡肥，鍾、譚剋藥欲砭一時之疾，不虞久服更成中痟耳。又其材識本嵬瑣，故不能云救，每變愈下。今之為二氏左右袒者，不足深辯。但令從《毛詩》、《楚辭》、《樂苑》、《文選》、三唐正變探泝已熟，然後陳宋、元、明人之詩而上下之，則瑯琊、竟陵之病，當如見垣一方，墨守輸攻，舉可廢耳。

47.〈雖有絲麻〉及〈君子有酒〉二詩，鍾云：「孔子刪詩不入《三百篇》者，非必盡以詞理佳惡為去取，亦有單詞錯簡不能成篇者，存此二條以志凡。」

48.〈房中歌〉，鍾云：「無〈雅〉、〈頌〉之和大，亦無漢以下之膚近，質奧幻杳，自為一音，在四詩為雜霸，在漢以來為正始。」

49.鍾云：「《三百篇》後，四言之法有二：韋孟〈諷諫〉，其氣和，去《三百篇》近而有近之離；魏武〈短歌〉，其調高，去《三百篇》遠而有遠之合。後世作者，各領一派。」

50.《易林》：「敝荀在梁，魴逸不禁。」鍾云：「《詩》：『敝笱在梁，其魚魴鱮。』更不說『魴逸』而意已了，此《三百篇》、漢人之別。」（以上卷四）

51.書成，以示客金子。金子嘆曰：「美矣備矣，理覈而暢，旨微而顯，語簡而賅，辭修而雅，可以裒群淆、掩先哲矣。抑予微欲為子推之也，古詩多言理，而頌為尤；後多敘情事，述風景，而理則概乎未聞，將毋四詩之緒獨頌廢耶！且宋詩多理學，宜可繼頌，而今酷病之，何歟？」予曰：「後世未嘗無頌也，調不侔耳。漢〈唐山歌〉，肅穆深永，〈練時日〉諸篇，陟降彷彿，皆頌之遺也。魏、晉而下，以逮于唐，郊祀祀先，多有製作，雖不逮古，而盛德形容之意亦可以見；至於奉詔應制之篇，陪祀升壇之作，亦多應義理，典誥同風，是古頌之音失傳而頌之義無廢也。宋詩俚露，不但言理，即敘事述情，往往而是，故不得謂漢後無頌而獨以宋繼頌耳。以為漢後人談理終不及古，則誠然。然文緣世降，亦不獨頌之不逮古耳。」曰：「論詩者多尚含蓄、惡訐露，然〈鶉奔〉、〈相鼠〉、〈巧言〉、〈巷伯〉以及〈板〉、〈蕩〉之篇，其指何絞而辭何迫，夫非三百之遺音耶？」曰：「是誠然已，抑予所論者文也。古經之傳，豈能優劣！倘就文而論之，知必不以訐露為工也。『人之無良，我以為君』，何如『展如之人兮，邦之媛也』之婉而微矣。舉此一端，可觀其餘已。且予所論近體也，非古也。律絕之體，旨歸醞藉，《選》體之善，妙于腴雅，歌行樂府，亦稍縱矣。倘有人焉，涉子、頑之凶，丁厲、幽之亂，而發為四言，予又烏能禁其絞且迫焉？且予所論者又正也，非變也。若子所舉是變風雅也，正則亡是已。故《記》曰：『七介以相見，不然則已慤：三辭三讓而至，不然則已蹙。』故禮有儐詔、樂有相步，溫之至也。夫禮以坊淫主嚴，樂以導和主寬，而詩者樂之用也。主嚴者尚惡迫，而況導和之具，為樂之用者。是故含蓄者，詩之正也；訐露者，詩之變也。論者必衷夫正而後可通于變也。」（自序）

(六)春酒堂詩話　周容

1.家嚴常語容曰：「文公叶《詩經》諸韻，似亦有不必拘者。如『六月食鬱及薁，七月烹葵及菽』，『菽』叶『薁』也。『八月剝棗，十月穫稻』，『稻』與『棗』叶，轉韻矣，何必強『棗』為『走』，強『稻』為『徒苟反』也？『為此春酒，以介眉壽』，『酒』叶『壽』，又轉矣。又〈鹿鳴〉詩，何必叶『鳴』、『苹』、『笙』入七陽乎？一章兩韻，經中多有。」

2.又曰：「〈雅〉、〈頌〉稱什，猶軍法以十人為什也。此即是唐人律字之祖，律者亦猶軍之有律也。」

3.友人曰：「詩能窮人，信然乎？」曰：「予固聞詩能窮人，但衹見詩能通人耳。唐取士以詩，豈曰窮人？『江上峰青』，尤表表者；□『日暮漢宮』，特傳御批除官，千古豔之。若孟郊諸人，□原應爾，安得概以咎詩哉！」友人曰：「詩窮人，亦謂人於詩道進一分，輒於世俗人情退幾許，故窮也。」余曰：「《詩三百篇》，最於世俗世情留心關切，夫子奈何以之教人？所謂興觀群怨者，通之謂也。世之不詩以窮者多矣，將誰咎哉？」

4.思王〈贈白馬王彪〉一詩，忠厚悱惻，有韻之《三百篇》乎！

5.列國各有風，楚何以無風？曰：外之爾。夫外楚又何以列〈秦風〉？夫視遠者不能見形，聽遠者不能聞聲，其猶愚人之心也哉！何足以知之。自屈、宋以〈歌〉〈辨〉特張楚勁，於是乎有楚風。夫〈小戎〉〈板屋〉，是誠秦聲耳，如「蒹葭蒼蒼，白露為霜」，與楚風「目眇眇兮愁予」，又何異之有？

(七)詩筏　賀貽孫

1.〈東山〉篇，每章著「零雨其濛」四字，便爾悲涼。思家遇雨，別有一番無聊，不必終篇，已覺黯然魂銷矣。末後只描寫鸛鳴果實，蠨蛸熠燿，戶庭寥落，雨景慘澹而已，此外不贅一語，愈覺悲絕。《三百篇》中，有比興賦互用者，有賦事在前，比興在後者，皆以末後不註破為妙，不獨此詩也。及讀古詩〈十五從軍征〉篇：「兔從狗竇入，雉從梁上飛。中庭生旅穀，井上生旅葵」四句，寫景奇絕。雖「羹飯一時熟，不知貽阿誰」二語，註破太明，不如〈東山〉之渾妙，但漢末亂離光景，不嫌直露。倘自此便止，尚是一首極悲澹詩，只可惜又添「出門東向望，淚落沾我衣」十字，反覺全首味薄矣。此漢人所以不及《三百篇》也。

2.「晨風懷苦心，蟋蟀傷局促。」「苦心」、「局促」，著在「晨風」、「蟋蟀」，妙甚。蓋愁思之極，彼蟲鳥亦若代為心傷也。只如此看，語意自深。今之箋詩者，咸以「晨風」、「蟋蟀」為《毛詩》二篇，果爾，則淺薄無味，何以為古詩乎？陸士衡擬古云：「王鮪懷河岫，晨風思北林。」據此則「晨風」為鳥名無疑。然「思北林」語意索然，較之「懷苦心」三字，相去不獨逕庭，且天淵矣！

3.前輩有禁人用啞韻者，謂押韻要官樣，勿用啞韻，如四支與十四鹽皆啞韻，不可用也。而不知詩家妙處，全在押韻，押韻妙處，決不在官樣。果禁啞韻，則孔子訂詩，當預作四韻刪正，「燕婉」、「戚施」之句，必不列於〈風〉，而「昭假遲遲」，「式於九圍」，不列於〈頌〉矣。可為噴飯。

4.楊升庵譏少陵〈麗人行〉云：「詩刺淫亂，第曰『雝雝鳴雁，旭日始旦』而已，不必曰『慎莫近前丞相嗔』也。」蓋謂少陵無含蓄耳。王元美駁之云：「彼所稱者，興比耳。詩固有賦，以述情切事為快，不必盡含蓄也。」元美辨則辨矣，而未盡也。就「雝雝鳴雁」本章言之，雉鳴求其牡，非比興乎，何嘗含蓄？且鄭、衛刺淫，至於「期我桑中」、「車來賄遷」等語，皆無含蓄。姑不必盡舉，即如同一刺衛宣姜也，有直陳者，〈新臺〉之篇所云「燕婉之求，籧篨不殄」，〈牆茨〉之篇所云「中冓之言，不可道也」，〈鶉奔〉之篇所謂「人之無良，我以為君」是已。有隱諷者，〈君子偕老〉一篇，但述其象翟之盛、鬒髮之美、眉額之皙，至於「胡天胡帝」，而猶未已；且綴以「蒙彼縐絺，是紲袢也」，則并其褻衣之纖媚而形容之，而以「邦之媛也」四字結之。羨美中有憐惜慨歎，愛莫能助之意，略無一語及其淫亂。少陵〈麗人行〉，全從此詩得之。首贊其態濃意遠，肌理細膩，乃至頭上背後足下種種殊妙，富貴氣燄，無不動人，而「青鳥飛去銜紅巾」，則與「蒙彼縐絺」語同一生動矣。惟〈君子偕老〉篇首章微露「子之不淑」四字，而後章不復補綴。少陵則末語微露「慎莫近前丞相嗔」七字，而前此全不指破，手法微換耳。彼其意以為如此人、如此事，與其直指其穢，徒令人鄙，不若悉舉其美，乃令人恨也。從來美人失身、才子從逆，千古以後，供人唾罵，必甚於他人。如讀漢史至劉子駿陳符命、華子魚弒國后，每令人擲卷而起，以為在他人不足恨，以劉子駿、華子魚為之，則深可恨也。蓋以憐才慕色之誠，迫為嫉惡，其嫉惡更深，所以反覆歎美如此。其用意倍苦，而其刺淫倍刻矣。蓋嘲笑甚於罵詈，而憐惜尤甚於嘲笑也。吾方謂少陵含蓄太深，不為〈牆茨〉、〈新臺〉而為〈君子偕老〉，用修乃謂其不肯含蓄乎？若其所論《毛詩》舛謬處，則人人知之矣。

5.〈巷伯〉之卒章曰：「寺人孟子，作為此詩。」〈節南山〉之卒章曰：「家父作誦，以究王訩。」是刺人者不諱其名也。〈崧高〉之卒章曰：「吉甫作誦，穆如清風。」〈烝民〉之卒章曰：「吉甫作誦，其詩孔碩。」是美人者不諱其名也。三氏之民，直道而行，毀不避怒，譽不求喜，今則為匿名謠帖、連名德政碑矣。偶觸褊心，則醜語叢生，惟恐其知；忽焉搖尾，則諛詞泉湧，惟恐其不知也。至於贈答應酬，無非溢詞；慶問通贄，皆陳頌語。人心如此，安得有詩乎？獨唐人為之，尚能自占地步。如儲光羲〈張谷田舍〉詩云：「縣官清且倹，深谷有人家。一逕入寒竹，小橋穿野花。碓喧春磵滿，梯倚綠桑斜。自說年來稔，前村酒可賒。」此德政詩也，頌處在「自說年來稔」句，以野人語為「縣官清倹」之驗，卻從「深谷人家」內看出。野人、逕竹、橋花，幽雅恬熙，有花滿雉馴景象。五句見茨粱之豐，六句見蠶絲之富。前村賒酒，居然襦袴興歌，鳴琴在室矣。然其題是張谷田舍，其詩似一幅桃源圖，無一語及縣官，較李頎「寄書河上神明宰，羨爾城頭姑射山」語，更為蘊含矣。又子美〈遭田父泥飲美嚴中丞〉詩，遭田父泥飲與嚴中丞何干，發題便妙。詩云：「步屧隨春風，村村自花柳。田翁逼社日，邀我嘗春酒。酒酣誇新尹，畜眼未見有。回頭指大男，渠是弓弩手。名在飛騎籍，長番歲時久。前日放營農，辛苦救衰朽。差科死則已，誓不舉家走。今年大作社，拾遺能住否？叫婦開大缾，盆中為吾取。感此氣揚揚，須知風化首。語多雖雜亂，說尹終在口。朝來偶然出，自卯將及酉。久客惜人情，如何拒鄰叟。高聲索果栗，欲起時被肘。指揮過無禮，未覺村野醜。月出遮我留，仍嗔問升斗。」篇中政簡俗厖，家給戶饒景象，盡從田父口中寫出，卻將大男放營一事，點綴生動，前後形容，只一「真」字，別無奇特鋪張，而頌聲已溢如矣。既自占地步，又為中丞占地步，又為田父占地步。若在今人，不知如何醜態也。姑舉二詩，以例其餘。

(八)載酒園詩話　賀裳

1.夫興非流連花鳥、敘述情景止也。雖然，《三百篇》孤臣、獨子、羈臣、思婦之所為，而可識鳥獸草木之名，則流連以敘述，奚其病？顧「關關」、「交交」、「依依」、「灼灼」，以為興比，則有其義，以入詠焉，亦賦矣。無所為興與比，抑所為賦，止因詞摭事，非感事而攄詞，故於興比賦指微而體遠，風、雅、頌又可無置論。黃公賀先生家富書而少力學，又克深思以逆其志，故立言精而詳。詩話殆其餘事，要若已歷作者選者心腹腎腸，而有其獨得，且析之《三百篇》以取其衷。鍾嶸《詩品》瞠乎後，矧滄浪、

須溪而下。（序）

2.正人不宜作豔詩，然《毛詩》首篇即言河洲窈窕，固無妨于涉筆，但須照攝「樂而不淫」之義乃善耳。唐崔顥、崔國輔皆以豔詩名，司勳較司馬，則殊有蘊藉。如「愁來欲奏相思曲，抱得秦箏不忍彈」，尚是止乎禮義。至「時芳不待妾，玉珮無處誇。悔不盛年時，嫁與青樓家」。語雖工，未免激而傷雅。

3.王龍標「忽見陌頭楊柳色」，即「時芳不待妾」意也，妙在不說出。「悔教夫婿覓封侯」亦即此悔，但悔得稍正。

4.王適「已能憔悴今如此，更復含情一待君」，徐安期「不須面上渾粧卻，留著雙眉待畫人」，蔡環「但恐愁容不相識，為教恆著別時衣」，皆〈草蟲〉、〈杕杜〉之遺音，「飛蓬」、「曲局」之轉境也（黃白山評：「徐乃催粧詩，殊非此解」）。即劉希夷「願作輕羅著細腰，願為明鏡分嬌面」、徐安貞「曲成虛憶青蛾斂，調急遙憐玉指寒。銀鑰重關聽未闢，不如眠去夢中看」。（卷一，豔詩條）

5.古人餞別，如〈烝民〉、〈韓奕〉，皆因事贈言，辭不妄發。陳子昂〈送崔著作融從梁王東征〉曰：「王師非樂戰，之子慎佳兵」，為黷武之時言也。孫逖〈送李補闕充河西節度判官〉曰：「西戎雖獻款，上策恥和親」，為忘戰之時言也。唐詩送人之塞下者多矣，惟此二篇，緩私情、急公義，深合古意。（孫逖條）

6.人有一時負重名，既久而聲暫歇者，唐之蕭茂挺、宋之梅聖俞是也。詩文具在，不知當時何以傾動讋貊至此！蕭嘗謂「屈、宋雄壯而不能經，賈生近理，枚、馬瓌麗而不近〈風〉、〈雅〉。」然其〈江有楓〉、〈菊榮〉、〈涼雨〉、〈有竹〉諸篇，豈遂真〈風〉、〈雅〉乎！于《三百篇》雖具孫叔之衣冠，尚無優孟之抵

掌。然不特蕭也，元次山〈二風〉、〈演興〉諸詩，填塞奇字以擬〈騷〉，反成淺陋。文人好古嗜奇，固多蹈此轍。（蕭穎士條）

7.老杜五言律，善寫幽細之景。余尤喜其正大者，如「避人焚諫草，騎馬欲雞栖」，「明朝有封事，數問夜如何」，「受諫無今日，臨危憶古人」，「不過行儉德，盜賊本王臣」，「古來存老馬，不必取長途」，其堪羽翼〈風〉、〈雅〉。

8.《毛詩》無處不佳，予尤愛〈采薇〉、〈出車〉、〈杕杜〉三篇，一氣貫串，篇斷意聯，妙有次第。千載後得其遺意者，惟老杜〈出塞〉數詩。始章曰：「戚戚去故里，悠悠赴交河。公家有程期，亡命嬰禍羅。君已富土境，開邊一何多！棄絕父母恩，吞聲行負戈。」此應調之始，故但敘別離之恨，而「法重心駭，威尊命賤」之意，躍躍不禁自露。

9.「磨刀嗚咽水，水赤刃傷手。欲輕腸斷聲，心緒亂已久。丈夫誓許國，憤惋亦何有？功名圖麒麟，戰骨當速朽。」此即《毛詩》「憂心孔疚，我行不來」意，忠義激烈，勃然如生。

10.「送徒既有長，遠戍亦有身。生死向前去，不勞吏怒嗔。路逢相識人，附書與六親：哀哉兩決絕，不復同苦辛。」此句與首章末句意相似，但前是出門時言，猶感慨意多，此是因附書後再一決絕言之，直前不顧矣。且前止父母，此兼媚戚，文情之密，非複也。補出吏與相識人來，尤見周匝。「附書」下三句，亦暗與次章「骨肉恩豈斷」二語相應，又微反《毛詩》「我戍未定，靡使歸聘」意，妙于脫胎變化。

11.「驅馬天雨雪，軍行入高山。逕危抱寒石，指落層冰間。已去漢月遠，何時築城還？浮雲暮南征，可望不可攀。」「何時築城還」，非還家，乃還幕下，即主將屯軍處也。此是偏師遠役耳。此章言築城事，敘景處不僅本「載途雨雪」，兼從「漸漸之石」章來；末語更有〈揚水〉之痛。（以上杜甫條）

12.〈南澗〉詩從樂而說至憂，〈覺衰〉詩從憂而說至樂，其胸中鬱結則一也。柳子之答賀者，曰：「庸詎知吾之浩浩，非戚戚之尤者乎？」讀此文可解此詩。每見評者曰近陶，或曰達，余以〈山樞〉之答〈蟋蟀〉，猶謂其憂深音蹙，然即陶詩「今我不為樂，知有來歲否」意也。此更云死不足畏而且樂，其衷懷何如？如此說詩，正未夢見。

13.〈平淮〉、〈雅〉二篇，誠唐音之冠，柳子亦深自負，但終不可以入周詩。今舉其尤警者，如「我旆我旂，于道于陌。訓于群帥，拳勇來格。公曰徐之，無恃額額。式和爾容，惟義之宅。」「進次于鄖，彼昬卒狂。裒兇鞠頑，鋒蝟斧螗。赤子匍匐，厥父是亢。怒其萌芽，以悖太陽。」「皇曰咨愬，裕乃父功。昔我文祖，惟西平是庸。內誨于家，外刑于邦。孰是蔡人，而不率從。」「蔡人率止，惟西平有子。西平有子，惟我有臣。疇允大邦，俾惠我人。于廟告功，以顯萬方。」試較〈皇矣〉之「臨衝閑閑」，〈江漢〉之「釐爾圭瓚」，便覺古人風發而漪生，此有巧人織繡之恨。（以上柳宗元條）

14.〈秦中吟〉、〈喜雨詩〉、〈哭孔戡〉、〈宿紫閣村〉，皆樂天得意作。〈紫閣村〉尚有〈石壕吏〉遺意。〈秦中吟〉末篇「一叢深色花，十戶中人賦」，差可諷咏。餘皆骨弱體卑，語直意淺。雖欲以廣宸聽、副憂勤，而「言之無文，行之不遠」，去〈祈招〉之義遠矣。至如宣祖功宗德，固須明暢，然摛辭縱不必雕鏤，亦當深厚爾雅。〈七德舞〉云：「〈七德舞〉、〈七德歌〉，傳自武德至元和。元和小臣白居易，觀舞聽歌知樂意，曲終稽首陳其事：太宗十八舉義兵，白旄黃鉞定兩京，禽充戮竇四海清。二十有四功業成，二十有九即帝位，三十有五致太平。」輕率如此，何以奏之郊廟！退之〈元和聖德詩〉，體裁高渾，猶以其形容稍過，蘇子由遂謂「李斯頌秦所不忍言」，遽譏其陋，何況乃爾！吾讀白諷諭詩，每歎其有美意而無佳詞也。

15.樂天樂府不及文昌、仲初，可備採風者尚多。〈司天臺〉曰：「北辰微暗少光色，四星煌煌如火赤。耀芒動角射三台，上台半滅中台圻。是時非無太史官，眼見心知不敢言。明朝趨入明光殿，惟奏慶雲壽星見。」〈縛戎人〉云：「沒蕃被囚思漢土，歸漢被劫為蕃虜。早知如此悔歸來，兩地寧如一處苦？」〈杜陵叟〉曰：「三月無雨旱風起，麥苗不秀多黃死。九月降霜秋早寒，禾穗未熟皆青乾。長吏明知不申破，急斂暴徵求考課。典桑賣地納官租，明年衣食將何如？」又云：「不知何人奏皇帝，帝心惻隱知人弊。白麻紙上書德音，京畿盡放今年稅。昨日里胥方到門，手持尺牒榜鄉村。十家租稅九家畢，虛受吾君蠲免恩。」〈賣炭翁〉曰：「可憐身上衣正單，心憂炭賤願天寒。夜來城外一尺雪，曉駕炭車輾冰轍。牛困人饑日已高，市南門外泥中歇。翩翩兩騎來是誰，黃衣使者白衫兒。手把文書口稱敕，迴車叱牛牽向北。一車炭重千餘斤，官使驅將惜不得。半疋紅紗一丈綾，繫向牛頭充炭直。」〈陵園妾〉曰：「山宮一閉無開日，此身未死不令出。松門到曉月徘徊，柏城盡日風蕭瑟。」如此種詩，不惟悉一時蠹弊，兼可作後世之前車。吾獨怪姚鉉選《唐文粹》，至盡屏近體不錄，固將備一代之風謠，繼千秋之〈騷〉、〈雅〉，乃棄此不收，而取其「紫綬朱衣青布衫，顏色不同而已矣。別有一事欲勸君，遇酒逢花且歡喜」，心眼真不復可思！（以上白居易條）（以上均見又編）

(九)蠖齋詩話　施閏章

山谷言：「近世少年不肯深治經史，徒取助詩，故致遠則泥。」此最為詩人鍼砭。詩如其人，不可不慎。浮華者浪子，叫噭者麤人；窘瘠者淺；痴肥者俗。風雲月露，鋪張滿眼，識者見之，直是一葉空紙耳。故曰：君子以言有物。……「江之永矣」四句，只咏嘆江、漢，而文王化行南國，許多難言處含蘊略盡。漢、魏、六朝以來，詩人多用景語，是其遺意。純用賦而無比興，則索然矣。（詩有本條）

(十)師友詩傳錄　郎廷槐

1.問：「《詩》迄於周，〈離騷〉迄於楚，是後詩之流為二十四名：賦、頌、銘、贊、文、誄、箴、詩、行、詠、吟、題、怨、歎、章、篇、操、引、謠、謳、歌、曲、詞、調是也。三唐諸人，各臻其妙。敢問得六義之餘者誰乎？」

阮亭答：「唐、虞有〈喜起〉、〈復旦〉之歌；夏有『岣嶁』『玉牒』等碑辭洎〈五子〉之歌；商有名〈頌〉五篇，則詩固不昉於周也。〈離騷〉之原，若〈匪風〉、〈月出〉之屬，已駸駸乎有騷人之致矣。特〈九歌〉、〈九章〉、〈九辯〉之作，乃大盛於屈、宋師弟子，為後世作賦家大宗，而〈九歌〉亦在詩賦之間，至〈九章〉乃純乎賦。後世詩體之雜流，亦不止二十四名，其中賦、頌、銘、贊、文、誄、箴，則皆文之流也。詩、行、吟、詠以下，乃皆詩之別派餘波耳。凡此雜題，漢、魏、六代，類多工妙，唐人終當遜之。若夫得六義之餘者，如禪家皮骨肉髓，各得其所得，不勝舉也。」

2.問：「昔人云，詩貫六義，諷喻抑揚，停蓄淵雅，皆在其中。至直著所得，以格自奇，前人並不專工於此。是耶非耶？」

阮亭答：「詩有六義：一曰風，二曰賦，三曰雅，四曰頌，五曰比，六曰興。夫六義之序，以賦次風者，何也？元晏先生所云：賦也者，因物造端，敷弘而體理也。引而申之，故文必極美；觸類而長之，故辭必盡麗。是賦者古詩之流也。雅頌之則，於是乎托；比興之音，於是乎儷。故諷喻抑揚之音以寓，涵蓄淵停之義以存，是真風雅之正則也。流極其後，綴文之士，不率典言，並務恢張其辭，博誕絕類。大者罩天地之表，細者入纖毫之內。祖搆之士，雷同附和，罔知所終。至杜少陵乃大懲厥弊，以雄辭直寫時事，以創格而紓鴻文，而新體立焉。較之白太傅〈諷喻詩〉、〈秦中吟〉之屬，及王建、張籍新樂府，倍覺高渾典厚，蒼涼悲壯。此正一主於賦，而兼比興之旨也。以貫六義，無遺憾矣。」

3.問「昔人云：辨乎味，始可以言詩。敢問詩之味，從何以辨？」

阮亭答：「詩有正味焉。太羹元酒，陶匏繭栗，詩《三百篇》是也；加籩折俎，九獻終筵，漢、魏是也；庖丁鼓刀，易牙烹敖，熚薪揚芳，朵頤盡美，六朝諸人是也；再進而肴蒸鹽虎，前有橫吹，後有侑幣，賓主道饜，大禮以成，初盛唐人是也；更進則施舌瑤柱，龍鮓牛魚，熊掌豹胎，猩唇駝峯，雜然並進，膠牙螯吻，毒口鳌腸，如「中」、「晚」、玉川、昌谷、玉溪諸君是也；又進而正獻既徹，雜肴錯進，芭糝藜羹，薇蕨蓬藟，矜鮮鬭異，則宋、元是也。又其終而社酒野筵，妄擬堂庖，粗胾大肉，自名禁臠，則明人是也。……」

(十一)古歡堂集雜著　田雯

1.讀卜商〈毛詩序〉，知古今來文章之大，莫善於《詩》。

2.鼓吹曲辭，歌謠雜體，五色相宣，八音協暢，詩家所必采也。四言自曹氏父子、王仲宣、陸士衡諸人後，唯陶公最高，〈停雲〉、〈榮木〉等篇，殆突過建安，劉後村之言當矣。

3.學詩者言漢、魏、六朝、四唐、兩宋諸家，何不直學《三百篇》？〈二南〉含蓄無盡，〈豳風〉景在目前，〈衛風·碩人〉、〈秦風·小戎〉、〈東山〉、〈零雨〉，用意婉厚，妙不容說，今之作詩者皆可神明變化而學之。它如〈鹿鳴〉、〈頍弁〉之宴好，〈黍離〉、〈有蓷〉之哀傷，〈氓蚩〉、〈晨風〉之悔歎，〈蝃蝀〉、〈山樞〉之感慨，〈柏舟〉、〈終風〉之憤懣，〈杕杜〉、〈葛藟〉之憫恤，〈葛屨〉、〈祈父〉之譏訕，〈黃鳥〉、〈二子〉之痛悼，〈小弁〉、〈何人斯〉之怨誹，〈小宛〉、〈雞鳴〉之戒惕，〈大東〉、〈何草不黃〉之困迫，〈巷伯〉、〈鶉奔〉之惡惡，〈木瓜〉、〈采葛〉之情念，〈雄雉〉、〈伯兮〉之思懷，〈北山〉、〈陟岵〉之行役，〈伐檀〉、〈考槃〉之素志，〈常棣〉、〈蓼莪〉之大義，皆可學也。昔人謂繁欽〈定情〉本之〈鄭〉、〈衛〉，「生年不滿百」出自〈唐風〉，王粲〈從軍〉得之〈二雅〉，張衡〈同聲〉亦合〈關雎〉，是也。

4.〈大雅〉三〈頌〉，與典謨、訓誥無異。而詩人宛轉之致、風人溫厚之辭，所謂「情動於中，嗟歎之不足而咏歌歌之」者，則具於〈國風〉、〈小雅〉，潛玩長吟，眾妙畢出。

5.或謂《三百》不可學，以四言故也。「維以不永懷」，「誰謂雀無角」，非五言乎？「胡取禾三百廛兮」，「維昔之富不如時」，非七言乎？

6.〈桑中〉、〈溱洧〉，紫陽以為淫風。即曰淫風，聖人亦不刪而存之。夫鳳凰和鳴，中於律呂，是謂希世之音，則〈葛覃〉、〈卷耳〉非乎？其它圓轉清謠，令聞之者足以戒，雖欲不存，不可得也。

7.昔人論《三百篇》：〈蜉蝣〉、〈鴇羽〉，不如〈騶虞〉、〈鵲巢〉；〈民勞〉、〈板〉、〈蕩〉，不如〈卷阿〉、〈旱麓〉；〈閟宮〉之章、〈清廟〉之什，不可與〈兔罝〉之野人、〈采蘩〉之婦女同日而語。嗟乎！拘墟之見，未免為匡稚圭所軒渠矣。

8.興、觀、群、怨，詩人之性情然耳。多識鳥獸草木之名，乃言學問。陸璣之《疏》，嵇含之《狀》，陶弘景、段成式、陸佃、羅願、邢昺諸人所撰著，皆從多識句來。今之學詩者，何讀《爾雅》未熟也！（以上卷一）

9.風人之旨，往往含蓄不露，意在言外，讀〈碩人〉篇，大概可睹矣。首章言族類之貴，二章言容貌之美，三章言始來親厚之意，皆未說出。卒章似可以露矣，「河水洋洋」五句，只極狀嫁來時所歷之境，卻以「庶姜」二語終之。婉摯多風，蘊藉有味，非善讀詩者不知也。杜甫之詩，無以復加，其去《三百篇》遠甚。如

「千家今有百家存，哀哀寡婦誅求盡」、「獨使至尊憂社稷，諸君何以答昇平」，俱少含蓄，亦大失《三百篇》之遺意矣。（碩人條）

10.〈小戎〉四章，奇文古色，斑爛陸離。讀至「在其板屋，亂我心曲」二語，逸情絕調，悠然無盡。今之學詩者，無論古體近體，凡收處皆當從此神會。（秦風條，以上卷三）

(十二)詩學纂聞　汪師韓

1.古今人說詩多端，約舉之則惟三有已耳：其始作也有感焉，詩以言志，而理情性也；後人兢兢於五忌八病，或日課一篇，或共疊一韻，有無病而呻吟者矣，有在戚而嘉容者矣，志不存，性情不見也。其方作也有義焉，《周官》大師教六詩：曰風，曰賦，曰比，曰興，曰雅，曰頌；〈大序〉謂之六義。有是義，則興於詩、學夫詩。漢、魏、唐、宋之詩，皆可興，皆可學也；無其義，則賦之言鋪，頌之言誦，兩言盡矣，比、興、風、雅闕如也。六闕其四，未有其兩獨存者也。（鍾嶸〈詩品序〉論賦、比、興之義曰：「文已盡而意有餘，興也；因物喻志，比也；直書其事，賦也。」論興字別為一解，然似以去聲之興字，解為平聲之興字矣。）其既成章也有我焉，一人有一人之詩，一時有一時之詩，故誦其詩，可以知其人、論其世也，若彼我之無分、後先之如一，闐闐混混，詩奚以進於經史哉？（三有條）

2.《三百篇》、漢、魏之作，類多率爾造極。故嚴滄浪曰：「詩有別才，非關書也。詩有別趣，非關理也。」後人傳誦其語。然我生古人之後，古人則有格有律矣，敢曰不學而能乎？依法則天機淺；憑臆則否臧凶，離之兩傷，此事固履之而後難也。且夫詩尚比興，必旁通鳥獸草木之名，既不能無所取材，則不可一字無來歷矣。「關關」、「呦呦」之情狀；「敦然」、「沃若」之精神，夾漈特著論以明之，其要歸於讀書而已。《傳》曰：「不學博依，不能安詩。」讀詩且不可不博依也，而顧自比於古婦人小子之為詩也哉？（讀書條）

3.魏文帝〈典論〉曰：「詩賦欲麗。」陸士衡〈文賦〉曰：「詩緣情而綺靡。」劉彥和〈明詩〉亦曰：「四言正體，則雅潤為本；五言流調，則清麗居宗。」以綺麗說詩，後之君子所斥為不知理義之歸也。嘗讀〈東山〉之詩矣，周公但言「慆慆不歸」及「勿士行枚」數言而已足矣。彼夫蠋在桑野，瓜在栗薪，「伊威在室，蠨蛸在戶」，町畽近廬舍而鹿以為場，熠燿乃倉庚而螢以為號；未至而「婦歎于室」，既至而「親結其縭」，皆贅言也。又嘗讀〈離騷〉矣，屈子但言「國無人莫我知」及「指九天以為正」，亦數言而可畢矣。彼夫駟玉虬，戒鸞皇，飲咸池，登閬風；索宓妃而求簡狄，占靈氛而要巫咸；始之秋蘭秋菊，終之瓊佩瓊靡，皆空談也。……（綺麗條）

4.詩不以句之多寡論也。然三百篇之詩，章八句者為多，外此則十二句而止耳。唐律限以八句，雖體格非古，不可謂非天地自然之節奏也。〈風〉、〈雅〉之詩，獨〈賓之初筵〉一詩有多至章十四句者。至若〈烈文〉、〈有瞽〉（俱十三句）、〈執競〉、〈載見〉（俱十四句）、〈時邁〉、〈臣工〉（俱十五句）、〈雝〉（十六句）、〈閟宮〉（十七句）、〈那〉、〈烈祖〉、〈玄鳥〉（俱二十二句）、〈良耜〉（二十三句）、〈載芟〉（三十一句），句之多者，皆〈頌〉也。〈頌〉故以鋪張揚厲為體，〈孔疏〉所謂直言寫志，不必殷勤者也。近有作詩話者，謂齊、梁以來樂府，限以八句，不復有詠歌嗟歎之意。夫齊、梁以來樂府，固是不如漢、魏，然其所以不如者，豈八句之謂？且亦何嘗限以八句哉？未之考耳。（詩句條）

5.頌者詩之一體，而王子淵〈聖主得賢臣頌〉、韓文公〈伯夷頌〉，皆不用韻。因思〈周頌〉之文，多有求其韻而不得者，後儒強為叶之，恐是本無韻也。此義古人未曾言及。顧寧人雖謂詩有無韻之句。亦但指一句，非謂全篇，且不專指頌也。（頌可無韻條）

(十三)原詩　葉燮

1.《三百篇》如三皇五帝，雖法制多有未備，然所以為君而治天下之道，無能外此者矣。漢、魏詩如三王，已有質文治具，煥然耳目，然猶未能窮盡事物之變。自此以後，作者代興，極其所至，如漢祖、唐宗，功業炳燿，其名王，其實則霸。雖後人之才或遜於前人，然漢、唐之天下，使以三王之治治之，不但不得王，并且失霸。故後代之詩，為王則不傳，為霸則傳。漢祖、唐宗之規模，而以齊桓、晉文之才與術用之，業成而儼然王矣。知此方可登作者之壇，紹前哲、垂後世。若徒竊漢、唐之規模，而無桓、文之才術，欲自雄於世，此宋襄之一戰而敗，身死名滅，為天下笑也。

2.蘇轍云：「〈大雅·綿〉之八九章，事文不相屬，而脈絡自一，最得為文高致。」轍此言譏白居易長篇拙於敘事，寸步不遺，不得詩人法。然此不獨切於白也。大凡七古必須事文不相屬，而脈絡自一。唐人合此者，亦未能概得，惟杜則無所不可；亦有事文相屬，而變化縱橫，略無痕跡，竟似不相屬者，非高、岑、王所能幾及也。

3.學詩者，不可忽略古人，亦不可附會古人。忽略古人，麤心浮氣，僅獵古人皮毛。要知古人之意，有不在言者；古人之言，有藏於不見者；古人之字句，有側見者、有反見者，此可以忽略涉之者乎？不可附會古人，如古人用字句，亦有不可學者，亦有不妨自我為之者。不可學者，即《三百篇》中極奧僻字，與《尚書》殷〈盤〉、周〈誥〉中字義，豈必盡可入後人之詩？古人或偶用一字，未必盡有精義，而吠聲之徒，遂有無窮訓詁以附會之，反非古人之心矣。不妨自我為之者，如漢、魏詩之字句，未必一一盡出於《三百篇》，六朝詩之字句，未必盡出於漢、魏，而唐及宋、元等而下之，又可知矣。（卷四）

(十四)蓮坡詩話　查為仁

作詩好用經語，亦是一病。老杜詩：「致遠思恐泥」，東坡寫詩到此句云：「不足為法。」家初白老人有〈秋花〉詩云：「雨後秋花到眼明，閒中扶杖繞階行。畫工那識天然趣，傅粉調朱事寫生」。此詩可與前意參看。宋時或有言今人作詩多要有出處。朱子曰：「關關雎鳩」，出在何處？程子亦云：「古之學者，惟務養情性。若今之為文者，專務章句，悅人耳目，既務悅人，非俳優而何？」知此可以言性靈。

(十五)説詩晬語　沈德潛

1.詩之為道，可以理性情，善倫物，感鬼神，設教邦國，應對諸侯，用如此其重也。秦、漢以來，樂府代興；六代繼之，流衍靡曼。至有唐而聲律日工，託興漸失，徒視為嘲風雪、弄花草、遊歷燕衎之具，而詩教遠矣。學者但知尊唐而不上窮其源，猶望海者指魚背為海岸，而不自悟其見之小也。今雖不能竟越三唐之格，然必優柔漸漬，仰溯〈風〉〈雅〉，詩道始尊。

2.事難顯陳，理難言罄，每託物連類以形之；鬱情欲舒，天機隨觸，每借物引懷以抒之；比興互陳，反覆唱歎，而中藏之歡愉慘戚，隱躍欲傳，其言淺，其情深也。倘質直敷陳，絕無蘊蓄，以無情之語而欲動人之情，難矣。王子擊好〈晨風〉，而慈父感悟；裴安祖講〈鹿鳴〉，而兄弟同食；周盤誦〈汝墳〉，而為親從征。此三詩別有旨也，而觸發乃在君臣、父子、兄弟。唯其可以興也。讀前人詩而但求訓詁，獵得詞章記問之富而已，雖多奚為？

3.《三百篇》中，四言自是正體。然詩有一言：如〈緇衣〉篇「敝」字「還」字，可頓住作句是也。有二言：如「鱨鯊」、「祈父」、「肇禋」是也。有三言：如「螽斯羽」、「振振鷺」是也。有五言：如「誰謂雀無角」、「胡為乎泥中」是也。有六言：如「我姑酌彼金罍」、「嘉賓式燕以敖」是也。至「父曰嗟予子行役」、「以燕樂嘉賓之心」，則為七言。「我不敢傚我友自逸」，則為八言。短以取勁，長以取妍，疎密錯綜，最是文章妙境。

4.〈二南〉，美文王之化也。然不著一脩、齊、治、化字，沖澹愉夷，隨興而發，有知如婦人，無知如物類，同際太和之盛，而相忘其所以然，是王風皡皡氣象。

5.詩有不用淺深，不用變換，略易一二字，而其味油然自出者，妙於反覆咏歎也。〈芣苢〉〈殷其靁〉後，張平子〈四愁〉得之。

6.〈雄雉〉末章，進君子以褆身善世之道，猶所云萬里之外，以身為本也。漢〈東門行〉：「今時清廉，難犯教言，君獨自愛莫為非。」重言以丁寧之，去風人未遠。

7.諷刺之詞，直詰易盡，婉道無窮。衛宣姜無復人理，而〈君子偕老〉一詩，止道其容飾衣服之盛，而首章末以「子之不淑，云如之何」二語逗露之。魯莊公不能為父復讐，防閑其母，失人子之道，〈猗嗟〉一詩，只道其威儀技藝之美，而章首以「猗嗟」二字譏歎之。蘇子所謂不可以言語求而得，而必深觀其意者也，詩人往往如此。

8.州吁之亂，莊公致之，而〈燕燕〉一詩，猶念「先君之思」。七子之母，不安其室，非七子之不令，而〈凱風〉之詩，猶云「莫慰母心」。溫柔敦厚，斯為極則。

9.人有不平於心，必以清比己、以濁比人，而〈谷風〉三章轉以涇自比，以渭比新婚，何其怨而不怒也？杜子美「在山泉水清，出山泉水濁」亦然。

10.〈匏有苦葉〉，刺淫亂也。中惟「濟盈不濡軌」二句，隱躍其詞以諷之。其餘皆說正理，使人得聞正言，其失自悟。

11.莊姜賢而不答，由公之惑於嬖妾也。乃〈碩人〉一詩，備形族類之貴、容貌之美、禮儀之盛、國俗之富，而無一言及莊公，使人言外思之，故曰主文譎諫。

12.〈陟岵〉，孝子之思親也。三段中但念父、母、兄之思己，而不言己之思父、母與兄。蓋一說出，情便淺也。情到極深，每說不出。

13.政繁賦重，民不堪其苦。而〈萇楚〉一詩，唯羨草木之樂，詩意不在文辭中也。至〈苕之華〉明明說出。要之並為亡國之音。

14.〈鴟鴞〉詩連下十「予」字，〈蓼莪〉詩連下九「我」字，〈北山〉詩連下十二「或」字，情至不覺音之繁詞之複也。後昌黎〈南山〉用〈北山〉之體而張大之（下五十餘「或」字）。然情不深而侈其詞，只是漢賦體段。

15.顏之推愛「蕭蕭馬鳴，悠悠旆旌」，謝玄愛「昔我往矣，楊柳依依」四語，予最愛〈東山〉三章：「我來自東，零雨其濛。鸛鳴於垤，婦歎於室」。末章：「其新孔嘉，其舊如之何？」後人閨情胎源於此。又愛「蒹葭蒼蒼，白露為霜。所謂伊人，在水一方」。蒼涼彌渺，欲即轉離，名人畫本，不能到也。明陳臥子謂秦人思西周之詩，卓然特見。

16.〈大小雅〉皆豐、鎬時詩也。何以分大小？曰：音體有大小，非政事有大小也。雜乎〈風〉之體者為小，純乎〈雅〉之體者為大。試詠〈鹿鳴〉、〈四牡〉諸詩，與〈文王〉、〈大明〉諸詩，氣象迥然各別。

17.宣王，中興主也，然其後或宴起、或料民，至廢魯嫡、殺杜伯，而君德荒矣。詩人於東都朝會時，終之以「允矣君子，展也大成」，何識之遠而諷之婉也？漢人〈長楊〉、〈羽獵〉，那能有此？

18.〈鶴鳴〉本以誨宣王，而拉雜詠物，意義若各不相綴；難於顯陳，故以隱語為開導也。漢枚乘奏吳王書本此。

19.〈斯干〉考室，〈無羊〉考牧，何等正大事，而忽然各幻出占夢，本支百世，人物富庶，俱於夢中得之，恍恍惚惚，怪怪奇奇，作詩要得此段虛景。

20.〈巷伯〉惡惡，至欲「投畀豺虎」、「投畀有北」，何嘗留一餘地？然想其用意，正欲激發其羞惡之本心，使之同歸於善，則仍是溫厚和平之旨也。〈牆茨〉、〈相鼠〉諸詩，亦須本斯意讀。

21.〈大東〉之詩，歷數天漢牛斗諸星。無可歸咎，無可告訴，不得不悵望於天；若此時之天，非西周盛王時之天者然。司馬子長云：「勞苦倦極，未嘗不呼天」。得之矣。

22.〈文王〉七章，語意相承而下，陳思〈贈白馬王〉詩、顏延之〈秋胡行〉，祖其遺法。

23.古人祝君如〈卷阿〉之詩，稱道願望至矣。而頌美中時寓責難，得人臣事君之義。魏人公讌、唐人應制，滿簡浮華耳。

24.美盛德之形容，故曰〈頌〉。其詞渾渾爾、穆穆爾，不同〈雅〉音之切響也。《記》曰：「清廟之瑟，朱絃而疏越，一唱而三歎，有遺音者矣。」故可以感格鬼神。

25.魯，諸侯也，安得有〈頌〉？至魯有〈頌〉，且祀后稷以配天，非禮矣。今讀〈駉〉以下四篇，皆僖公之詩。先儒謂季孫行父請於周而作〈頌〉。知東遷以上，魯無〈頌〉也。即謂〈頌〉之變亦可。

26.〈周頌〉和厚、〈魯頌〉誇張、〈商頌〉古質，此〈頌〉體之別。

27.〈離騷〉者，詩之苗裔也。第詩分正變，而〈離騷〉所際獨變，故有侘傺噫鬱之音，無和平廣大之響。讀其詞、審其音，如赤子婉戀於父母側而不忍去。要其顯忠斥佞，愛君憂國，足以持人道之窮矣。尊之為經，烏得為過？

28.詩《三百篇》，可以被諸管絃，皆古樂章也。漢時詩樂始分，乃立樂府，〈安世房中歌〉，係唐山夫人所製，而〈清調〉、〈平調〉、〈瑟調〉，皆其遺音，此〈南〉與〈風〉之變也。朝會道路所用，謂之〈鼓吹曲〉；軍中馬上所用，謂之〈橫吹曲〉，此〈雅〉之變也。武帝以李延年為協律都尉，與司馬相如諸人略定律呂，作十九章之歌，以正月上辛用事，此〈頌〉之變也。漢以後因之，而節奏漸失。

29.四言詩締造良難，於三百篇太離不得，太肖不得。太離則失其源，太肖祇襲其貌也。韋孟〈諷諫〉、〈在鄒〉之作，肅肅穆穆，未離雅正。劉琨〈答盧諶篇〉，拙重之中，感激豪蕩，準之變雅，似離而合。張華、二陸、潘岳輩，懨懨欲息矣。淵明〈停雲〉、〈時運〉等篇，清腴簡遠，別成一格。

30.人謂詩主性情，不主議論。似也，而亦不盡然。試思〈二雅〉中何處無議論？杜老古詩中，〈奉先〉、〈詠懷〉、〈北征〉、〈八哀〉諸作，近體中，〈蜀相〉、〈詠懷〉、〈諸葛〉諸作，純乎議論。但議論須帶情韻以行，勿近傖父面目耳。戎昱〈和蕃〉云：「社稷依明主，安危託婦人」，亦議論之佳者。

31.漕者，以水通輸上謂，讀去聲。昌黎：「通波非難圖，尺水乃可漕。善善不汲汲，後時徒悔懊」可證也。惟〈泉水〉章：「思須與漕」、〈載馳〉章：「言至於漕」屬衛邑者當平聲讀。又雍字如時雍、辟雍、肅雍，作和字訓者，俱平聲。雍州之雍屬地名者，從去聲。

(十六)秋窗隨筆　馬位

1.《禮》注云：「詩者，承也。承著昭晳之能。」〈詩緯〉

云：「詩者，持也。持契無邪之義。」昔者穆叔拜〈鹿鳴〉之三，楚莊陳〈大武〉之六；子夏監素絢以起予，衛賜悟琢磨以告往。《呂覽》肇其四音，韓嬰厥有《外傳》；孫毓著異同之評，王基駁故訓之失。茲皆比興之支流，風人之別子。激揚雅訓，張設科條，後有能言，準斯為例。吾友石享先生，倦游京國，戢影瓜廬；蘊義懷文，情靈感發。遂爾扇辨囿之雕談，騁詩衢之逸軌。犁然有當於心，確乎其不得已，《秋窗隨筆》所由作也。夫秋凜凄清之氣，窗表匡居之名；筆者得意疾書，隨則匠心獨運，疏家例逐文以造義，達者每披文而見時。僕少溺篇章，長能論議。博觀約取，厥指數千。以高叟之固，釋〈絲衣〉為祭靈星；以匡鼎之解頤，指〈關雎〉為刺康后。「楊柳、雨雪」四句，謝庭別有會心；「雞鳴、風雨」兩言，褚公不無偏解。請為石亭增長波瀾，發揮理道；略申隅反，暢厥指歸。所以班史為紀事之書，亦存〈樂志〉半卷；《雕龍》乃論文之籍，特著〈明詩〉一篇。鍾嶸持三品以程材；皎然頒十訣而示式。以古方今，此物此志也；斯論不磨，請以僕言為先馬乎？乾隆四年，歲在屠維協洽辜月朔，董浦杭世駿書。

2.又按陸璣《毛詩疏》：「秦人謂柞為櫟，謂蝤為蛒蚗。《爾雅》犍為舍人注：「三輔以西謂蝤為蜩。」《公羊傳》注：「踊，豫也，關西言渾。」《儀禮・有司徹》注：「秦人謂畝為桃。」《漢書・序傳》注：「三輔說牛蹄處為躅。」《說文》：「宏農謂帬為帔。」《周禮・考工記》注：「秦晉之間，孑之大者謂之曼胡。」《禮記・內則》注：「秦人溲曰滫。」此皆漢時語，攷今秦語，殊不然。

3.《文心雕龍》云：「召南〈行露〉，始肇半章；孺子〈滄浪〉，亦有全曲。〈暇豫〉優歌，遠見春秋；邪徑童謠，近在成世。閱時取證，則五言久矣。」鍾嶸《詩品》云：「夏歌曰：『鬱陶乎予心。』楚謠曰：『名余曰正則。』雖詩體未全，然是五言之濫觴也」。以此而推，聲律雖起於沈約，而以前粗已具之；陸雲相謔之辭，所謂「日下荀鳴鶴」、「雲間陸士龍」，是五言律聯；江淹〈別賦〉：「春宮閟此青苔色，秋帳含茲明月光」，是七言律聯。此亦近體之發端乎？

4.又，古詩：「上山采交藤。」交藤，何首烏也，服之令人多慾生子，有「采采芣苢」之意。〈衛風〉云：「伊其相謔，贈之以勺藥」。陸師農說：「勺藥破血，欲其不成子。不知真有此意否？」予謂詩人賦物，不過寫一時之情，豈必有深意？如古詩：「上山采蘼蕪。」按《本草》：「蘼蕪久服通神」，與「下山逢故夫」有何關照？又有「涉江采芙蓉」，豈芙蓉為遺遠道之物乎？彥周此說殊穿鑿。

5.詩三百篇曷貴乎？貴其悲哀歡愉，怨苦思慕，悉有婉折抑揚之致，蘊蓄深而丰神遠，讀之能令人暢肢體、悅心志耳。

(十七)貞一齋詩說　李重華

1.詩有數章聯合一篇者，如陳思〈贈白馬王〉、顏延之〈秋胡〉詩等類是已。此皆〈大、小雅〉體裁，一氣注成，不宜割裂。近見竟陵、濟南選本，時復不見首尾，摘取一二。無論自形其短，兼亦貽誤後學。至如唐人律體，有每題數首或一二十首者，各自成篇，似可分別採擇。然杜老〈諸將〉、〈秋興〉等篇，亦統共合成，與古詩同揆，斷不得意為去取。總之，杜集中幾章聯絡，即律體亦與古無異耳。

2.興之為義，是詩家大半得力處。無端說一件鳥獸草木，不明指天時而天時恍在其中；不顯言地境而地境宛在其中；且不實說人事而人事已隱約流露其中。故有興而詩之神理全具也。

3.比，不但物理，凡引一古人、用一故事，俱是比，故比在律體尤得力。

4.賦為敷陳其事而直言之，尚是淺解。須知化工妙處，全在隨物賦形。故自屈、宋以來，體物作文，名之曰賦，即隨物賦形之義也。相如論作賦之法，是何等能事。

5.太白謂：「〈大雅〉久不作。」則〈頌〉更斷然無之。惟〈小雅〉、〈國風〉時或間有合耳。韓、柳二公，共為〈雅〉詩，氣味視古略近。子美則〈風〉、〈雅〉兼備，但正少而變居多耳。

6.今人身當其任，不得不作〈頌〉體。若平常吟詠，看局面大小，正須斟酌風、雅二字。

7.虞帝謂：「詩言志。」又曰：「勸之以九歌。」至孔子存錄，正則歌詠盛德；變則諷諭末流，立教蓋如此其大也。杜子美云：「陶冶性靈存底物？新詩改罷復長吟。」是就言志中專指一端為言。須知古人誦詩以治性情，將致諸實用，原非欲能自作詩。今既藉風雅一道，自附立言，則美刺二端，斷不得輕易著手。大致陶冶性靈為先，果得性靈和粹，即間有美刺，定能敦厚溫柔，不謬古人宗指；否則於己既導慾增悲，於世必指斥招尤，或諛人求悅，取戾自不小也。

8.或謂：詩既忌豔體，何以《三百篇》卻多淫奔？余謂：《三百篇》所存淫奔，都屬詩人刺譏，代為口吻。

(十八)詩義固說　龐塏

1.古今人之論詩者多矣，大要稱說於篇中之詞，而未深求於言中之志，所謂從流下而忘反者也。試觀《三百篇》以暨漢、魏，其所為詩，內達其性情之欲言，而外循乎淺深條理之節，字字有法，言言皆道，所以諷咏而不厭也。余每與同人論詩，耑主此說，以為如是則為詩，不如是即非詩，故曰《固說》。說雖固哉，而畔道離經，從知免矣。

2.古詩三千，聖人刪為三百，尊之為經。經者，常也，一常而不可變也。後此遂流而為〈騷〉，為漢、魏五言，為唐人近體。其雜體曰歌，曰行，曰吟，曰曲，曰謠，曰咏，曰歎，曰辭。其體雖變，而道未常變也。故欲學為詩者，不可不讀《三百篇》也。其體雖分〈風〉、〈雅〉、〈頌〉，而其感於心而形於言，由淺入深，借賓形主，不過如夫子所云「辭達而已矣」，寧有他哉！至其辭句蘊藉，美刺昭然，所謂溫柔敦厚而不愚者也。

3.喜怒哀樂，隨心所感，心有邪正，則言有是非。合於禮義者，為得性情之正，於詩為正風正雅；不合禮義者，即非性情之正，於詩為變風變雅。聖人存正以為法，存變以為戒。變雖非禮義之正，而聞者知戒，亦所以要之以正也。故舉全《詩》而蔽之曰「思無邪」。

4.〈風〉、〈雅〉、〈頌〉其體不同，用於鄉為〈風〉，用於朝為〈雅〉，用於廟為〈頌〉，不待用意而體自別。即如人說話，對妻子是一樣，對父母是一樣，對君公大人是一樣，致詞各別，而體於是乎分矣。

5.「本之〈二南〉以求其端，參之列國以盡其變，正之以〈雅〉以大其規，和之以〈頌〉以要其止」，朱子以為「學詩之大旨」，究非作詩之本義也。作詩本義在「詩言志」內，「辭達而已矣」內，方見得詩本性情。前賢言不及此，所以近人只在言語詞句上用工夫，遂流於膚闊而不真切也。

6.漢、魏詩質直如說話，而字隨字折，句隨句轉，一意順行以成篇，純是《三百篇》家法，觀「青青河畔草」、「翩翩堂前燕」、「高臺多悲風」諸作可見。晉詩不取達意，而徒騖文詞，堆砌排比，雖多奚為？陶公獨為近古，然較漢、魏氣稍疎，味稍薄，句意間有不完，押韻間有不穩者，然於聖人辭達之旨未遠，故足尚也。

7.自有天地以來百千萬年矣，四時百物，方名人語，經沿襲之餘，皆故也。今人刻意求新於字句間，字句間安得有新哉？所謂新，在人心發動處及時中內，人心起滅不停，時景遷流不住，言當前之心，寫當前之景，則前後際自已不同，況人得而同之耶？不同於人則新也。若在字句上求新，一人出之以為創，眾人用之則成套，何新之有哉？《三百篇》能言當下之心，寫當前之景，於無字中生字，無句中生句，所以千古長新也。韓退之云：「唯陳言之務去，戛戛乎其難哉！」退之之文，不過一洗六朝習句，直陳胸中耳，何字是古人不曾用過的？流傳至今，只覺其新，不覺其故，可以悟已。

8.漢五言詩去《三百篇》最近，以直抒胸懷，一意始終，而字圓句穩，相生相續成章。如一人之身五體分明，而氣血周行無間，不事點染而文彩自生也。後人不知大意，專以粉飾字句為詩，故舛錯支離，愈求工而愈無詩矣。風雲月露行而性情禮義隱，可嘆也。至七言詩通首者絕少，其散見於雜言者，雖一句二句，不可不熟玩而吟咏之，以其用字峭緊，為句渾成，矯矯有氣也。若作七言古不學漢人練句，雖湊泊成章，非選輭則板滯矣。唐以來惟杜老得此法。

9.〈古詩十九首〉「行行重行行」非泛用起手也，五字包括終篇。蓋本詩人「聊以行國」來。先有「與君生別離」一段在胸中，留之不得，舍之不忍，行而又行，不能自已，故下即云云，皆述行行時意興也。末意以相思老人，歲月不居，勿以我為念，當於前途努力加餐耳。無可奈何，強以相慰，情詞可感。（說行行重行行）

10.陳思王〈吁嗟篇〉，咏飛蓬也。《選詩拾遺》直作〈飛蓬篇〉。其首句點明「蓬」字，三四虛點「飛」字；下接「無休閒」，入「東西」、「南北」，從橫處說；「雲間」、「沉泉」，從直處說；當東反西，忽亡復存，從不定處說；「八澤」、「五山」，從廣遠處說。無一閒字，無一閒句，章法次序，一絲不亂，真《三百篇》之遺也。又妙在「回風」、「驚飈」二句，不然方東西南北橫行，何以上下也？已沉泉已，何由忽東西存亡也？不乃脫支節乎？「無恆處」繳「無休閒」，「根荄連」繳「本根逝」，周旋回互，其妙如此。若讀此詩而猶不解作詩之法，所謂舉一隅不能反三隅者，不足與言詩已。今人作詩不點題，一病也；轉遞不相關切，二病也；語無次第，駢拇枝指，湊泊取足，三病也。縱有一二佳句，猶人五體不備，一官雖成，何取乎？故當急以此藥之。（說曹子建吁嗟篇。以上卷上）

11.詩有興比賦。賦者，意之所託，主也。意有觸而起曰興，借喻而明曰比，賓也。主賓分位須明，若貪發題外而忽本意，則犯強客壓主之病；若濫引題外事而略本意，則有喧客奪主之病；若正意既行，忽入古人，忽插古事，則有暴客驚主之病。故余謂詩以賦為主。興者，興起其所賦也。比者，比其所賦也。興比須與賦意相關，方無駁雜凌躐之病，而成章以達也。（卷下）

(十九)蘭叢詩話　方世舉

1.晉謝太傅問兒子玄：「《詩》以何句為佳？」玄舉「昔我往矣，楊柳依依」四語，太傅舉「訏謨定命，遠猷辰告」二語，蓋各道其將相襟懷也。然已開詩話之端。

2.叶韻必不可用。不得其脣吻喉舌清濁高下，而惟韻書之附見者是從，徒見窘迫。於本韻中不得已而搏撦以便棘手，曾何合於自然之古音乎？李間有之，杜則絕無，昌黎惟用之於四言。四言宜也，是仿《三百篇》。若他體用之，則龜茲王驢非驢、馬非馬矣。

3.比興率依〈國風〉之花木草蟲，〈楚辭〉之美人香草止耳。愚意兼之以《周易》象爻、《太玄》離測，尤足以廣人思路。

4.又云：「《三百篇》之五言，如『醢妻煽方處』，句眼在『煽』字，此少陵字法之祖。」余嘗喜〈考工記〉每有一字而曲盡物理物情者，安得與宜田覿面縷指而共論之。

5.又云：「『習習谷風，以陰以雨』。婦值風雨而愁歎，祇是觸感生情耳。注云：『陰陽和而後雨澤降，猶之夫婦和而家道成。』婦人之見，豈暇出此？朱子釋經，自應依理立論耳。」其讀書得間如此。余亦有經史之探微索隱者，惜不能與之印正。今載在《家塾恆言》中。

(二十)絸齋詩談　張謙宜

1.文章名理，世鮮兼長。詩非不要理，只是人不能於詩中見理耳。理無不包，語無不韻者，《三百篇》之〈雅〉、〈頌〉是也。不必以理為名，詩妙而理無不通者，〈離騷〉以訖漢、魏是也。但求詞佳不墮理窠者，兩晉、六朝以訖三唐是也。衹求理勝不暇修詞者，程、朱、邵子輩是也。風氣日下，得一層必失一層，若天限之。生古人以後者，何處下手？

2.詩中談理，肇自三〈頌〉。宋人則直洩道祕，近於鈔疏，將古法婉妙處，盡變平淺，反覺腐而可厭。

3.人生喜怒之感，不可畢見於詩。無論一洩無餘，非風人之致，兼恐我之喜怒，不合道理，不中節處多，有乖正道耳。

4.人多謂詩貴和平，只要不傷觸人。其實《三百篇》中有罵人極狠者，如「胡不遄死」、「豺虎不食」等句，謂之乖戾可乎？蓋罵其所當罵，如敲扑加諸盜賊，正是人情中節處，故謂之「和」。又如人有痛心，便須著哭，人有冤枉，須容其訴，如此心下才鬆纇，故謂之「平」。只這兩字，人先懂不得，又講甚詩！

5.詩得性情之正者，亦須有冷味乃妙。如《三百篇》清廟明堂之作，其嚴肅堅凝處皆冷也。（以上卷一）

6.古四言之難，學其艱嗇，既失其和平；學其平雅，又傷於繁蕪。求其字峭句蒼，真氣浮動，未見其人。

7.四言詩不必作，即嘔出心來，也難到漢人境，何況向上。

8.詩學《三百篇》，凡有數難：性情不調適，一也；氣骨不堅定，二也；吐詞欠蘊藉，三也；斲鍊欠精密，四也；體製難恰好，五也。幸而得句，未必通章似之；幸而成章，未必連篇勻稱。設色則浮豔，用意則淺薄。艱深必掩意，平易必庸膚。故問津者千百中無一二焉。

9.《三百篇》後皆〈風〉也，〈雅〉、〈頌〉之實久亡。漢之樂府，唐之應制，無當於雅、頌。其德薄而事左，不可勉強。

10.周德實有可說，說來人便信。如漢之夫婦、君臣、父子、兄弟，不可說者甚多。只是別撰一種言語，其古奧亦偽耳。（卷二）

11.柴方炳字虎臣，家杭州，所謂「西陵十子」也，順治間名人。所著《古韻通》，援據《三百篇》暨漢魏六朝詩為證，所以當遵韓、柳，多用《唐韻》不載之字，近於臆說。近來邵子緗《韻略》，合騷賦碑誌諸韻，強作詩韻，遂至平上去入混作一堆，若用出，必遭詞壇嗤笑。至坊刻本子所云某韻通某韻轉某韻，尤為粗鄙。叶韻惟《三百篇》、〈離騷〉間有，後來名家仿效，誰能信之？

12.三百為用韻，不與騷賦漢魏同。蓋古人順口成詩，如今里唱俗謳，落腳字易於上口便罷，原不能盡合後人法。又彼時念字，必不同於今，如「荷」之入「麻」，「頭」之入「魚」是也。執沈約韻求叶《三百篇》，不穿鑿，必支離，文人枉費心思。（用韻指略，卷三）

13.鍾惺云：「《三百篇》後，四言之法有二：韋孟〈諷諫〉，其氣和，去《三百篇》近，而有近之離；魏武〈短歌〉，其調高，去《三百篇》遠，而有遠之合。」予謂近而離者貌也，遠而合者神也。（卷八）

(廿一)龍性堂詩話　葉矯然

1.龍門之於文，少陵之於詩，夫人知之，夫人能言之也。至其殊途同歸，微二公言，千百世人莫能知也。〈五帝贊〉云：「擇其言尤雅者，著之於篇」又「非好學深思，心知其意，固難為淺見寡聞道也」。此史公自贊其百三十篇之《史記》也。〈絕句〉云：「未及前賢更勿疑，遞相祖述復先誰？別裁偽體親〈風〉、〈雅〉，轉益多師是汝師。」此子美自道其千四百首之杜詩也。細味此詩與贊語，字字吻合，句句相通。「不及前賢」，則好學宜亟矣。學貴心知其意，彼「遞相祖述」者，規規於古人字句之間，毫不能自抒其心得，終寄籬下，故曰「復先誰」也。「別裁偽體親〈風〉、〈雅〉」者，即〈贊〉云「其文不雅馴」，「擇其言尤雅者」是也。「擇」字即「別」字、「裁」字注腳。「轉益多師是汝師」，分明是「難為淺見寡聞」句轉語。故知詩文一致，兩公早已言之矣。

2.柳子厚云：「文有二道：辭令褒貶，本乎著述者也；導揚諷諭，本乎比興者也。著述者出於《書》之謨訓、《易》之象系、《春秋》之筆削，其要在於高壯廣厚，詞正而理備。比興者出於虞、夏之咏歌，殷周之〈風〉、〈雅〉，其要在於麗則清越，言暢而意美。茲二者，其旨義乖離不合，故秉筆之士，恆偏勝獨得，而罕有兼者焉。」秦淮海云：「人才各有分限，杜子美詩冠古今，而無韻者殆不可讀；曾子固以文名天下，而有韻輒不工，此未易以理推也。」陳後山又云：「杜之詩法，韓之文法也。詩文有體，韓以文為詩，杜以詩為文，故不工耳。」三公之言，彷彿相似，然似之而非也。夫六經之道，同源一致，差異者體格耳。休文有言：「相如工為形似之言，二班長於情理之說。源其飈流所始，莫不同祖〈風騷〉；徒以賞好異情，故意製相詭。」子厚謂之「旨義乖離」可乎？周公訓誥之文，備於《尚書》，而〈七月〉、〈清廟〉諸什，風流爾雅，實為後世詩人鼻祖，可謂之「獨得」、「罕兼」，「人才各有分限」乎？吾嘗聞之坡公矣：「凡物一理也，通其意則無適而不可。分科而醫，醫之衰也；占色而畫，畫之陋也。和、緩之醫，不別老少；曹、吳之畫，不擇人物。謂彼長於是則可也，曰能是不能是則不可。」後有論者，坡公為不可及矣。

3.有詩以來，鄭漁仲主聲，馬貴與主義，持論各有所見。蓋《三百》之義，盡於興觀群怨，其聲則瞽史之徒皆能歌也。自後歷代作者，精求其義，而節音不皆可歌，或五字並側，或十字俱平。唐興，昉《尚書》和聲之旨，始製為律體。一律之內，旨慁音叶，格高句諧，平側對待，自有一定。天然之妙，似於主聲之說居勝。然興會不高，神致索然，雖極宮商之美，弗善也。故知二家之說，合則並美，離則兩傷，盡善盡美，斯為難矣。

4.《三百篇》，先儒謂皆可被管絃。朱晦翁言《三百》中可被管絃只數章。昔人有以等子韻譜，取《三百篇》字字韻之，竟無一章合律者。由此言之，謂《三百篇》可盡被管絃，亦空言不足據也。蓋五音十二律，既有正、有變、有反，而三聲之中，有老、有少、有次，又有老之老、少之少、次之次，是五音之變，為不可勝窮。漢孝文時，得魏文侯樂人竇公者，年百八十歲，兩目皆瞽；獻其書，乃《周官》宗伯之大司樂也。夫以數百年之簡帙，出一瞽人之手，能無保其殘闕失真乎？故曰「聲音道微，久而失其傳也」

已。

5.「不以文害辭，不以辭害志」，此千古說詩妙諦也。然作詩妙諦，亦不外此二語。作詩一句未穩，便害一章，一字未穩，便害一句，併害全詩。然則孟子之言，寧獨為說詩者發歟？

6.簡文與湘東王論文云：「吟咏性情，反擬〈內則〉之篇；操筆寫志，更摹〈酒誥〉之作；『遲遲春日』，翻學《歸藏》；『湛湛江水』，遂同《大傳》」。要知此語不徒見臨文體位不同，亦見〈騷〉、〈雅〉風流不是邊幅道學者得而詭托。

7.近人作詩，率多賦體，比者亦少，至興體則絕不一見。不知興體之妙，在於觸物成聲，衝喉成韻，如花未發而香先動，月欲上而影初來，不可以意義求者，〈國風〉、古樂府多有之。徐文長謂「今之南北東西雖殊方，而婦女、兒童、耕夫、舟子，塞曲征吟，市歌巷引，無不皆然，默會自有妙處」。知言哉！

8.予最喜讀昌黎、長吉、義山、子瞻四公詩，間有所得，輒標識數語於上。暇日偶閱營山陳蝶菴周政先生與王普瞻書，盛述此數公之詩，乃知世固有真讀書風雅人先得我心者。其書云：「近世詩人，眼孔小已極已，投獻吉、李、譚之門作重儓，復何望哉！齋中無事，讀右丞等，不如看齊、梁小兒為得也。病起喜看昌黎、長吉、義山詩。昌黎詩絕妙耳，何古今但誦其文也？長吉童年調嘴，略無墨汁，玉樓見召，自是天人。如蔡少霞寫山玄卿文，真長吉本色。然集中幽異怪誕之語，說鬼正其神處，說苦正其樂處，亦可喜也。義山不然，有來歷，有根據，用僻事而實一一可考，唯坡公可以繼之。坡公之詩未易讀，彼其傀儡古人，調和眾味，命意使事，迥出意表，蓋從義山一派，竅出《三百篇》『荇菜』、『瓶罍』、

『匏葉』、『冰泮』微意，〈風〉、〈雅〉正派，正在於此。而獨彼不逮之誚，魯直輩可謂有眼睛乎？義山〈錦瑟〉詩之佳，在『一絃一柱』中思其『華年』，心緒紊亂，故中聯不倫不次，沒首沒尾，正所謂『無端』也。而以『清和適怨』當之，不亦拘乎？」

9.康樂造句雋拔，而時出經語、道學語。如「解作竟何感，升長皆豐容」，「洊至宜便習，兼山貴止託」，「雖抱〈中孚〉爻，終慚貝錦詩」，皆經語也。如「沉冥豈別理，守道自不攜」，「慮澹物自輕，意愜理無違」，「矜名道不足，適己物可忽」，「事為名教用，道以神理超」，「淄磷謝清曠，疲爾慚貞堅」，「戰勝臞者肥，上鑒流歸停」，「得性非外求，自已為誰纂」，「感往慮有復，理來情無存」，皆道學語也。諸如此類，人多怪為創調，不知其源出〈國風〉。〈燕燕〉云：「仲氏任只，其心塞淵。終溫且惠，淑慎其身。」〈雄雉〉云：「百爾君子，不知德行。不忮不求，何用不臧？」女子送人、感懷，援燕飛雉羽起興，觸物流連，極風人之致矣。而卒章忽作「塞淵」、「溫惠」、「德行」、「忮求」等語，其於持躬善世之道，亹亹言之，何等學問，是豈尋常閨闥口角哉！故知真道學人，即真風雅人也。婦人女子且然，於康樂又何疑焉？

10.何信陽〈看打魚歌〉末幅云：「楚妃玉手揮霜刀，雪花錯落金盤高。鄰家思婦清晨起，買得蘭江一雙鯉。簁簁紅尾三尺長，操刀具案不忍傷。呼童放鯉撇波去，寄我素書向郎處。」信陽向銳意學子美，此詩實踞子美之上。蓋何嘗論古《三百》、〈十九首〉風人之義，關於君臣朋友者，必託諸夫婦，宣鬱達情。子美詩多沉著，而出於夫婦者常少，故此作過之。王道思嘗負其文時過於古

人，詩則不能。何此作可謂過於古人矣。此吾所謂詩首鍊意者，此等篇是也。（以上初集）

11.凡古韻叶音甚夥，姑舉東韻一字言之。如「朋」叶「篷」，楊用修深詆沈約入蒸韻之謬，而引〈棠棣〉「每有良朋，蒸也無戎」、逸詩：「翹翹車乘，招我以弓。豈不欲往，畏我友朋」，又《太玄》：「一與六為宗，二與七為朋」，又劉楨〈魯都賦〉：「和族綏宗，肅戒友朋」為叶東之據。陳季立第〈古音攷〉謂「朋」有兩音，與「東」叶者，以用修之引為然。與「蒸」叶者，則有〈椒聊〉：「蕃衍盈升」、「碩大無朋。」〈菁莪〉：「在彼中陵」、「錫我百朋」〈魯頌〉：「三壽作朋，如岡如陵」為然。楊去奢時偉又謂「升」亦音宗，「陵」亦音隆，引《儀禮》「八十縷為一宗」，宗，古升字；〈小雅〉：「與爾臨衝」，韓詩作「隆衝」；劉熙《釋名》：「陵，隆也」；《易・坎卦》：「維心亨，乃以剛中。天險不可升，地險山川丘陵」，歷歷援據。三公所言皆是，見前輩攷訂核詳處，一東為然，他叶可類推矣。（續集）

(廿二)劍谿說詩　喬億

1.東坡教人作詩曰：「熟讀《毛詩》〈國風〉、〈離騷〉，曲折盡在是矣。」

2.或問程子《詩》如何學？曰：「只於〈大序〉中求。」又曰：「學《詩》而不求〈序〉，猶欲入室而不由戶也。」

3.〈大序〉反覆於〈二南〉，所謂正始之道，王化之基。

4.詩大小〈序〉，紫陽承夾漈後，備論得失，樂平馬氏乃亟言紫陽之失，幾為千古不了公案。愚謂惟慈谿黃氏持論平允。

5.黃氏〈日抄〉曰：「《毛詩》注釋簡古，鄭氏雖以《禮》說詩，於人情或不通，及多改字之弊，然亦多有足以裨《毛詩》之未及者。至孔氏《疏義》出，而二家之說遂明。本朝伊川與歐陽諸公，又為發其理趣，《詩》益煥然矣。南渡後，李迂仲集諸家為之辨而去取之，南軒、東萊只集諸家可取者，視李氏為徑。而東萊之《詩記》獨行，岷隱戴氏遂為《續詩記》，建昌段氏又用《詩記》之法為《集解》，華谷嚴氏又用其法為《詩緝》，諸家之要者多在焉。此讀《詩》之本說也。雪山王公質、夾漈鄭公樵始皆去〈序〉而言詩，與諸家之說不同。晦菴先生因鄭公之說，盡去美刺，探求古始，其說頗驚俗，雖東萊不能無疑焉。夫《詩》非〈序〉，莫知其所自作，去之千載之下，欲一旦盡去自昔相傳之說，別求其說於茫冥之中，誠亦難事。然其指〈桑中〉、〈溱洧〉為鄭、衛之音，則其說曉然，諸儒安得回護而謂之雅音！若謂〈甫田〉、〈大田〉諸篇皆非刺詩，自今讀之，皆藹然治世之音。若謂『成王不敢康』之成王為周成王，則其說實出於《國語》，亦文義之曉然者。其餘改易，固不可一一盡知。若其發理之精到，措詞之簡潔，讀之使人瞭然，亦孰有加於晦菴之《詩傳》者哉？學者當以晦菴《詩傳》為主，至其改易古說，間有於意未能遽曉者，則以諸家參之，庶乎得之矣。」

億按：李迂仲名樗，兄和伯名柟，呂成公所謂二李伯仲也。樗《毛詩詳解》十卷，《通考》陳氏曰：「樗，閩之名儒。」岷隱戴氏名溪，《宋史・儒林》有傳，著《續讀詩記》三卷。建昌段氏、華谷嚴氏不載《宋史》，《續通考》載《詩緝》亦不詳卷帙，今刊本三十六卷。《段氏集解》，《通考》、《續通考》俱未列名目。

《居易錄》曰：「《叢桂毛詩集解》三十卷，宋朝奉郎段昌武譔。」王氏質字景文，《宋史》與樓鑰、陸游諸人並傳，著《詩總聞》三卷。獨是黃同時王魯齋、同郡王伯厚所撰《詩疑》、《詩考》，曾不一字及之。豈當日未有成書，抑祕不問世，未或一見故耶？並識於此。

6.《困學紀聞》曰：「荀子曰：『善為詩者不說』，程子之『優游玩味，吟哦上下』也。董子曰：『詩無達詁』，孟子之『不以文害辭，不以辭害志』也。」

7.《三百五篇》散見於《周官》、《儀禮》、《戴記》、《左氏內外傳》、《孝經》、《論語》、《孟子》及百家子史之書，百倍於他經，以是知詩歌之感人無窮，故為教廣。

8.《困學紀聞》曰：「子擊好〈晨風〉、〈黍離〉而慈父感悟，周磐誦〈汝墳〉卒章而為親從仕，王裒讀〈蓼莪〉而三復流涕，裴安祖講〈鹿鳴〉而兄弟同食，可謂興於《詩》矣。李枬和伯亦自言吾於《詩·甫田》悟進學、〈衡門〉識處世，此可為學詩之法。」

9.許文正（魯齋）曰：「《三百篇》，古樂章也，與後世樂章大異，尤以見古人敦本業，厚人倫，念念在是，未嘗流於邪僻也。」

10.《尚書》有韻者似〈雅〉、〈頌〉，即無韻者，凡疊下四字句皆似也。但《詩》兼比興，《書》直似賦體耳。〈大禹謨〉「帝德廣運」六句，〈仲虺之誥〉「佑賢輔德」六句，〈伊訓〉「聖謨洋洋」三句，〈太甲〉「惟天無親」六句，〈泰誓〉「我武維揚」五句，〈洪範〉「無偏無陂」十四句，皆用韻。若〈仲虺之誥〉

「德日新」至「謂人莫己若者亡」，〈伊訓〉「作善降之百祥」至「墜厥宗」，〈洪範〉「臣之有作福作威玉食」至「民用僭忒」，及《周易》，雖用韻卻不似詩。

11.《左氏》韻語，當別錄一帙，附《三百篇》後。（以上卷上）

12.古體嚴於今體，五古嚴於七古，以其去〈風〉、〈雅〉愈近也。

13.太白謂「寄興深微，五言不如四言」。然四言極難，故自漢迄晉，能者祇落落數公，唐自韓、柳外，亦未見其人。方宜田曰：「漢、魏鮮四言佳境，宋、元鮮五言佳境，三代以下其言長，氣使然也」。

14.方先生（望溪）嘗以〈讀邶鄘十一變風〉、〈讀王風〉二篇示座客，固屬擿疵，眾皆援《左》、《國》、秦、漢人為讚說。億徐進曰：「先生此文，殊不近人，尚覺永叔、子瞻氣未穆也。」先生曰：「莫是疵否？余於八家意主不似？」少間又曰：「與其後世有違言，不若當世有違言，尚可改正。」噫！先生古文，應半千之運，當今無輩，且性簡傲，而論文獨虛懷於晚進如此。（卷下）

15.四言自魏、晉以來，郊祀之作擬〈頌〉，餘皆擬〈國風〉、〈小雅〉。唐李青蓮不為形似，杜拾遺初無此體，蓋難之也。至韓、柳二公，全法宣王〈大雅〉，所紀載之事使然也。大抵四言擬〈雅〉、〈頌〉難似而易好，擬〈國風〉易似而難工，果能肅穆其氣，簡古其辭，雖不逮《三百五篇》，庶幾哉漢京之遺音歟！昌黎云：「師其意不師其辭。」在擬古者尤為要訣。

16.「〈大雅〉久不作」，言東周後無正〈大雅〉，亦無變〈大雅〉也。竊嘗執此說觀漢、魏以還詩，其善者猶不失變〈小雅〉之遺意，而〈大雅〉洵未有也。然太白能言之，太白不能復之。蓋其人非凡伯、芮良夫、尹吉甫之儔也。世運然乎哉？

17.許彥周亟稱〈邶風〉「燕燕于飛」，可泣鬼神。阮亭先生復申其說，為萬古送別詩之祖。余謂唐詩之善者，不出贈別、思懷·羈旅、征戍及宮詞、閨怨之作，而皆具於〈國風〉、〈小大雅〉，今獨舉〈燕燕〉四章，其說未備。蓋〈雄雉〉思懷詩之祖也；〈旄丘〉、〈陟岵〉，羈旅行役詩之祖也；〈擊鼓〉、〈揚之水〉，征戍詩之祖也；〈小星〉、〈伯兮〉，宮詞、閨怨詩之祖也。《品彙》載張說巡邊，明皇率宋璟以下諸臣各賦詩以餞別，猶吉甫贈申伯之義也。賀知章歸四明，明皇復率朝士咏歌其事，亦詩人咏〈白駒〉之義也。凡此雖不盡合乎〈風〉、〈雅〉，而遺意猶存，不皆其苗裔耶？

18.〈燕燕〉、〈雄雉〉詩各四章，前三章纏綿悱惻，漢人猶能之，至後一章，萬萬不可企，蓋性術所流者異矣。

19.衛武公三詩〈抑戒〉，粹於〈賓筵〉、〈淇澳〉，是為成德，為萬古道學詩之祖，斷可識矣。

20.詩不緣於《楚騷》，無以窮〈風〉、〈雅〉比興之變，猶夫文不參之《莊子》，雖昌明博大，終乏神奇也。（以上又編）

(廿三)石洲詩話　翁方綱

1.元禛〈杜甫墓系〉又舉「夏、殷、周千餘年，仲尼緝拾選練，取三百篇。至子美之作，使仲尼鍛其旨要，尚不知貴其多乎哉」？此亦究極波瀾之言。竹坨先生有言：「〈王制〉九州千七百七十三國，得列于《詩》者，僅十有一而已。殆所操類隣國之音，所沿者前人體製，則膠固不知變，變而不能成方。司馬遷謂古詩三千餘篇，孔子去其重複。信矣！聖人固未嘗盡以少為貴，顧其多者，篇體何如耳！」然漁洋先生謂「少陵晚年五律，後半往往重複」，〈墓系〉所舉，則但以諸大篇全局論之。南宋金華杜仲高旃讀杜詩，有「仲尼不容刪」之句，可作此註腳。（卷一）

2.漢謠魏什久紛紜，正體無人與細論。誰是詩中疏鑿手，暫教涇渭各清渾？〔「正體」云者，其發源長矣。由漢、魏以上推其源，實從《三百篇》得之。蓋自杜陵云「別裁偽體」、「法自儒家」，此後更無有能疏鑿河源者耳〕？（卷七）

(廿四)雨村詩話　李調元

1.三代以前，詩即是樂，樂即是詩。若離詩而言樂，是猶大風吹竅，往而不返，不得為樂也。故詩者，天地自然之樂也。有人焉為之節奏，則相合而成焉。

2.詩有比興不能盡，故被之聲歌，使抑揚以畢其意。自漢以後，〈郊廟〉、〈房中〉析而為二，古詩、樂府遂分。

3.《毛詩》三百篇，為萬世詩原，然不出比、興、賦三字。首章云：「關關雎鳩，在河之洲。窈窕淑女，君子好逑。」試問後之詩人，有能出其範圍乎？

4.郊廟歌辭始於《詩》三百篇之周頌，三代以前，不可考矣。〈昊天有成命〉，郊祀天地之樂歌也。〈清廟〉，祀太廟之樂歌也。〈我將〉，祀明堂之樂歌也。〈載芟〉、〈良耜〉，藉田社稷之樂歌也。然則祭樂之有歌，其來尚矣。兩漢以後，世有制作，其所以用於郊廟朝廷以接人神之歡者，其金石之響，歌舞之容，亦各

因其功業治亂之所起，而本其風俗之所由。（以上卷上）

5.詩不可以貌為，少陵〈發同谷〉諸篇，昌黎、東野聯句，皆偶立一體。至昌谷之奇詭、義山之獺祭，各有寓意，不可以貌為。乃今人襲取二李隱僻字句，以驚世眩目，叩其中絕無所謂，是皆無病呻吟，效顰而不自知其醜者。詩以道性情，自淵明而上溯《三百篇》，何嘗有不可解字句使人眩惑，而其意之所托，或興或比，往往出人意表，千百載竟無能道破者。余嘗謂古之詩文，句平而意奇，後人句奇而意平，可笑也。

6.《詩》三百篇有正有變，後人學焉而各得其性之所近。《楚騷》之幽怨，少陵之憂愁，太白之飄豔，昌谷、玉川之奇詭，東野、閬仙之寒儉，從乎變者也。陶靖節以下，至于王昌齡、王維、孟浩然、高適、岑參、韋應物、儲光羲、錢起輩，俱發言和易，近乎正者也。白居易以和易享遐齡，長吉以瑰詭而致夭折。《記》曰：「和故百物不失，冬寒故景短，夏酷烈而秋悲，春日遲遲，信可樂也。」知此可與言詩矣。（以上卷下）

(廿五)讀雪山房唐詩序例　管世銘

樂府古詞，陳陳相因，易於取厭。張文昌、王仲初創為新製，文今意古，言淺諷深，頗合《三百篇》興、觀、群、怨之旨。白樂天尤工此體，至欲藉以感悟宸聰，敷陳民瘼，其積愈厚，故其言愈昌。特音節歠齣，乖於杜、韓正響，要亦天地間不可少之一種文字也。元微之骨色稍庸，擇數篇自足相敵。至張、王尚有古音，元、白始全今調，則又可為知者道也。（按：此襲沈德潛）

(廿六)葚原詩說　冒春榮

1.四言詩締造良難，於《三百篇》太離不得，太肖不得；太離則失其源，太肖衹襲其貌也。韋孟〈諷諫〉、〈在鄒〉之作，肅肅穆穆，未離雅正。劉琨〈答盧諶〉篇，拙重之中，感激豪蕩，準之變雅，似離而合。張華、二陸、潘岳輩，懨懨欲息矣。淵明〈停雲〉、〈時運〉等篇，清腴簡遠，別成一格。（按：此襲沈德潛）

2.四言則〈卿雲歌〉、〈白雲謠〉、〈穆天子謠〉、〈西王母吟〉，莊周〈引聲歌〉，祝牧〈偕隱歌〉，韓憑妻歌，秦女琴歌，〈湘中漁歌〉，〈三秦記民謠〉，韋孟〈諷諫詩〉，東方朔〈誡子詩〉，司馬相如〈封禪頌〉，韋玄成〈自劾詩〉、〈誡子孫詩〉，傅毅〈迪志詩〉，朱穆〈絕交詩〉，仲長統〈述志詩〉，麗玉〈箜篌引〉，魏武帝〈短歌行〉、〈觀滄海〉、〈土不同〉、〈龜雖壽〉，文帝〈短歌行〉、〈善哉行〉，陳思王〈矯志詩〉，嵇康〈幽憤詩〉，束皙〈補亡詩〉，張翰〈周小史詩〉，左芬〈啄木詩〉，郭璞〈贈溫嶠〉，淵明〈時運〉、〈榮木〉、〈歸鳥〉、〈勸農〉，無名氏〈獨漉篇〉。（卷四）

(廿七)靜居緒言　缺名

1.志感情興而詩所作，古詩人在乎辭達其志，情見乎辭而已。〈二南〉之風渺，六義之旨微；而贍才務博，摛藻衍奇之為工，變始漢京，體備唐代，世移風易，厥有別裁，此詩之大較也。

2.詩之為道曰「思無邪」，為教曰「溫柔敦厚」，後世雖有不逮，烏可捨是而學？捨是而學，不將陋而誕歟？至于蹈常習故，襲括揣摩，固不可謂之學。《記》不云乎：「無剿說，無雷同。」

3.襞積飣餖，寧有文心？〈芣苢〉之樂，惟「采」、「有」、「掇」、「捋」、「袺」、「襭」之辭以致其遙情。〈漢廣〉之思，惟「泳」、「方」之言以寄乎永嘆。言之不穀，意豈無窮？

4.或曰詩惟含意，不在盡言。然〈國風〉辭多蘊藉，變雅則語類盡情。蓋所遇不同，慮關近遠，或冀聞聲之可悟，或慨枉志之難伸，義有固然，詩非漫與。

5.詩，人情也。人道以夫婦始，故多幃房燕婉之辭。〈離騷〉有風人之思，故託之美人香草，以見其憫世疾俗之志。

6.〈古詩十九〉，蘇、李贈言，婉而多風矣。唐山氏之製，則居然〈雅〉、〈頌〉也。平子〈四愁〉，其〈靜女〉、〈木瓜〉之嗣音乎？文姬琴曲，其〈兔爰〉、〈中谷〉之繼響乎？

(廿八)小清華園詩談　王壽昌

1.聖人以詩立教，非徒示人以吟詠之適，實欲使人各得夫性情之正也。故曰：「詩三百，一言以蔽之，曰思無邪。」又曰：「溫柔敦厚，詩教也。」雖好賢如〈緇衣〉，惡惡如〈巷伯〉，或未免於過情，然於無邪之旨、忠厚之意，罔或悖焉。漢、魏之間，去古未遠，餘意猶存，經六朝之綺靡，而遂蕩然矣。延及有唐，斯道大盛。然詩雖盛，而三百之意，其與存者幾何？顧嚴滄浪之言曰：「盛唐之詩，惟在興趣，如羚羊挂角，如鏡中之花、水中之月，言有盡而意無窮。」猶有非溢美者。「近代諸公，夫豈不工，而終非古人之詩也。」茲得門人王眉仙所著《詩談》一帙，其旨以《三百》為宗，其源以「無邪」為主，其意以「溫柔敦厚」為歸，而其法則專以漢、魏、晉、唐為則。其談詩也，理真而法密；其論古也，辨確而識精。且以《春秋》之筆，律〈風〉、〈雅〉之文，其是非予奪，頗足以正人心，裨世教，懲悖亂，儆邪淫。其有功於詩教，不綦偉歟！（戴鼎恒序）

2.何謂性情？曰：詩以道性情，未有性情不正而能吐勸懲之辭者。《三百篇》中，其性情亦甚不一，而總歸于無邪，故雖里巷之歌謠，皆可為萬世之典訓。自時厥後，以代而衰，遂至流為放辟邪侈而不可止。間有賢者崛起其間，各樹騷壇之幟，而往往不能無偏倚駁雜之弊。

3.何謂本源？曰：仇仁父曰：「古體吾主《選》，近體吾主唐。」近體主唐可也，古體主《選》，無乃已疎乎？或請其說，曰：「不有《三百篇》乎？吾于古體，得〈斯干〉之縱橫變幻焉；吾于近體，得〈陟岵〉之情深意遠焉。」

4.何謂是非取舍？曰：好賢如〈緇衣〉，惡惡如〈巷伯〉。故賢愚不分，不足以論人；是非不辨，不足以論事；取捨不明，不足以御事變而服人心。是故太沖〈詠史〉，其是非頗不乖人心所同然；嗣宗〈詠懷〉，其予奪幾可繼《春秋》之筆削。（卷上）

(廿九)退庵隨筆　梁章鉅

1.古人言詩，必推本於《三百篇》，或以此言為迂者，淺人之見也。古人言語之妙，固非今人所能幾；無論今人，即漢、魏以迄三唐，所謂直接《三百篇》之作者，亦差之尚遠。此時代限之也。然《三百篇》之宗旨，「思無邪」三字盡之，則人人所可學也。《三百篇》之門徑，「興、觀、群、怨」四字盡之，則人人所同具也。《三百篇》之性情，「溫柔敦厚」四字盡之，則人人所當勉也。此不可以時代限之也。但就此三層上用心，源頭既通，把握自定，然後再學其詞華格調，則前人言之詳矣。

2.漢、魏之詩，無意於學《三百篇》，而神理自合，時代本近也。六朝而後刻意學之者，以杜、韓為最。杜之言曰：「雅麗理訓誥。」韓之言曰：「詩正而葩。」三百篇之詞華格調，盡此二語矣。竊謂今之學詩者，只須將《毛詩》句句字字盡得其解，再將白文涵泳數過，於詩詣而不能精進者，吾不信也。

3.古人立言，以能感人為貴，而詩之入人尤深，故聖人言詩可以興、觀、群、怨。而今人作詩，但以應酬世故為能，則不如不作。試觀《三百篇》中，如〈何人斯〉云：「作此好歌，以極反側。」〈節南山〉云：「家父作誦，以究王訩。」〈正月〉云：「維號斯言，有倫有脊。」而〈四月〉云：「君子作歌，維以告哀」，則自稱為君子。〈崧高〉、〈烝民〉，一則云「吉甫作誦，其詩孔碩」，一則云「吉甫作頌，穆如清風」，則並不嫌於自譽。蓋欲人知其言之善而聽之，非必若後人作詩多自謙之辭也。故〈巷伯〉直云：「寺人孟子，作為此詩。凡百君子，敬而聽之。」

4.《書·金縢》：「公乃為詩以貽王，名之曰〈鴟鴞〉。」是先作詩後為名之證。故顧亭林曰：「古人先有詩而後有題，今人先有題而後有詩。」顧心勿（成志）曰：「古人詩，無所謂題，曰篇名而已。大都取本詩中句字，或全取首句，或摘取數字，或摘取中間及篇末之字，並無義例。其合篇中句字而別立一名者，〈小雅·雨無正〉、〈巷伯〉、〈大雅·常武〉、〈頌酌〉、〈賚〉、〈般〉而已。〈雨無正〉，據《韓詩》有『雨無其極，傷我稼穡』

八字，則亦取篇首也。〈巷伯〉他人所名，〈酌〉、〈賚〉、〈般〉取樂節而名，皆無深意。惟〈常武〉一篇，特立篇名，應自有義，蓋《三百篇》中所僅見也。統計《三百篇》中，篇名少纔一字，至多不過五字，則惟〈昊天有成命〉一篇。今人製題，有多至十餘句者，蓋古人所謂序也。古人篇名自篇名，序自序。《三百篇》序皆他人所為。後來如張衡〈四愁詩序〉、〈為焦仲卿妻詩序〉，亦他人所作。今人詩則皆自序，並或於題下加序而題與序混矣。《三百篇》序不必盡出當時，而辭皆簡質。今人序文愈繁，而詩遂減味矣。」

5.〈風〉詩與〈雅〉詩，其體不同。〈雅〉詩實，鋪敘處多；〈風〉詩虛，蘊藉處多。然〈風〉詩亦有盡情發露者，如〈蝃蝀〉卒章及〈相鼠〉之屬；〈雅〉詩亦有含蓄不露者，如〈鶴鳴〉、〈鼓鐘〉之屬，皆變體也。」

6.蘇齋師教人作詩，結語有用尖筆者，有用圓筆者，隨勢用之。此亦從《三百篇》出來。《三百篇》中，有就本事近結者，〈頍弁〉「間關」之類；有離本事遠結者，〈斯干〉、〈無羊〉之類，亦隨勢為之。若〈甘棠〉、〈小星〉章，俱單句結；後人作古體詩，亦常用之。

7.曹子建〈贈白馬王彪〉詩，顏延之〈秋胡行〉，皆以次章首句蟬連上章之尾，此本〈大雅·文王〉、〈下武〉、〈既醉〉三篇章法也。而蔡中郎〈飲馬長城窟〉、晉〈西洲曲〉，復施其法於一章之中，纏綿委折，而節拍更緊，遂極情文之妙。

8.唐、宋以來，詩家多有倒用之句。謝疊山謂「語倒則峭」。其法亦起於《三百篇》。如〈谷風〉之「不遠伊邇，薄送我畿」，

〈簡兮〉之「赫如渥赭，公言錫爵」，〈小明〉之「至於艽野，二月初吉」，〈閟宮〉之「秋而載嘗，夏而楅衡」，〈殷武〉之「勿予禍適，稼穡匪解」是也。有倒用之字，倒一字者，如「有敦瓜苦」、「菀彼桑柔」、「以我齊明」、「矧敢多又」。倒二三字者，如「婉如清揚」、「終其永懷」、「匪言不能」、「式飲庶幾」、「何辜今之人」是也。他若「中谷」、「中逵」、「中林」、「中路」、「中田」、「家室」、「裳衣」、「衡從」、「稷黍」、「瑟琴」、「鼓鐘」、「斯螽」、「下上」、「羊牛」、「甥舅」、「孫子」、「女士」、「京周」、「鼐鼎」、「息偃」之類，不勝枚舉。然在古人，卻非有意為之，亦大抵趁韻之故，遂開後人法門耳。

9.《三百篇》中，對偶之句，層見疊出，已開後代律體之端。如「覯閔既多，受侮不少」、「發彼小豝，殪此大兕」、「升彼大阜，從其群醜」、「念子懆懆，視我邁邁」、「誨爾諄諄，聽我藐藐」。又有扇對，如「昔我往矣」四句。有當句對，如「螓首蛾眉」、「檜楫松舟」、「有聞無聲」、「唱予和汝」、「匪莪伊蒿」、「彼疏斯稗」。有以對句起者，「喓喓草蟲，趯趯阜螽」，「青青子衿，悠悠我心」。有以對句起者，「厭厭良人，秩秩德音」、「允矣君子，展也大成」。

10.李、杜、韓、蘇詩中，亦不免有疵詞累句，不但無損其為名家，且並有與古人暗合者。即如《三百篇》中，有敷演句，如「無已太康，亦已太甚」，「太」即「已」也。此與《書》之「不遑暇食」，《左傳》之「尚猶有臭」相同。有湊泊句，如「既伯既禱」、「匪載匪來」、「爰始爰謀」、「如沸如羹」，第三字皆湊成。有複疊句，其相連者，如「不我以，不我以」、「人涉卬否，人涉卬否」。相間者，如〈君子于役〉二章，各複一「君子于役」；〈采苓〉三章，各複一「人之為言」；〈雲漢〉卒章，複「下瞻卬昊天」。其複二字者，在句首，如「言告師氏，言告言歸」；在句中，如「以望楚矣，望楚與堂」；在句末，如「奉時辰牡，辰牡孔碩」、「胡不相畏，不畏于天」、「戎車嘽嘽，嘽嘽焞焞」、「其德克明，克明克類」，皆取成句調，別無深義也。

11.魏道輔（泰）曰：「詩者述事以寄情，事貴詳，情貴隱，故能入人之深。如盛氣直述，更無餘味，則感人也淺，烏能使其不知手舞足蹈，又況能厚人倫，美教化，動天地，感鬼神乎？『桑之落矣，其黃而隕』，『瞻烏爰止，于誰之屋』，其言止於桑與烏爾，及緣事以審情，則不知涕之何從也。後人『採薜荔兮江中，搴芙蓉兮木末』，『沅有芷兮澧有蘭，思公子兮未敢言』、『我所思兮在桂林，欲往從之湘水深』之類，皆同此意。唐人樂府，述情敘怨，雖委曲周詳，而言盡意盡矣。」

12.古人不朽之作，類多率爾造極，不可攀躋。鍾仲偉有「吟詠性情，何貴用事」之語。嚴滄浪亦言：「詩有別材，非關學；詩有別趣，非關理。」此專為《三百篇》及漢、魏言之則可，若我輩生古人之後，古人既有格有律，其敢曰不學而能乎？且詩兼賦比興，必熟通於往古來今之故、上下四方之跡，而多識於鳥獸草木之名，既不能無所取材，又敢曰「何貴用事」乎？余在樞直，每公暇，輒與程春廬談藝。春廬為余述其友方長青之言曰：「詩必以造語為工，而造語必以多讀書善用事為妙。試取《三百篇》讀之：『沔彼流水，朝宗于海』，用〈禹貢〉也。『燎之方揚，寧或滅之』，用

〈盤庚〉也。『國雖靡止，或聖或否。民雖靡膴，或哲或謀，或肅或乂』，用〈洪範〉也。『罔敷求先王，克共明刑』，用〈康誥〉也。虞史臣之序曰：『率籥下土方』，〈商頌〉用之。〈夏小正〉曰：『有鳴倉庚』，〈豳風〉用之。塗山之歌曰：『有狐綏綏』，〈鄘風〉、〈齊風〉兩用之。〈箕子之歌〉曰：『彼狡童兮，不與我好兮』，〈鄭風〉用之。夫商、周所有之書，其見於今者亦僅矣，而其可得而言者如此，則令其書具存，將《三百篇》無一字無來歷，可知也。蓋鍾、嚴所言，專以性靈說詩，未為過也。乃言性靈，而必以不用事、不關學為說，則非矣。桓野王撫箏而歌其詩曰：『為君既不易，為臣良獨難。』安石為之累欷。謝康樂之詩曰：『韓亡子房奮，秦帝魯連恥。本是江海人，忠義動君子。』孝靜為之流涕。彼詩之感人，至於如此，亦可謂有性靈語矣，而皆出於用事，本於學古。然則以學古用事為詩，則性靈自具；以不關學、不用事為詩，雖有性靈，蓋亦罕矣。」

13.汪韓門曰：「魏文帝〈典論〉曰：『詩賦欲麗。』陸士衡〈文賦〉曰：『詩緣情而綺靡。』夫以綺麗說詩，後之君子所斥為不知理義之歸也。嘗讀〈東山〉之詩矣，周公但言『慆慆不歸』及『勿士行枚』數言已足矣。彼夫蠋在桑野，瓜在栗薪，『伊威在室，蠨蛸在戶』，町畽近廬舍而鹿以為場，熠燿乃倉庚而螢以為號，皆贅言也。……」

14.毛西河曰；「古詩人之意，有故為儇語而實重，故為薄語而實厚者。『袞衣』留周公，辭甚儇而情則重；〈麥秀〉傷故都，語雖薄而思則厚。蓋風人之旨，意在言外，必考時論事，而後知之。此〈青青子衿〉之篇，朱子以為刺淫奔，不如〈小序〉以為刺學校也。朱子之意，亦不過以為辭意儇薄，施之於學校，不相似耳。閻百詩嘗曰：唐人朱慶餘作〈閨情〉一篇獻水部郎中張籍，云：『洞房昨夜停紅燭，待曉堂前拜舅姑。妝罷低聲問夫婿，畫眉深淺入時無？』向使無『獻水部』一題，則儇儇數言，特閨閣語耳，有能解其以生平就正賢達之意乎？又竇梁賓以才藻見賞於進士盧東表，適東表及第，梁賓喜而為詩曰：『曉粧初罷眼初瞤，小玉驚人踏破裙。手把紅箋書一紙，上頭名字有郎君。』若掩其題，則靡麗輕薄，與婦喜夫第何異。蓋風人寓言，往往不可猝辨如此。」

15.詹去矜云：「樂府可無作也。《詩》三百篇原本性情，體兼美刺，深微窈眇之思，溫厚和平之意，其諧金石而感鬼神，大抵皆樂府也。漢人始有樂府之作，然已不能為《三百篇》矣，而當其情與境會，自然合節，亦未始非樂府也。詩家惟唐律最嚴，如太白〈清平調〉、君平〈寒食〉詩、二王〈涼州詞〉、〈閨怨〉，既已優伶習之，絃索和之，何必非樂府乎！少陵雄視百代，集中如〈兵車〉、〈出塞〉、〈無家〉、〈垂老〉、〈新安吏〉、〈石壕吏〉諸作，尤為樂府勝場，何必更摹古作者之名哉！自李于鱗『擬議變化』之言出，耳食者流，轉相蹈襲，不能出入〈風〉、〈雅〉，惟鬪靡誇多，每詩集一帙，標題樂府者大半。夫以一人之心思，欲使諸好皆備，忽擬美人，忽擬壯士，忽為袞衣端冕之帝者，忽學驂鸞駕鶴之神仙，大似百戲排場子弟，顰笑俱假，趨向由人。即如〈大風〉，〈垓下〉、〈易水〉、〈秋風〉，古人已臻極至，無容更贅一詞，乃尚刺刺不休，用心無用之地。又如〈陌上桑〉、〈秋胡行〉、〈君馬黃〉、〈戰城南〉種種名目，古人緣情寫照，原自不可無一，不必有二，而或割裂全篇，換易字句，依稀影響，遂稱已作，工者不免優孟抵掌之誚，拙者至有葫蘆依樣之譏。言詩至此，勞而少功，故曰樂府可毋作也。」

16.王雪山（質）曰：「詩有三〈揚之水〉，有三〈羔裘〉，有兩〈谷風〉，非相祖述也，有此曲名，故相傳為之。如樂府一種名而多種辭，辭雖不同而聲則同也。然則不但樂府之體，原本《三百篇》，即樂府之題，《三百篇》早具其概矣。」

17.王荊公嘗謂「太白人品甚卑，十句九句說婦人」。或駁之曰：「荊公學識太高，故嘗笑《春秋》為斷爛朝報。」夫《風》、《騷》之旨，豈有他哉！五倫正變之際，蓋難言之，愛成仇而忠見謗，古人所遭，往往有同世不知、後賢不諒之隱，亦遂不能已於言。然而直言近訐，比興多風，故往往寄託於美人香草，此正其用心之厚也。試思七子賦詩，亦何取蔓草零露，豈有各誦其國人淫奔之什以贈答其鄰封者？風人之旨，概可窺矣。至若屈子見放，厥有《楚辭》，竟體香豔，幸已見諒於後之賢者，尊之為經。假使當日身不沈湘，史不立傳，又焉知好議之口，不疑其人品之卑哉！今有人動筆啟口，輒稱忠孝，而處心制行，都不外妻子利祿之間，則亦可目為高品人乎？且風人托物起興，不貴遠引，亦不須泛作莊語。試思〈周南〉之首，美開國聖母之德，亦止以小鳥起興，而竟目之為「窈窕淑女」；至文王求女不得，則又直書其「輾轉反側」。若以字面訾之，雖直坐之以大不敬可也。「睢鳩」則曰「關關」矣，「荇菜」則曰「參差」矣，「采之」則曰「左右」矣，「求之」則曰「寤寐」矣，重重複複，只此數句，又全無節義高品之言，微乎妙哉！正所謂風也，聲也，如絲桐之泛音也。意篤而語重，言近而旨遠。夫近莫近於兒女之情，而遠莫遠於〈周南〉之化，皆婦人也。故吾謂《風》、《騷》之旨，不出閨房，亦不貴遠引莊論。假使冬烘作此詩，則必曰「關關鳳凰，聖女端莊。求之不得，寤無反側」，豈不令人腸痛哉！

18.自王漁洋倡神韻之說，於唐人盛推王、孟、韋、柳諸家，今之學者翕然從之，其實不過喜其易於成篇，便於不學耳。《詩》三百篇，孔子所刪定，其論詩，一則云溫柔敦厚，一則云可以興觀群怨，原非但品題泉石、摹繪烟霞。

19.《三百篇》之必有韻，夫人而知之。然前人於〈周頌〉首章，多方求叶，余終未敢以為信也。惟近人有解「清廟之瑟，一唱而三歎」者，是〈清廟〉一詩，每句皆必一人唱而三人和之。如此則合四人之尾聲，自然成韻，所謂「有遺音者」也。此說似最明通。可知古人之韻，即是天籟，必以唐、宋之韻，繩三代上之詩，宜其窒礙而鮮通矣。

20.袁簡齋曰：「顧亭林言：『《三百篇》無不轉韻者，唐詩亦然。惟韓昌黎七古，始一韻到底』」。余按《文心雕龍》云：「賈誼、枚乘，四韻輒易，劉歆、桓譚，百韻不遷，亦各從其志也。」則不轉韻詩，漢代已然矣。

21.閻百詩曰：「百里不同音，千里不同韻。《毛詩》中凡韻作某音者，乃其字之正聲，非強為押也。」《焦氏筆乘》載古人「下」皆音虎，〈衛風〉「于林之下」，上韻為「爰居爰處」；〈凱風〉「在浚之下」，上韻為「母氏勞苦」；〈大雅〉「至於岐下」，上韻為「率西水滸」。「服」皆音迫，〈關雎〉「寤寐思服」，下韻為「輾轉反側」；〈候人〉「不稱其服」，上韻為「不濡其翼」；〈離騷〉「非時俗之所服」，下韻為「依彭咸之遺則」。「降」皆音攻，〈草蟲〉「我心則降」，下韻為「憂心忡忡」；〈旱麓〉「福祿攸降」，上韻為「黃流在中」。「英」皆音央，〈清人〉「二矛重英」，下韻為「河上翱翔」；〈有女同車〉「顏如舜英」，下韻為「佩玉鏘鏘」，《楚辭》「華彩衣兮若英」，下韻為「爛昭昭兮未央」。「風」皆讀分，〈綠衣〉「淒其以風」，下韻為「實獲我心」；〈晨風〉「鴥彼晨風」，下韻「鬱彼北林」；〈烝民〉「穆如清風」，下韻為「以慰其心」。「憂」皆讀嚶，〈黍離〉「為我心憂」，上韻為「中心搖搖」；〈載馳〉「我心則憂」，上韻為「言至於漕」；《楚辭》「思公子兮徒離憂」，上韻為「風颯颯兮木蕭蕭」。其他則「好」之為吼，「雄」之為形，「南」之為能，「儀」之為何，「宅」之為托，「澤」之為鐸，皆玩其上下文及他篇之相同者而自見。袁簡齋亦云：「『風』字《毛詩》中凡六見，皆在侵韻，他可類推。」後人不解此義，乃欲以後來詩韻強協《三百篇》，誤矣！

(三十)養一齋詩話　潘德輿

1.「詩言志」、「思無邪」，詩之能事畢矣。人人知之而不肯述之者，懼人笑其迂而不便於己之私也。雖然，漢、魏、六朝、唐、宋、元、明之詩，物之不齊也。「言志」、「無邪」之旨，權度也。權度立，而物之輕重長短不得遁矣；「言志」、「無邪」之旨立，而詩之美惡不得遁矣。不肯述者私心，不得遁者定理，夫詩亦簡而易明者矣。

2.言志者必自得，無邪者不為人。是故古人之詩，本之於性天，養之以經籍，內無怵迫苟且之心，外無夸張淺露之狀；天地之間，風雲日月，人情物態，無往非吾詩之所自出，與之貫輸於無窮。此即深造自得，居安資深，左右逢原之說也，不為人故也。後世之士，若不為人，則不復學詩。搦管之先，祇求勝人；多作之後，遂思傳世，雖久而成集，閱之幾無一言之可存。何也？彼原未嘗學詩也。分曹詠物之作、酬和疊韻之體、諛頌悅人之篇、飣餖考古之製，窮工極巧，瀰漫浩汗，何益於身心，何裨於政教？作者詡能手，誦者稱國工，名家不能掃除，餘子倚為活計，紛紛籍籍，皆孔子所謂為人者也。此烏得有自得之一時，使人一唱三歎諷尋不置哉！難者曰：「為己自得，聖學也，學詩必要諸聖，不迂則僭。」曰：「子知詩宜辨雅俗乎？」曰：「知之。」曰：「知之則無疑予言之迂且僭也。夫所謂雅者，非第詞之雅馴而已。其作此詩之由，必脫棄勢利，而後謂之雅也。今種種鬬靡騁妍之詩，皆趨勢弋利之心所流露也。詞縱雅而心不雅矣，心不雅則詞亦不能掩矣。不雅由於為人而不自得，然則子欲畫雅俗之界，舍為己自得之說，又何從辨之？《三百篇》、漢人之詩，委巷婦孺，亦廁其中，被豈嘗探討聖學者，特其詩不為人而自得，故足傳誦耳。子於此求之，則知予非好作頭巾語矣。不審乎此，而震驚時俗之同然，依傍他人之門戶，無志無識，終於苟焉耳。何詩之可言！」

3.阿諛誹謗、戲謔淫蕩、夸詐邪誕之詩作而詩教熄，故理語不必入詩中，詩境不可出理外。謂「詩有別趣，非關理也」，此禪宗之餘唾，非風雅之正傳。

4.《三百篇》之體製音節，不必學，不能學；《三百篇》之神理意境，不可不學也。神理意境者何？有關係寄託，一也；直抒己見，二也；純任天機，三也；言有盡而意無窮，四也。不學《三百篇》，則雖赫然成家，要之纖瑣摹擬，餖飣淺盡而已。今人之所喜，古人之所笑也。漢、唐人不盡學《三百篇》，然其至高之作，必與《三百篇》之神理意境闇合，而後可以感人而傳誦至今。夫才高者，倘可闇合，而何不可學之有哉！東坡先生教人作詩曰：「熟讀《毛詩．國風》與《離騷》，曲折盡在是矣。」王伯厚曰：「〈新安吏〉：『僕射如父兄』。『雖則如燬，父母孔邇』，此詩近之。山谷所謂『論詩未覺〈國風〉遠』也。」王濟之曰：「讀《詩》至〈綠衣〉、〈燕燕〉、〈碩人〉、〈黍離〉等篇，有言外無窮之感。唐人詩倘有此意，如『君向瀟湘我向秦』，不言悵別而悵別之意溢於言外；『潮打空城寂寞回』，不言興亡而興亡之感溢於言外，最得風人之旨。」愚謂此類甚多，皆《三百篇》可學之證也。（以上卷上）

5.詩積故實，固是一病，矯之者則又曰詩本性情。予究其所謂性情者，最高不過嘲風雪、弄花草耳，其下則歎老嗟窮，志向齷齪。其尤悖理，則荒淫狎媟之語，皆以入詩，非獨不引為恥，且曰此吾言情之什，古之所不禁也。於虖！此豈性情也哉？吾所謂性情者，於《三百篇》取一言，曰「柔惠且直」而已。此不畏彊禦，不侮鰥寡之本原也。老杜云「公若登台輔，臨危莫愛身」，直也；「窮年憂黎元，歎息腸內熱」，柔惠也。樂天云「況多剛狷性，難與世同塵」，直也；「不辭為俗吏，且欲活疲民」，柔惠也。兩公此類詩句，開卷即是，得古詩人之性情矣。舍此而言性情，詩之螟螣也。「性情」二字，頗不易言，更勿誤認。

6.茗香又謂「漢詩之於《二南》，猶春秋時之魯；魏詩猶齊；陶詩猶漢之文帝，雖不用成周禮樂，猶時時有其遺意」。亦不然。

漢詩比〈國風〉，時或相似，然揚厲處多，以為似春秋時之魯，則太弱矣。魏世高手如仲宣、公幹等，皆不足於古澹，去漢已遠，去周更遠，何能似春秋時之齊也？若子建直逼漢詩，陶公亦《三百》之苗裔，予故曰升堂也。今概言魏不及漢，已不足服子建之心，謂陶更降於魏，豈通論乎？大抵論詩有三要：一曰心術，二曰氣體，三曰時運。心術無古今，而氣體不能無古今，則時運為之，不可貶也。或曰：氣體可不講乎？曰：否。如晉之潘、陸以逮梁、陳之徐、庾，唐之沈、宋以逮晚唐之溫、李，宋之蘇、黃以逮南宋之四靈，逞妍鬭博，尚氣弄巧，皆不能不為詩累，雖一時稱巨手，然皆今人之詩也。氣體烏可忽哉？雖然，氣體當為今之古，不必為古之古。為古之古，則仿效形跡而為古之皮毛；為今之古，則獨濬靈源而為古之苗裔。曹、陶氣體，雖遜《三百》，然足為今之古。為今之古，則為時運轉而不為時運累，即可許其復古。昔孟子挺亞聖之才，其文不能脫戰國風氣，而究非《戰國策》也，能謂其文與孔子異乎？故作文以心術為主，氣體為輔；論文則心術、氣體、時運三者兼焉。近人論詩，不知心術、氣體，固屬卑下，茗香不審時運，而徒以氣體分升降，亦非通達而無滯者也。

7.顧華玉謂「詩當要諸後世，不可苟悅於目前」，名論也。然謂「杜宗〈雅〉、〈頌〉而實其實，其蔽也樸，韓昌黎是也；李宗〈國風〉而虛其虛，其蔽也浮，溫庭筠是也。盛唐王、岑諸公，依稀〈風〉、〈雅〉而以魏、晉為歸，沖夷有餘韻矣，其蔽也俚而易，王建、白樂天是也」。是皆不免武斷。三代以後，學〈風〉、〈雅〉者稀矣，學〈頌〉者尤稀，杜詩仰追〈風〉、〈雅〉，亦未及〈頌〉也。謂其詩無不實，亦非也。彼其運意深微屈曲，得風人之虛婉者多矣，華玉未之審耳。太白宗〈國風〉，又兼〈離騷〉，其樂府古詩，往往有沈著入微處，謂其純蹈虛，則窺太白亦淺矣。王、岑諸公，造詣淵源，不可輕議，大略以晉為始耳，謂其宗魏，吾不敢知，其「依稀〈風〉、〈雅〉」者安在？若「樸」乃詩之佳境，不可言「蔽」，昌黎亦未可言「樸」。溫庭筠非因宗太白而「浮」。王建與樂天不相似，又未必宗王、岑也。

8.香山〈讀張籍古樂府〉云：「為詩意如何，六義互鋪陳。〈風〉、〈雅〉比興外，未嘗著空文。上可裨教化，舒之濟萬民。下可理情性，卷之善一身。言者志之苗，行者文之根。所以讀君詩，亦知君為人。」數語可作詩學圭臬。予欲取之以為歷代詩人總序，合乎此則為詩，不合乎此，則雖思致精刻，詞語雋妙，采色陸離，聲調和美，均不足以為詩也。學者可以知所從事矣。（以上卷下）

9.魏氏慶之曰：「為詩欲氣格豪逸，當看退之、太白。」按退之文，乃太白詩之敵也；退之詩，則不可與太白詩並。蓋退之詩，豪則有之，逸處甚少，千古以來，足當「氣格豪逸」者，太白一人而已。後來蘇長公七古豪逸處，幾欲亂真。然李詩源出〈風〉、〈騷〉，痕跡都融；蘇詩行以古文，議論不廢。李實正聲，蘇為別徑，終難方駕。朱子曰：「蘇、黃只是今人詩，蘇才豪，一滾說盡無餘意」，是也。

10.葛氏立方曰：「李白樂府三卷，於三綱五常之道數致意焉。慮君臣之義不篤也，則有〈君道曲〉之篇。慮父子之義不篤也，則有〈東海勇婦〉之篇。慮兄弟之義不篤也，則有〈上留田〉之篇。慮朋友之義不篤也，則有〈箜篌謠〉之篇。慮夫婦之義不篤也，則有〈雙燕離〉之篇。」按此條於太白詩能見其大，太白所以追躡〈風〉、〈雅〉為詩之聖者，根本節目，實在乎此。後人震眩其才，而不知其深合古詩人之義，故譽之則謂其擺去拘束，如元微之；毀之則謂其不達義理，如蘇子由，皆大誤也。

11.（李）于鱗轉以太白為「強弩之末」、為「英雄欺人」，更不堪一笑耳。《詩辨坻》亦謂「太白歌行，跌宕自喜，不閑整栗，唐初規制，掃地欲盡」，與于鱗一鼻孔出氣。此皆誤以初唐為古體，故嫌李詩之一概放佚，而幸杜詩之偶一從同。豈知詩之為道，窮則變，變則通，〈風〉、〈雅〉之不能不為《楚騷》，《楚騷》之不能不為蘇、李，皆天也。詩之古與不古，視其天與不天而已矣。今必以初唐為古，不知初唐已變江左；必以太白為蔑古，不知蘇、李已變《風》、《騷》。余最笑何大復〈明月篇〉，舍李、杜而師盧、駱，以為「劣於漢魏」而「近風騷」歟？不知「劣於漢魏近風騷」句，乃言「劣於漢魏」之「近風騷」耳。不解句義，既堪哈噱，況當時之體，老杜已明斷之。于鱗欲為後來傑魁，仍拾信陽餘唾，徒以初唐一體繩太白、子美歌行之優劣，所以終身宗法唐人而不免為優孟歟？（李杜詩話卷一）

12.蘇氏軾曰：「太史公論詩：『〈國風〉好色而不淫，〈小雅〉怨誹而不亂。』以予觀之，是特識變風、變雅耳，烏睹詩之正乎？先王之澤衰，然後變風作，發乎情，雖衰而未竭，是以猶止乎禮義，以為賢於無所止者而已矣。若夫發乎性，止乎忠孝，豈可同日而語哉！古今詩人眾矣，而子美獨為首者，豈非以其流落飢寒，終身不用，而一飯未嘗忘君也與？」按少陵之詩，千古無不推奉，然至比之變風、變雅止矣，東坡更謂其為風雅之正，尤在「發乎情止乎禮義」者之上，非徒以大言伏世人也。「發乎性止乎忠孝」七字，評杜實至精矣。荊公詩「吾觀少陵詩，謂與元氣侔」，又足為發乎性止乎忠孝注腳也。

13.李氏綱曰：「王者跡熄而《詩》亡，《詩》亡而〈離騷〉作。〈九歌〉、〈九章〉之屬，引類比義，雖近乎俳，然愛君之誠篤，而疾惡之志嚴，君子許其忠焉。漢、唐間以詩鳴者多矣，獨杜子美得詩人比興之旨，雖困躓流離而心不忘君，故其詞章慨然有志士仁人之大節，非止摹寫物象，風容色澤而已也。」按作詩當先辨六義，〈風〉、〈雅〉、〈頌〉，朱子謂之三經；賦、比、興，朱子謂之三緯。三代以後，〈風〉、〈雅〉、〈頌〉之體，不可摹襲，而賦、比、興，則作者之性情，觸物流露。雖無〈風〉、〈雅〉、〈頌〉之貌，而實〈風〉、〈雅〉、〈頌〉之心也。作詩若有賦而無比興，則詩心凋喪，而去〈風〉、〈雅〉、〈頌〉益遠。惟子美以志士仁人之節，闡詩人比興之旨，遂足為古今冠。學詩者熟玩《三百篇》之比興，而子美之真心不難求、大節不難見矣。不然，導源已差，誦覽著述，愈多愈繆。陸務觀所謂「淫哇解移人，往往喪妙質。正令筆扛鼎，亦未造三昧」者也。（李杜詩話卷二）

(卅一)竹林答問　陳僅

1.問：《詩》三百篇自是三代時詩體，自〈株林〉後，經傳所載逸詩，皆與〈風〉、〈雅〉體裁不合，孟子所謂《詩》亡，豈謂是歟？

孟子言《詩》亡，自謂采詩之職亡而變風不陳耳。若體格之變，風會所轉移，詩之存亡，實不繫此。即如春秋之季，列國謠誦已與《三百篇》殊體，諸書所載孔子之歌皆然，豈孔子當日尚不能為《三百篇》體製乎？然則漢、魏之五言，有唐之律絕，雖聖人復生，亦無意無必而已。必欲摹〈雅〉、〈頌〉為復古，剽〈風〉、〈騷〉以鳴高，非聖人刪詩之旨也。

2.問：宋人謂刪後無詩，又以文中子續《詩》為僭。如叔父言，則古今果無別歟？

宋人之論，尊經則可，於說詩則無當也。朱子取昌黎〈董生行〉入小學，何嘗薄後人邪？古今無一日無性情，即無一日無詩；無一日無家國天下，即無一日無美刺。故他經不可續，獨《詩》可續；〈二南〉、〈雅〉、〈頌〉不可續，而變風、變雅可續。聖人復起，吾言不易。惟各存其是而不以古人苛繩之，斯可耳。

3.問：歷代之詩，宋不及唐，唐不及漢、魏。李、杜詩高處，較〈十九首〉尚隔一籌，何況《三百篇》？三代邈矣！豈古今人竟不相及若此邪？

古今詩人之不相及，非其才質遜古，運會限之也。使李、杜生建安、正始，亦能為子建、嗣宗；使東坡生天寶、元和，亦能為杜、韓。十五〈國風〉多閭巷婦女所作，謂李、杜、韓、蘇不及成周之閭巷婦女，恐無此理。

4.問：今人之論，又有性靈詩一種。袁簡齋〈論詩〉云：「鈔到鍾嶸《詩品》日，該他知道性靈時。」似實有所謂性靈詩者，然否？

詩本性情，古無所謂「性靈」之說也。《尚書》「詩言志」、〈詩序〉：「詩發乎情，止乎禮義」、〈文賦〉：「詩緣情而綺靡。」有情然後有詩。其言性情者，源流之謂，而不可謂詩言性也。「性靈」之說，起於近世，苦情之有閑，而創為高論以自便，舉一切紀律防維之具而胥潰之，號於眾曰：「此吾之性靈然也。」無識者亦樂於自便，而靡然從之。嗚呼！以此言情，不幾於近溪、心隱之心學乎？夫聖人之定詩也，將閑其情以返諸性，俾不至蕩而無所歸。今之言詩者，知情之不可蕩而無所歸，亦知徒性之不可以說詩也，遂以「靈」字附益之，而後知覺、運動、聲色、貨利，凡足供其猖狂恣肆者，皆歸之於靈，而情亡，而性亦亡。是故聖道貴實，自釋氏遁而入虛無，遂為吾道之賊。詩人主情，彼蕩而言性靈者，亦詩之賊而已矣。

5.問：《文章緣始》謂五七言皆起於漢。然《毛詩》「伴奐爾游矣」三章，「惟昔之富不如時」二句，已見胚胎，是同出於西周之時矣。

此語誠然。五言古詩起於蘇、李，七言古詩起於〈柏梁〉。若五言歌行，漢人之樂府也。七言歌行，肇始於禹玉牒辭（〈拾遺記〉所載〈白帝〉、〈皇娥〉二歌，不足信）。後來如〈飲牛〉、〈臨河〉、〈采葛〉、〈易水〉、〈垓下〉、〈大風〉皆是，亦樂府也。古詩及歌行自是兩種，論古詩之源，則五七言同時；論歌行之源，則七言先於五言。滄浪於此，頗似倒置。至謂四言起於漢韋孟，則大謬。此齊、梁詩體之所以卑也。

6.問：然則轉韻之長短緩急無定法乎？

此中亦實有規矩，難以言傳。其法莫備於杜詩，有每段八句四句法律森嚴者，有間以促韻者，有變化不可端倪者，大抵前紓徐而後急促，所謂亂也。熟玩之自能心領神會。予所著《詩誦》一書，論《三百篇》轉韻之法甚備，可以溯源。

7.問：七言古詩換韻之句必用韻，何故？

轉韻七古，凡換頭之句必有韻，與五古轉韻異，與歌行雜言亦異。蓋五古原本《三百篇》，雜言句法伸縮，其換韻自有御風出虛之妙。七言則句法嘽緩，轉韻處必用促節醒拍，而後脈絡緊遒，音調圓轉。古今作者，皆無異軌。惟少陵〈醉時歌〉「先生有道出羲皇」，〈哀江頭〉「憶昔霓旌下南苑」，〈劍器行〉「先帝侍女八千人」，三換頭皆無韻。細玩之，乃各有法外法，使後人倣之，則立蹶矣。

(卅二)白華山人詩說　厲志

1.直而能曲，淺而能深，文章妙訣也。有大可發揮，絕可議論，而偏出以淺淡之筆、簡淨之句，後之人雖什佰千萬而莫能過者，此《三百篇》之真旨，漢、魏人間亦有之。

2.阮步兵〈詠懷〉詩，有說是本〈雅〉，有說是本〈騷〉，皆言肖其神耳。於此可以悟前人學古之妙。

3.或曰：「《三百篇》直抒性情，無一不佳，請問當日詩人，所讀何書？」余謂不然，不讀書必不能有此。古今人性情皆同，惟其薰染不同，故文字亦不同。少時聞田歌云：「謝豹香花滿山紅，癩頭娘子嫁老公。」原其情之所發，即是〈周南・桃夭〉之詩。一文一俚，難可里計，由其有無書味薰蒸故耳。

(卅三)詩概　劉熙載

1.《詩緯・含神霧》曰：「詩者，天地之心。」文中子曰：

「詩者，民之性情也。」此可見詩為天人之合。

2.「詩言志」，孟子「文辭志」之說所本也。「思無邪」，子夏〈詩序〉「發乎情止乎禮義」之說所本也。

3.〈關雎〉取摯而有別，〈鹿鳴〉取食則相呼。凡詩能得此旨，皆應乎〈風〉、〈雅〉者也。

4.〈詩序〉：「風，風也。風以動之。」可知風之義至微至遠矣。觀〈二南〉詠歌文王之化，辭意之微遠何如！

5.變風始〈柏舟〉。〈柏舟〉與〈離騷〉同旨，讀之當兼得其人之志與遇焉。

6.〈大雅〉之變，具憂世之懷；〈小雅〉之變，多憂生之意。

7.〈頌〉固以美盛德之形容，然必原其所以至之之由，以寓勸勉後人之意，則義亦通於〈雅〉矣。

8.〈雅〉、〈頌〉相通，如頌〈閔予小子〉、〈訪落〉、〈敬之〉、〈小毖〉近〈雅〉；雅〈生民〉、〈篤公劉〉近〈頌〉。

9.「穆如清風」、「肅雝和鳴」，〈雅〉、〈頌〉之懿，兩言可蔽。

10.〈詩序・正義〉云：「比與興，雖同是附託外物，比顯而興隱，當先顯後隱，故比居先也。《毛傳》特言興也，為其理隱故也。」案《文心雕龍・比興篇》云：「毛公述《傳》，獨標興體，豈不以風異而賦同，比顯而興隱哉！」《正義》蓋本於此。

11.「取象曰比，取義曰興」，語出皎然《詩式》，即劉彥和所謂「比顯興隱」之意。

12.《詩》，自樂是一種，「衡門之下」是也；自勵是一種，「坎坎伐檀兮」是也；自傷是一種，「出自北門」是也；自譽自嘲是一種，「簡兮簡兮」是也；自警是一種，「抑抑威儀」是也。

13.「心之憂矣，其誰知之」，此詩人之憂過人也；「獨寐寤言，永矢弗告」，此詩人之樂過人也。憂世樂天，固當如是。

14.「皎皎白駒，在彼空谷」出乎外也；「我任我輦，我車我牛」，入乎中也。「雝雝鳴雁，旭日始旦」，宜其始也；「風雨如晦，雞鳴不已」，持其終也。

15.真西山《文章正宗・綱目》云：「三百五篇之詩，其正言義理者蓋無幾，而諷詠之間，悠然得其性情之正，即所謂義理也。」余謂詩或寓義於情而義愈至，或寓情於景而情愈深，此亦三百五篇之遺意也。

16.詩喻物情之微者，近〈風〉；明人治之大者，近〈雅〉；通天地鬼神之奧者，近〈頌〉。

17.〈離騷〉，淮南王比之〈國風〉、〈小雅〉，朱子《楚辭集註》謂「其語祀神之盛幾乎〈頌〉」。李太白〈古風〉云：「正聲何微茫，哀怨起騷人」，蓋有《詩》亡《春秋》作之意，非抑〈騷〉也。

18.秦碑有韻之文質而勁，漢樂府典而厚。如商周二〈頌〉，氣體攸別。

19.質而文、直而婉，〈雅〉之善也。漢詩〈風〉與〈頌〉多而〈雅〉少。〈雅〉之義，非韋傅〈諷諫〉，其孰存之！

20.李詩鑿空而道，歸趣難窮，由〈風〉多於〈雅〉，興多於賦也。

21.「思無邪」，「思」字中境界無盡，惟所歸則一耳。嚴滄浪《詩話》謂「信手拈來，頭頭是道」，似有得於此意。

22.雅人有深致，風人、騷人亦各有深致。後人能有其致，則〈風〉、〈雅〉、〈騷〉不必在古矣。

23.「昔我往矣，楊柳依依；今我來思，雨雪霏霏」。雅人深致，正在借景言情。若舍景不言，不過曰春往冬來耳，有何意味？然「黍稷方華」、「雨雪載塗」，與此又似同而異，須索解人。

24.「其詩孔碩，其風肆好」。後世為詩者，於「碩」、「好」二字須善認。使非真碩，必且迂；非真好，必且靡也。

25.詩不清則蕪，不穆則露。「穆如清風」，宜吉甫合而言之。

四、詩話詩經學

論清代詩史者，很少人注意到在各家各派理論中總盤旋縈繞著有關《詩經》的音聲旋律。現在輯出來，相信不少人會嚇一跳。赫然發現：「哇，原來各家論《詩經》的言論這麼多，而且各家論者的詩論常與他們對《詩經》的看法相關哩！」確實，這麼多論《詩》的資料，不但表現了詩家對《詩》的高度興趣，展示了他們由作詩、學詩、解詩角度對《詩》的文學性理解，也證明了這種理解跟清代詩家本身的詩論往往有直接的關聯。

例如梁章鉅《退庵隨筆》批評：「漁洋倡為神韻之說，於唐人盛推王孟韋柳諸家，今之學者翕然從之，其實不過喜其易於成篇，便於不學耳」，因為梁氏本人就是主張以《詩》的溫柔敦厚、興觀群怨為教的。同理，陳僅《竹林答問》的批判性靈說，認為詩以道性情，性情不是性靈，乃是「閑其情以返諸性，俾不至蕩而無所歸」。他們都高舉《詩經》以為號令。可見清代講《詩經》的人跟不太講《詩經》的詩家，確實很不相同。像漁洋，雖然郎廷槐《師友詩傳錄》紀錄了三則他論《詩》的話，但均論詩體流變而已，於詩旨詩法甚少闡發。他的《古詩選》《唐賢三昧集》《漁洋詩話》等，更顯示了他的詩學詩法均與《詩經》無大關聯。

而袁枚與沈德潛的不同，也可由此處看。沈論詩，主溫柔敦厚，自然高舉《詩經》以建赤幟。袁枚主張性靈，於《詩經》賦比興風雅頌等，便少論析。可是袁枚既要主張性靈，其辦法也一樣要拉《詩經》以為遠流，說《詩》皆勞人思婦率意言情之什，來杜批評者之口。《小倉山房文集》續編卷三十〈答蕺園論詩書〉又云：「緣情之作，縱有非是，亦不過三百篇中『有女同車』『伊其相謔』之類，僕心已安矣。」是其有取於《詩》者，在風而不雅頌，風又只以言情為說。其取徑，恰與重詩教、溫柔敦厚、發乎情止乎禮的人不同，無怪乎潘德輿《養一齋詩話》要痛詆他：「荒淫狎煤之語，皆以入詩。非獨不引為恥，且曰此吾言情之什，古之所不禁也」。潘氏論詩，就是以《詩》之溫柔敦厚為說的。而袁枚這類作法，也非孤例。凡替情語艷詩辯護者，都會像他一樣，拉《詩經》來做道護身符。

故詩家論詩，標不標舉《詩經》、如何標舉，俱關宗旨。在標舉、討論《詩經》的人裡面，各家取徑，雖亦甚為不同，交集畢竟大些，有不少共同關心的問題。就算是相互詰難，參錯探討，亦可以見此類論者想藉《詩經》來達成什麼作用、對時人創作想提供什麼指導。我把他們的言論輯在上面，讀者一看就能發現這些現象了。故本來也不用我再來饒舌，但我老婆心切，不免還要略做些解釋。只因諸家論點頭緒甚繁，所以我綜合起來，分成六個部分來做說明。

(一)尊經

這些論《詩》者，基本上把《詩》視為歷史性的最高點、最前端，是最早的詩。但同時也是審美價值上最好的，是最高的典範。宋大樽《茗香詩論》說：「詩之緣起，見於毛公說詩及紫陽夫子詩序。……即以辭章論，古無踰於《三百》者。……曾經聖裁，刪本之善，無踰此者；章句訓詁皆大儒注釋，精詳無踰於此者；童而習之，習熟亦無踰此」云云，可為代表。《詩經》是審美的典範，也是著作的典範和學習者最親切的典範。

這樣的典範，非其他經典所能比，故喬億云：「《三百五篇》散見……百家子史之書，百倍於他經，以是知詩歌之感人無窮，故為教廣」。

這就是尊經。且非泛尊六經，乃是尊《詩經》、尊文學。如田雯云：「古來文章之大，莫善於詩」、龐塏云：「古詩三千，聖人刪為三百，尊之為經。經者常也，一常而不可變也。……故欲學為詩者，不可不讀三百篇也」；梁章鉅云：「古人言詩，必推本於三百篇。或以此言為迂者，淺人之見也。古人言語之妙，固非今人所能幾。無論今人，即漢魏以迄三唐，所謂直接三百篇之作者，亦差之尚遠」，均表達了這個意思。

「尊之為經。經者常也，一常而不可變」的說法，固是尊經，但推尊的原因更在於其「言語之妙」、「文章之善」，亦即推重其文學價值。馬位說：「詩三百篇曷貴乎？貴其悲哀歡愉，愁苦思慕，悉有婉折抑揚之致，蘊蓄深而丰神遠，讀之能令人暢肢體、悅心志耳」，也把這種價值說得十分清楚。

把《詩經》視為最高的文學性審美典範，則一切作品當然都要以它為標準。既是評價的標準，也是學習的準繩。我們看王船山說「采采芣苢」氣象自然，古詩十九首猶能得此意，陶淵明差能彷彿，以下則根本不行。或「昔我往矣，楊柳依依。今我來思，雨雪霏霏」，哀樂甚深，唐人「影靜千官裡，心蘇七校前」「唯有終南山色在，晴明依舊滿長安」與之相比，就顯得淺隘，孟郊這類詩人就更不用談了等等。這類批評，在他們口中反覆出現，就可知《詩經》做為評價標準的意義是非常實際的。奉《詩經》以為鵠的，正可謂挾天子以令諸侯，故船山曰：「藝苑之士，不源本於三百篇之律度，則為刻木之桃李」。律度，就是標準、繩尺之意。

為了說明《詩》為何足尊，為何足以做為後世之典範、繩準，他們當然要對《詩》做些審美的解釋，告訴人家《詩》為什麼好、為什麼比後代詩人寫得更好。如上引船山語，就是如此。

這類言論，通常也會講得比較具體，因為倘不具體指明《詩》的好處，徒言尊經，便有佞古之嫌，不足以服人。未指明其文章之善、言語之妙，亦不足以令學者明白美學上的典範何在。故如賀裳比較〈皇矣〉〈江漢〉和柳宗元的〈平淮〉〈雅〉；葉燮比較〈綿〉和白居易的敘事手法；劉熙載討論《詩》中自樂、自勵、自傷、自譽、自嘲、自警等各種的寫法，或入乎中、出乎外、宜其始、持其終的不同……等，都可以讓人對《詩》之美有更多的理會，覺得它確乎敻不可及。

但是，年代最古的《詩經》，卻成為美學上最高的典範，豈不顯現了歷史是退化的嗎？難道後世人才皆不及往古，非復古不可嗎？對於這樣的疑問，他們的回答，可以宋大樽和陳僅為代表。

宋大樽說：「古道必何如而復也？」不是也學著去做《詩經》那樣的詩就能復古了，那只是剿襲雷同。須是詩之後有楚辭，再後又有古詩十九首、樂府、建安體、咏懷、陶詩、李杜等，「擬議以成其變化」，才叫做復古。亦即《詩》做為一個美學典範，提供給後人的，乃是一些美的原則，後人須善於體會這些原則，加以擬議變化，才是善學《詩經》者。如此說復古，復古就與發展變化結合為一了。

陳僅之說則不然。他面對詩越來越差，「豈古今人竟不相及若此耶」的疑問，回答道：「古今詩人之不相及，非其才質遜古，運會限之也」。這與梁章鉅說古人言語之妙，非但今人不及，漢魏以迄三唐學詩者也不及，是因「時代限之也」相同。都擺明了時代運會之限，使得後人永遠趕不上《詩經》。他們都承認最高的典範是無可超越的，後代人也不要想企及它。雖然如此，人仍不可不自勉，仍然要依準著《詩》的原則（例如思無邪、溫柔敦厚）去做。

這兩種態度殊不相同。一種是古典主義式的。歷史最美好的一刻，凍結在某一時代，形就某一典型。後人只能就此典型學習之、規準、依仿之。一種則是傳統與個人才性相發，互動互融的，復古即在新創之中。清代標舉《詩經》的這些詩家，前者固然頗有其人，後者確也並不罕見。

不過，我們還應知道，理論上或許是保守的、古典主義式的，但理論的作用往往也同樣是激進的。是為了批判當時的詩風，所以才揭舉《詩經》，挾天子以令諸侯，藉復古以創新。此亦其尊經之故也。

(二)破迂

文學性的《詩經》闡述者發揚者，也因此有著和一般經生不同的歷史觀。經師們釋經詁經，關懷的只是古代的那本《詩經》。文學性解經人則不然，無論是主張擬議變化式的復古，或學習美典式的復古，關懷的都不只是那一個「古」，而是《詩經》與歷代詩，乃至現在、未來詩的關係，是上古中古近古等各種古，或「源流」「正變」。前者是回歸於《詩經》時代，以重建歷史為職志的。後者則是站在歷史流變的立場上看《詩經》。王船山說：「釋經之儒，不證合於漢、魏、唐、宋之正變，抑為株守之兔罝」，就代表了文人對經師的批判。陳僅《竹林答問》另有一則，亦是此意：

> 問：宋人謂刪後無詩，又以文中子續詩為僭。如叔父言，則古今果無別歟？
>
> 答：宋人之論，尊經則可，於說詩則無當也。朱子取昌黎〈董生行〉入小學，何嘗薄後人耶？古今無日無性情，即無日無詩。……故他經不可續，獨詩可續。二南雅頌不可續，而變風變雅可續。

經師只知尊經，只知古。論詩者卻須把古今詩放在一條詩的脈絡中去觀察。古代有詩，後世也有詩。後世之詩，就算是因時代所限，不可能再有正風正雅，至少也可視為變風變雅之類屬。經生只知有古之詩，就不免拘墟株守之弊了。相對地，經生則對這般見解不以為然。《四庫提要》批評賀貽孫《詩觸》：「往往以後人詩法詁先聖之經，不免失之佻巧」「迂儒解詩，患其視與後世之詩太遠；貽孫解詩，又患其視與後世之詩太近」，指的就是這兩派人在《詩經》與後世詩篇的關係上有不同的態度。

文學性解《詩》者這種態度，還蘊涵著一個觀念：把《詩經》和其他經典分開，突顯它詩的特性。

正因《詩經》是詩，故其他經不可續也不必續，《詩經》卻不能把它跟後世的詩分開來看。同理，解經者若只用一套解其他經典的方法，亦並無法真正理解《詩經》。船山說：「陶冶性情，別有風旨，不可以典冊、簡牘、訓詁之學與焉」，所指即此。其云：「不以詩解詩，而以學究之陋解詩，令古人雅度微言，不相比附」，所指也在此。

我在上文討論《四庫》所收以文學角度解《詩》諸著作時，已說明了這批論者之所以要發展一種文學性的解經路數，即是因為反對舊日解經者不懂詩語言的特性，不知詩家托物比興、意在言外等特性。清人詩話中論及《詩經》者亦復如此。

如船山把「春日遲遲，卉木萋萋」一首跟唐人〈少年行〉合論，說其妙在善於取影，「訓詁家不能領悟，謂婦方採蘩而見歸師，旨趣索然」。宋大樽說詩人隱詞譎諫，猶如《易》之取象，但詩家譎諫更為複雜，解經者「以經解經，有離合矣。固而求之風人，其傖父乎！」杭世駿序馬位《秋窗隨筆》時將注疏家與「達者」相對起來，謂：「疏家例逐文以造義，達者每披文而見時。……以高叟之固，釋〈絲衣〉為祭靈星；以匡鼎之解頤，指〈關雎〉為刺康后。楊柳雨雪四句，謝庭別有會心；雞鳴風雨兩言，褚公不無偏解」，兩者間，自具抑揚。均是在經生的語言性與歷史性理解之外，別標慧解，欲以文學性理解妙契詩心。

這種解，與經生之解，有一基本不同處，即東坡所謂：「作詩必此詩，定非知詩人；論畫貴形似，見與兒童鄰」。經生釋經，以確定原本、原貌、原作者、原作意為宗旨，可說正是求其「詩必如此」的。詩家解詩，則頗不如是。

喬億《劍溪說詩》引了四家釋詩之語云：「《困學紀聞》曰：荀子曰：『善為詩者不說』，程子之『優游玩味，吟哦上下』也。董子曰：『詩無達詁』，孟子之『不以文害群，不以辭害志』也」。四家之說，可分為二類。前者，重在吟哦玩味，得其審美之快感，並不見得要確指詩意為何。就如元遺山詩所云：「詩家總愛西崑好，獨恨無人作鄭箋」。義山詩迷離恍惝，莫測旨歸，並不妨礙讀者對之做審美的玩味，不妨礙詩人喜愛它。遺山雖恨無人如經師詁經般地為之作注，以確定其指涉，可是若依荀子伊川之見，其實也無必要。讀詩人往往並不需要知道義山〈無題〉〈錦瑟〉諸詩到底是在講什麼。鑿指它是悼亡、是自傷、是念令狐綯、是弔李德裕、是適怨清和、是與宮人女冠談戀愛，反而都局限了它的審美性閱讀，都令人不再能任情優游玩味之。此所以荀子云「善詩者不說」。❺

不說的另一意義，就在於說也說不清、說不盡，此即董仲舒所云：「詩無達詁」。

詩無達詁，有兩層意。一自詩文本說，一就讀詩者說。就詩文本說。詩語言與一般語言不同，比興托寄、言此意彼，本來就非直

---

❺ 另詳龔鵬程〈無題詩論究〉，同注❹所引書，頁 155－191。

指性語言，因此不可能鑿指為某事某意。經生抓住字句，刻意求解，文家見之，輒譏其死於句下，此即孟子所謂：「不可以文害辭」。吳喬《圍爐詩話》批評：「朱子盡去舊序，但據經文以為注。使三百篇盡出於賦乃可，安得據比興之詞以求遠古之事乎？宋人不知比興，小則為害於唐體，大則為害於《三百》」，即指解經者以文害辭、以辭害志。

就讀詩者說。因詩主比興，故讀者亦不能只以賦事直指之文視之，應採另一種讀法。如船山說：「〈雞鳴〉之詩，全用比體。……要以俯仰物理而咏嘆之，用見理隨物顯，唯人所感，皆可類通，初非有所指斥，一人一事，不敢明言，而姑為隱語也」「詩可以興、可以觀、可以群、可以怨，……可以云者，隨所以而皆可也。……出於四情之外，以生起四情；游於四情之中，情無所窒。作者用一致之思，讀者各以其情而自得。……人情之遊也無涯，而各以其情遇，斯所貴於有詩。謝疊山、虞道園之說詩，井畫而根掘之，惡足知此？」「經生家析〈鹿鳴〉〈嘉魚〉為群，〈柏舟〉〈小弁〉為怨，小人一往之喜怒耳，何足以言詩？『可以』云者，隨所以而皆可也」。讀者各以情遇，作者未必然，而讀者何必不然，這其實也就是興。觸興無端，其解便不相同，因此，詩當然也就無一定之解。經生執象而求，遂不免痛遭詬病了。

(三)託興

強調興，是文家論《詩》很普遍的特徵。

如船山說詩，謂：「興觀群怨，詩盡於是」。似是並重四者，其實他所謂的興觀群怨，合起來只是興。「於所興而可觀，其興也深。於所觀而可興，其觀也審」，是以興攝觀也。「可以興、可以觀、可以群、可以怨，詩盡於是矣。……可以云者，隨所以而皆可也。詩三百篇而下，唯十九首能然，李杜亦彷彿遇之。然其能俾人隨觸而皆可，亦不數數也」，則是以觸情起興總攝興觀群怨也。至於情景，同樣是興，故曰：「興在有意無意之間，比亦不容雕刻。關情者景，自與情相為珀芥也。情景雖有在心在物之分，而景生情，情生景，哀樂之觸，榮悴之迎，互藏其宅」。比攝於興；情與景、哀與樂，則觸興俱起。興，在其理論中的重要性，略可概見。

吳喬亦重興。在六義中，「姑置風雅頌，而言興賦比」，說「興賦比」，又非一般所說的「賦比興」，把興提到最上面，其義可覘。他雖說這三者是古今詩甚至歙歌俚曲都具有的寫作手法。但三者的重要性並不相侔。《詩經》及唐詩之妙，就在於多有興比，宋明詩之劣以及宋明人之所以不能了解《詩經》與唐詩之精髓，亦由於「明人多賦，興比則少，故論唐詩亦不中窾」。《詩經》中，影響較為重要者，也是興比而非賦，故云：「文章實做則有盡，虛做則無窮。雅頌多賦，是實做。風騷多比興，是虛做。唐詩多宗風騷，所以靈妙」。這話講得宛轉，其實是對《詩》之風雅頌意存抑揚。另一段，引元微之語說：「賦、頌、銘、贊、有韻之文，體自相涉，謂之詩則不可」，就講得明白了。真正足以做為詩的、具有詩特性的，是興比而不是賦。故詩人若只懂得賦而少比興，詩質就稀薄了，未必仍可以稱之為詩。

與吳喬意似者，為宋大樽。大樽謂：「易取象，詩譎諫，猶之寓言也。但取象如詩之有比，譎諫則不必於象」，就是把譎諫視為興了。由於詩多興，所以經生固執文辭，執象以求，輒顯膠固。

毛先舒之說，卻較曲折。他認為：「婦人童兒發口矢辭，非直陳事，即宛轉附物，或因感抒述。三者之內，必有攸當。是凡詩中，自有此三義，初無定例。如〈關雎〉，毛傳朱傳俱以為興。然取其摯而有別，即可謂比；取因所見感而作詩，即可為賦。必持一義，殊乖通識」。又引孫鑛云：「〈振鷺〉，毛傳作興。若『亦有斯容』，則又是比，益見賦比興之無定在也」。可見此乃發揮明人賦比興不定的說法。可是若賦比興不定，前面說三者係修辭通則之說就不能成立了，三者的界限業已模糊。

為何既說三義，又要說三者不定呢？這就可以看他另一說了。他講：「古人作詩，取在興象，男女以寓忠愛，怨悱無妨貞正」。這段接在前面論三義之後，不就顯示了他明說三義，實際上所重仍在於興嗎？舉朱《傳》毛《傳》之說興者，謂其亦合賦比，殆即以興總攝三義也。

與毛先舒略似者為沈德潛。沈論《詩》，不言賦，只說比興，而亦總攝於興。所以說：「事難顯陳，理難言罄，每託物連類以形之；鬱情欲舒，天機隨觸，每借物引懷以抒之。比興互陳，反覆唱嘆，而中藏之歡愉慘戚，隱躍欲傳。其言淺，其情深也。倘質直敷陳，絕無蘊蓄，以無情之語，而欲動人之情，難矣」。質直敷陳，就是賦。這段話，貶抑賦，而把詩之所以為詩，界定在運用比興以得蘊藉之效上，再明顯不過了。

其下，則再舉三個古人讀〈鹿鳴〉等詩之故事，說：「此三詩別有旨也，而觸發乃在君臣、父子、兄弟。唯其可以興也。讀前人詩而但求訓詁，獵得詞章記問之富而已，雖多奚為？」跟船山一樣，前說作者之興、詩文本之興，後就接著講讀者之興，而反對知識性語言性的閱讀，提倡興發感觸、讀者與作品互動的閱讀方式。

其他重興的詩家，如李重華云：「有興而詩之神理全具也」，葉矯然云：「近人作詩，率多賦體，比者絕少，至興體則絕不一見。不知興體之妙，……國風、古樂府多有之」等，我就不一一詳述了。❻

他們為何如此看重興呢？除了上面已談過的諸般理由之外，論詩重興，也是與他們追求含蓄的美感效果相關的。

船山形容〈鹿鳴〉是大音希聲，非杜甫韋應物所能及；說唐人寫除夕夜不如《詩經》「簡至」，且痕迹盡露。又說《詩經》意藏篇中，不像「俗筆必於篇終結鎖，不然迎頭便喝」。

吳喬說宋以後詩多直遂，「竟以為詩道當然，謬引少陵以為據，而不知少陵婉折者甚多，唐人直遂者皆少分如是，非詩道優柔敦厚之本旨也」。

宋大樽欣賞陶淵明的色聲臭味極淡不易見。施閏章說：「『江之永矣』四句，只咏嘆江漢，而又主化行南國，許多難言處含蘊略盡。漢魏六朝以來，詩人多用景語，是其遺意。純用賦而無比興，則索然矣」。

田雯區分雅頌與風，說：「大雅三頌，與典謨訓詁無異。而詩人宛轉之致、風人溫厚之辭，所謂『情動於中，嗟嘆之不足而咏歌之』者，則具於〈國風〉〈小雅〉。濳玩長吟，眾妙並出」，揚國風小雅而貶大雅三頌，正與某些論者揚興比而抑賦相似。

---

❻ 當然也有少數重視賦的詩人，例如馬位。但畢竟甚少，且屬提醒性質，謂賦亦不可偏廢。

沈德潛贊美二南「沖澹愉夷，隨興而發」。梁章鉅引魏泰說，云詩：「事貴詳、情貴隱，故能入人之深。若盛氣直述，更無餘味，則感人也淺」。潘德輿說：「《詩經》之神理意境，重在言有盡而意無窮，謂〈綠衣〉等篇，有言外無窮之感」。

厲志《白華山人詩說》則稱：「直而能曲，淺而能深，文章妙訣也。有大可發揮，絕可議論，而偏出以淺淡之筆、簡潔之句，後之人，雖什百千萬而莫能過者，此三百篇之真旨」……。

凡此之類，強調簡、淡、曲、深、宛轉、溫厚、餘味不盡、言盡意遠等，都屬於含蓄詩觀。比興，則是達成此種含蓄效果的方法。這跟把興視為詩之本質，恰為一體之兩面。

含蓄，當然就反對直述。可是《詩》中畢竟仍有雅頌、有直斥徑遂之語，這怎麼辦呢？主要的處理法，一就是公開反對，二則是轉化以貞定之。

前者，如田雯或毛先舒。毛先舒〈自序〉中提到有人問他：「論詩者多尚含蓄，惡訐露。然〈鶉奔〉〈相鼠〉〈巧言〉〈巷伯〉以及〈板〉〈蕩〉之篇，其指何絞而辭何迫？夫非三百篇之遺音耶？」他答道：「古經之傳，豈能優劣？倘就文而論之，知必不以訐露為工也」，直接反對徑直訐露的寫法。有些人不如此直言，但僅言興比而捨賦頌，其意亦不難明瞭。

轉化以之貞定之者，則如沈德潛他說二雅中也有議論，「但議論須帶情韻以行」。張謙宜說《詩經》中有罵人極狠者，但若恰在人情中節處，便是「和」「平」。王壽昌說〈緇衣〉〈巷伯〉等「或未免於過情，然於無邪之旨、忠厚之意，罔或悖焉」等，都屬此類。皆是說《詩》之賦頌議論、直斥訐指，並不悖於思無邪、溫柔敦厚之旨，且也仍是含蓄的。梁章鉅甚至還用一套比興寄託說，把直訐賦事說成是比興、是宛曲。

他舉閻若璩論朱慶餘〈閨情〉為例。朱氏「洞房昨夜停紅燭」那首，因有「近試上張水部」的題目，所以我們知道它並非儇薄閨閣語。可是若無題目，僅就詩觀之，就只是靡麗的詩而已。《詩經》那些「辭甚儇」「語甚薄」的詩，焉知不是「風人之旨，往往不可猝辨」「意在言外，必考時論事後知之」？這就不啻說那些辭意看來不甚溫厚的詩，可能本來也是「故為儇語而實重，故為薄語而實厚」的。

順著這樣的思路，還會帶出兩個論題：一是唐宋之分，一是詩文之辨。

這些論者，幾乎都是重唐輕宋的。依他們的看法，唐宋之不同，正是「溫柔含蓄、比興寄託」與「直陳賦事」之不同。唐詩與《詩經》近，宋詩與《詩經》遠。如吳喬說：「雖宋人詩薄，明人詩厚，直遂則同」；毛先舒說「宋詩俚露」，且指宋為「衰宋」；張謙宜說：「宋人則直洩道秘，近於鈔疏，將古法婉妙處，盡變平淺」，均可證。

詩文之辨，則與他們把興認定為詩之特質有關。文以賦為主，詩以比興為主；唐詩詩質較多，宋詩卻近於文。吳喬說：「詩文體製有異耳。文之詞達，詩之詞婉。書以道政事，故宜詞達；詩以道性情，故宜詞婉。……文為人事之實用，詔敕、書疏、案牘、記載、辨解，皆實用也。……詩為人事之虛用，永言、播樂，皆虛用也，……必有哀惻隱諱之詞，與文之直者不同」；葉矯然所引柳宗元語說：「文有二道，辭令褒貶，本乎著述者也；導揚諷諭，本乎比興者也。……茲二者，其旨義乖離不合」，亦屬此義。葉矯然本人針對此一分辨，獨標勝解，想要會通之。但整體來說，詩文之辨，仍是他們的基本區分。

(四)理情

詩之所以須講求含蓄，與其作用功能有關。

美學上含蓄蘊藉的詩，在審美功能上，就會形成敦厚溫柔的倫理作用。由作者說，寫詩時不刻厲訐露，自然就顯得其人心氣深婉平和，怨而不怒，哀而不傷。由讀者說，讀著這些穆如清風、簡靜幽遠的作品，也會使人心氣和平，沖夷澹婉。

論者相信古代聖王以詩為教，就因詩可達成此種教化功能，讓人隨詩感興，而漸漸養成溫柔敦厚之人格。詩，發乎性情；其終則可以條理性情者，原因亦在於此。故沈德潛曰：「詩之為道，可以理性情，善倫物。……至有唐而聲律漸工，託興漸失，徒視為嘲諷雪、弄花草、遊歷燕衎之具，而詩教遠矣。……今雖不能竟越三唐之格，然必優柔漸漬，仰溯風雅，詩道始尊」。

沈德潛的說法很有代表性，類似者如王壽昌云：「聖人以詩立教，非徒示人以吟咏之適，實欲使人各得夫性情之正也。故曰詩三百，一言以蔽之，曰思無邪。又曰溫柔敦厚，詩教也」「詩以道性情，未有性情不正而能吐勸懲之辭者。三百篇中，其性情亦甚不一，而總歸於無邪」；劉熙載說：「〈詩序〉：『風！風也，風以動之』，可知風之義至微至遠矣。觀二南咏歌文王之化，辭意之微遠何如！」「思無邪，子夏〈詩序〉發乎情止乎禮之說所本也」「真西山《文章正宗・綱目》云：『三百五篇之詩，其正言義理者蓋無幾，而諷詠之間，悠然得其性情之正，即所謂義理也』，余謂詩或寓義於情而義愈至，或寓情於景而情愈深，此亦三百五篇之遺意」……等，言旨大抵相似。

這套說法是同時具有美學義與倫理義涵的。因此它所要對治的，也是兩方面的缺點：一是美學上不含蓄之風，例如鋪張揚厲、直遂訐露、辭藻太甚；二是感情不能止乎禮義，得其中和，以致流蕩不返。各家詩論，於此或分說，或併論，但理論結構都是通之兩端的，不會有人僅注意美學部分，或只注意倫理部分。

如李重華言：「古人誦詩以冶性情，將致諸實用，原非欲能自作詩。今既藉風雅一道，自附立言，則美刺兩端，斷不得輕易著手。大致陶冶性靈為先，果得性靈和粹，即間有美刺，定能溫柔敦厚，不謬古人宗恉。否則於己既導慾增悲，於世必指斥招尤，或諛人求悅，取戾自不小也」，作詩與讀詩本身，都同時具有審美與道德的意義。

這就是他們反對神韻、性靈、緣情綺靡之類詩觀的原因。

反神韻者，如梁章鉅云：「神韻之說，於唐人盛推王孟韋柳諸家。今之學者翕然從之，其實不過喜其易於成篇，便於不學耳。詩三百篇，孔子所刪定，其論詩，一則云溫柔敦厚，一則云可以興觀群怨，原非但品題泉石、摹繪烟霞」。以詩教說反神韻說，謂王孟韋柳一路，可備詩之一體，然不可以為詩之全體大用。

反性靈者，如陳僅云：「諸本性情，古無所謂性靈之說也。……性靈之說，起於近世，苦情之有閑，而創為高調以自便。舉一切紀律防維之具而胥潰之，號於眾曰：此吾之性靈然也。無識者亦樂於自便，而靡然從之。嗚乎，以此言情，不幾於近溪心隱之心學乎？夫聖人之定詩也，將閑其情以返諸性，俾不至蕩而無所歸」。認為袁枚的性靈說其實只講情不講性，講情又不止於禮義，不能「性其情」，使情得到貞定。❼

反對詩緣情而綺靡者，與此相關。詩緣情是對的，但不能只說緣情，還須「閑情以返諸性」。其次，更不可綺靡。汪師韓曰：「以綺麗說詩，後之君子所斥為不知理義之歸也。嘗讀〈東山〉之詩矣，周公但言『慆慆不歸』及『勿士行枚』數言而已足矣」。梁章鉅引其說，並謂唐人樂府述情敘怨，委曲周詳，而言盡意盡；又說三百篇，序不必盡出當時，而辭皆簡質，今人序文愈繁，而詩遂減味。都是反對鋪張、綺麗的。❽

此即有正變、有別裁。正變，本是就《詩經》本身說正風變風、正雅變雅。但這只是就創作時的時代說，作於承平盛世者為正，作於衰世者為變。可是，盛世之作，多沖穆和夷，衰世之音多噍殺激切或見哀思，風格上也就不同。清朝論詩者，遂利用這種不同，來安頓含蓄詩觀中存在著的異質性因素。例如梁章鉅說：「風詩與雅詩，其體不同。雅詩實，鋪敘處多；風詩虛，蘊藉處多。然風詩亦有盡情發露者，如〈蝃蝀〉卒章及〈相鼠〉之屬。雅詩亦有含蓄不露者，如〈鶴鳴〉〈鼓鐘〉之屬，皆變體也」，於是正風含蓄、變風發露；正雅直敘、變雅含蓄，作詩者要懂得擇取。龐塏之

---

❼ 袁枚說的相關問題，請另參龔鵬程〈憐花意識：文人才子的心態與詩學〉，收入《中國文人階層史論》，2002，佛光人文社會學院出版，頁385－425。

❽ 沈德潛《說詩晬語》卷上論陸機說他：「絢綵無力，遂開出排偶一家。……所撰〈文賦〉云詩緣情而綺靡。言志彰教，唯資塗澤，先失詩人之旨」。意與此同。

說則不同，謂：「合於禮義者，為得性情之正，於詩為正風正雅。不合禮義者，即非性情之正，於詩為變風變雅。聖人存正以為法，存變以為戒」。

這其實是因《詩經》本身既有含蓄比興者，亦有直陳發露者，既有貞正可法者，也有不見得合乎理義的，未能盡符於含蓄詩觀，所以須用正變說來做一番解釋，且藉著解釋，檢擇出論者覺得《詩經》可法可學之處。此即稱為「別裁」。別者檢別，裁者裁汰。檢別出好的、該學的；裁汰掉不好的、不該學的。

例如毛先舒，將詩學之源歸於《詩經》，而下分三支：詩、騷辭、樂府。但「騷辭樂府，大抵得於變傳為多。而詩人有作，必貴緣夫二南、正雅、三頌之遺風」，強調應學正棄變。就風格說，《詩經》也有訐露的，但毛氏同樣用正變說來處理，說那只是變，「含蓄者詩之正也，訐露者詩之變也，論者必衷夫正而後可通於變也」。葉燏然之意，略同於此，且拈出杜甫「別裁偽體親風雅」一語為說，云：「別裁偽體親風雅者，即《史記・五帝紀》贊云『其文不雅馴，擇其言尤雅者』是也。擇即別字裁字注腳」。

清朝這些推源《詩經》的論者，常自覺地在做這等事。如沈德潛就編了幾朝詩的《別裁集》。王壽昌的《小清華園詩談》，戴鼎恆序也說他：「旨以《三百》為宗，其源以無邪為主，其意以溫柔敦厚為歸，而其法則專以漢魏晉唐為則……且以《春秋》之筆，律風雅之文，其是非予奪，頗足以正人心，裨世教、懲悖亂、儆邪淫」。這不也是「別裁偽體親風雅」嗎？

但如此別裁偽體，倡言詩教，詩不就彰顯著它的道德功能了嗎？在五四運動後，反對詩教、強調詩美學的一派看來，這不免混淆了詩與道德箴言的界限，詩的審美功能與道德作用也弄混了。可是，就清朝此類論者說，溫柔敦厚既是美學的也是道德的，兩者根本無法區分。因為，溫柔敦厚的詩，不但可令人在諷誦時獲得優柔蘊藉的審美感受，也可令人潛移默化，獲得道德人格上的涵養。

同時，審美的感受，主要是情感的濬發；道德倫理上的作用卻有賴於理性。強調美感功能的人，會說「詩有別趣，非關理也」，要排除，或至少要降低純粹理性與實踐理性的作用。可是，這批《詩經》論者，認為純粹理性固然可與詩無涉，實踐理性卻是與審美感受相孚相和的。

像船山說：「謝靈運一意回旋往復，以盡思理，吟之使人卞躁之意消。〈小宛〉抑不僅此。情相若，理尤居勝也。王敬美謂『詩有妙悟，非關理也』，非理抑將何悟？」潘德輿說：「阿諛誹謗、戲謔淫蕩、夸詐邪誕之詩作而詩教熄，故理語不入詩中，詩境不可出理語外，謂『詩有別趣，非關理也』，此禪宗之唾餘，非風雅之正傳」，都反對詩不關理之說，認為詩理情理要更為細緻化地處理。❾且認為詩之善者，可令人卞躁之意消，獲得道德上的好處；不善者，則會令人喪失溫柔敦厚的性情。

如此論詩，情與理可合，詩與道亦可合，自然不像僅重審美者那樣排斥理悟、反對道學。喬億甚且推崇：「衛武公三詩，〈抑〉

❾ 與船山時代相近，稱贊謝靈運有理語者，有陳祚明《采菽堂古詩選》，卷七：「謝詩格調，間作理語，輒近十九首，大抵多發天然，少規往哲，稱性而出，達情務盡」。後來，晚清劉熙載也說：「陶謝用理語，各有勝境。《詩品》稱孫綽許詢桓庾諸公詩，皆平典似道德論。此由乏理趣耳，夫豈尚理之過哉！」

戒粹於〈賓筵〉〈淇奧〉，是為成德，為萬古道學詩之祖」。葉矯然則如船山一樣推許謝靈運：「康樂造句雋拔，而時出經語道學語。如……皆道學語也。諸如此類，人多怪為創調，不知其源出於國風。……故知真道學人，即真風雅人也」。

基本上，溫柔敦厚既是審美的，也是道德的，因此美與善合。詩藝之功，可令人在道德上進德。道德之士，亦可表現出溫雅之辭來。所以原則上說是有德者必有言。但實際上德與言仍有個分際，這些論者也不會完全泯棄此一分際而走向道德論。故張謙宜說：「理無不包，語無不類者，三百篇之雅頌是也。不必以理為名，詩妙而理無不通者，〈離騷〉以迄漢魏是也。但求詞佳，不墜理窟者，兩晉六朝以迄三唐是也。只求理勝，不暇修詞者，程朱邵子輩是也。風氣日下」。情理相合，乃是最高典型，後世須以此為典型，學習且逼近之。

整個理論，遂因此由「詩本性情」到「詩理性情」，再到「詩合性理」了。

(五)本源

通過這套理論，論者的詩史觀當然也以直接本源為主。

所謂「本源」，原即蘊含了價值判斷。源是本，流是末；源是正，流是變；源是好的，流變則往往只是流弊。要振衰起弊，就須重返本源，得到源頭活水，方能獲得生機。以此觀念觀察詩史，就要去考察每一詩家跟本源的關係，看他距離近遠如何，再據以評價之。距源近者佳，去源遠者劣。

沈德潛曾說：「秦漢以來，樂府代興，六代繼之，流衍靡曼。

至有唐而聲律日工，托興漸失，……而詩教遠矣。學者但知尊唐而不上窮其源，猶望海者指魚背為海岸，而不自悟其小也。今雖不能竟越三唐之格，然必優柔漸漬，仰溯風雅，詩道始尊」。整個詩歌史，乃是詩流變史或竟是詩之流離史，故曰「流衍靡曼」越來越為靡曼、越來距源越遠，所以才要復古、溯源、仰企風雅。

沈德潛本人其實溯得更遠更高，他編了一本《古詩源》，把《詩經》同時代及以前的詩都輯起來，跟《詩經》一同做為詩的源頭。不只沈德潛，其他人也有類似的做法，如漁洋說：「唐虞有〈喜起〉〈復旦〉之歌，夏有〈岣嶁〉〈玉牒〉等碑辭，洎乎〈五子之歌〉；商有名頌五篇，則詩固不昉於周也」，喬億說：「《左氏》韻語，當別錄一帙，附三百篇後」，或冒春榮說言詩之源流時，把〈卿雲歌〉〈白雲謠〉〈穆天子謠〉〈西王母吟〉、莊子引聲歌、祝牧〈偕隱歌〉等都一併算上，均屬於這一思路。❿

據今觀之，當然除了沈德潛外，成書者並不多。可是我們別忽略了，早在吳喬馮班時，就已針對這樣的做法提出批評了，他們說：「近代詩選必自上古，年紀緜邈，真贋相雜，或不雅馴。又書傳引逸詩，多不過三四言，皆非全篇。三百五篇，既是仲尼所定，又不應掇聖人之所棄者以炫人。……今之論詩者……詩騷以前，可勿問也」。可見此種窮源溯本而至於廣徵上古以求擴大其源以辦法，乃晚明以來普遍的潮流。吳馮等人固不贊同，但本之風雅，仍

❿ 朱熹就已想做這種事了，《詩人玉屑》卷一引朱子云：「妄欲抄取經史諸書所載韻語，下及文選漢魏古詞，以盡乎郭景純陶淵明之作，自為一編，而附於三百篇楚辭之後，以為詩之根本準則」。明朝楊慎《風雅逸篇》十卷，就是這類書。

無異辭。⓫

既溯源於《詩經》，那麼是否意味著人們仍應寫四言詩呢？

論者於此，大抵又不謂然。如吳喬說：「作四言詩多受束於三百篇句法」，所以雖推尊《詩經》是星宿海，但「今之論詩者，但當祖述子建、憲章少陵」。子建乃五言之冠冕，杜甫亦皆五七言。可見他不主張再作四言詩。毛先舒也一樣，說：「若夫古詩，大約以五言為準。何者？後代四言，率多窘縛，附庸三古，難起一宗」。沈德潛則說：「四言詩締造良難，於三百篇太離不得，太離則失其源，太肖只襲其貌」。此與張謙宜云：「四言詩不必做，即嘔出心來，也難到漢人境，何況向上」相似，均以其難學，示人以不必學。為何不必學，張謙宜另有具體說明，詳《絸齋詩談》。

不過，也有些人認為四言為詩之一體，仍是可以做的，張謙宜引鍾惺說：「三百篇後，四言之法有二：韋孟諷諫，其氣和，去三百篇近，而有近之離。魏武短歌，其調高，去三百篇遠，而有遠之合」，然後說：「余謂近而離者貌也，遠而合者神也」。亦即認為學《詩經》須以神不以貌。見解相似者，為葉矯然，謂：「大抵四言擬雅頌難似而易好，擬國風易似而難工。果能肅穆其氣、簡古其辭，雖不逮三百五篇，庶幾哉漢京之遺韻歟！昌黎云：師其意不師其辭」。無論是遺貌取神或師意不師辭，都表示學做四言詩畢竟仍是以《詩經》為典範的，所以希望能離而合、遠而近。

另有些人則怕人家因不再做四言詩，便不取法於《詩經》了，

⓫ 吳喬之說較特殊，他其實只是虛說原本風雅，宗唐才是重點，認為「嚴絕宋元明而取法乎唐，亦足自立」。

所以大聲疾呼，說《詩》不只是四言，也是一切詩體的典範。如田雯云：「或謂《三百》不可學，以四言故也。『維以不永懷』『誰謂雀無角』，非五言乎？『胡取禾三百廛兮』『維營之富不如時』，非七言乎！」沈德潛云：「《三百篇》中，四言自是正體，然詩有一言……可頓佳作句是也。有二言……有三言……有五言……有六言……七言……八言。短以取勁，長以取妍，疎密錯綜，最是文章妙境」。⓬這當然是曲說，用以維護《詩經》的源頭地位罷了。這些雜言句式，跟後世五七言或六言詩，關係其實甚少。

可是本源性思維，一定要將什麼東西都溯本於那個源頭。藉此，不但保住了星宿海為千流萬水總源的地位，也為後世一切流衍都尋得了一個合理的脈絡淵源。也就是說，既有本源，便有流派。

毛先舒云：「詩學流派，各有專家，取其鼻祖，歸源風雅」，就是這個意思。此種做法，由來已久。鍾嶸〈詩品〉即曾分古今詩人源出小雅、國風、離騷。但清代這些論者較特殊之處，在於論源只論風雅。〈離騷〉，或如毛先舒說，是「其聲純楚，哀誹淫佚，類出〈小雅〉。而詳其堂構，不近詩篇，雖瓜瓞於古經，蓋別子而稱祖者」；或如沈德潛說，是「詩之苗裔喬也。第詩分正變，而〈離騷〉所際獨變，故有侘傺噫鬱之音，無和平廣大之響」。不是將它別之於詩歌正統之外，就是以「正變說」納入這個傳統而視之為變。而無論如何，它不是那個源，故其流派亦無足觀。不像鍾

⓬ 《詩經》中有二、三、四、五、六、七、八、九字句，摯虞〈文章流別論〉、劉勰《文心雕龍・章句篇》、孔氏《毛詩正義》都已說過。

嶸，在楚騷名下仍繫列了不少裔孫族子。

也有人將詩騷的正變關係源流化，如李調元說：「毛詩三百，為萬世詩源」「詩三百有正有變，後人學焉而各得其性之所近。楚騷之幽怨、少陵之憂愁、太白之飄艷、昌黎玉川之奇詭、東野閬仙之寒儉，從乎變者也。陶靖節以下，至於王昌齡、王維、孟浩然、高適、岑參、韋應物、儲光羲、錢起輩，俱發言和易，近乎正者也」。用正變兩條線索，縱貫詩史，把詩人一一繫列於這兩線之中，有流有源。但這種詩史的源流編織，實出於論者主觀的編排，岑參高適王昌齡，何以見得就「發言和易」？李杜都歸入變風，也值得商榷。因此，與其說此類詩史建構工作是為了說明流變，倒不如說那是想用「源出於一」的概念來總攝詩史，或用歷代詩家不同的表現來說明他們都源出於一。

因此，在這個源流觀中的李杜問題就特別有趣，比詩騷關係還值得注意。

李杜的問題，就像詩人辨唐宋一樣，涉及風格的選擇與認同，也關係著對詩史的建構，它有多麼重要，只須看潘德輿在《養一齋詩話》之後特別再寫了一部《養一齋李杜詩話》就知道了。

船山曾以杜詩和《詩經》比較，說杜甫那種「直而絞、怨而誹」的風格，雖為他博得了「詩史」之譽，但詩不能是史，杜甫其實違背了比興正途。李白則管急弦繁，與鮑照等人同樣，又顯其「雜霸之風」。雜霸，相對於王道而言，亦不得乎中行。不過，李杜相較，船山對李白還比較肯定些。船山這種態度，即顯示了一個問題：從《詩經》的角度看，或由當時人對《詩經》的詮釋看，李白與杜甫可能都不及格，都不合乎含蓄美學的最高典範。這該怎麼辨呢？應如船山般，奉正朔而黜李杜，抑或重新解釋李杜，讓李杜回歸正統嫡傳的脈絡中來？

兩種方式都有人採用。黜而外之者，如船山，或喬億云：「大雅久不作。……竊嘗執此說觀漢魏以還詩，其善者猶不失變小雅之遺意，而大雅洵未有也。然太白能言之，太白不能復之。蓋其人非凡伯、芮良夫、尹吉甫之儔也。世運然乎？」因李白說過：「大雅久不作，吾衰竟誰陳」「我志在刪述，垂輝映千春」，所以喬億就以此標準來檢查，結果認為不但李白達不到，漢魏以降，根本也沒人達到過。另外，據潘德輿說：「于鱗轉以太白為強弩之末，為英雄欺人。……《詩辯坻》亦謂太白歌行跌宕自喜，不閑整，唐初規制，掃地欲盡，與于鱗一鼻孔出氣。……何大復〈明月篇〉，捨李杜而師盧駱，以為『劣於漢魏』而『近風騷』歟？不知『劣於漢魏近風騷』句。乃言劣於漢魏之近風騷」，可見欲近風雅遂薄李杜者，自明七子以來已形成風氣。

有些人並不完全黜斥李杜，只說他們學不到家。如顧華玉說：「杜宗雅頌，而實其實，其蔽也樸。李宗國風，而虛其虛，其蔽也浮」。

針對這些批評，為李杜爭地位的人就必須強調李杜都效法《詩經》且確實學到了家。如潘德輿便說李白源出風騷：「宗國風又兼離騷，其樂府古詩，往往有沈著入微處，謂其純蹈虛，則窺太白亦淺矣」，劉熙載則說：「李詩鑿空而道，歸趣難窮，由風多於雅、興多於賦也」。

杜甫更複雜。吳喬承認杜甫多直遂筆法，但一云：七律，唯少陵一氣直下，如古風然，乃是別調，並非主流，亦非詩道優柔敦厚之本旨。再則說杜甫其實「婉折甚多」，不只是直遂而已。賀貽孫則引王元美駁楊升庵語，說杜甫固然不含蓄，但詩除了比興，也有賦，以述事切情為快，未必都要含蓄。再進一步說，杜甫其實也非常含蓄，某些看來直露的句子，亦深得《詩經》神理，且與含蓄者配合使用。一一舉詩為證。此與沈德潛舉杜「在山泉水清」與〈谷風〉相比同意。杜甫詩多議論，沈氏也把它跟大小雅併論，只是承認他「風雅兼備，但正少而變居多耳」。

這些都是曲折其說以維護杜甫地位的。但既經如此處理，「杜甫上承風雅」遂成一彷若事實本來如是的事，像翁方綱釋元遺山〈論詩絕句〉「漢謠魏什久紛紜，正體無人與細論，誰是詩中疏鑿手，暫教涇渭各清渾」時，就云：「正體云者，其發源長矣，由漢魏以上推其源，實從三百篇得之，蓋自杜陵云『別裁偽體』『法自儒家』，此後更無有能疏鑿河源者耳」。遺山詩原本並未談到源的問題，也沒定指《詩經》為源。翁氏之解，不但為漢謠魏什找出一個《詩經》的源頭，更說老杜以後即無人能疏鑿河源了。其實遺山詩意，係指漢魏以後正體均無人知，老杜當然也可能包含在此不知正體者列。翁解卻完全改換了一個意思。由翁氏的解釋，就可看到杜甫在「直接風雅」這個傳統中已坐穩了寶座。

潘德輿更逕直，說杜甫「發乎情止乎忠孝」。不但不是一般人說的只得變風變雅，也非蘇東坡說是發乎情止乎禮義、得風雅之正，乃是古今詩人之首。其詩以仁人志士之品節，闡詩人比興之旨，其「心源」不可及也。把賦比興解釋為詩人之性情、真心，以此為「源」，而後說杜甫就擁有這樣的源。這大概是本源觀最極至的發展了。

本源觀還不止表現在這些地方。除了處理詩歌史、詩人地位問題外，詩風詩體也須上溯本源，以得其定位。例如田園山水詩，是漢魏以後發展起來的，古代無之。可是山水田園這類詩也仍須要找一個本源，怎麼找呢？宋大樽說：「遊山水無本，雖模山範水，道不存焉。……〈考槃〉之詩曰：『碩人之軸』，言卷而懷之也，山居之本也」。說遊山川居田園的人都須有一種超越塵俗的心境，這種心境才是山居之本源。而《詩經·考槃》所描述的高士，即為其典型。這跟潘德輿把「以《詩經》為本源」和「以心源為本源」鉤聯合併起來講一樣，替後世山水田園詩上扣了一個本源。

《詩經》所無者尚且如此，《詩經》已有的詩題詩類就更是如此了。賀裳論餞別詩，上附於〈烝民〉〈韓奕〉；喬億則云王漁洋引申許彥周之說謂〈邶風·燕燕〉可泣鬼神，為萬古送別詩之祖。又說：「唐詩之善者，不出贈別、思懷、羈旅、征戍及宮詞、閨怨之作，而皆具於國風、大小雅」，以〈雄雉〉為思懷詩之祖。〈旄丘〉〈陟岵〉為羈旅行役詩之祖。〈擊鼓〉〈揚之水〉為征戍詩之祖。〈小星〉〈伯兮〉為宮調閨怨詩之祖。〈白駒〉為餞行詩之祖。遠比那些泛說源本風雅者具體。

這樣認祖歸宗，最重要的是閨情艷體。此體之所以蔚成「問題」，是因《詩經》原本就存在「淫詩」的爭議。所謂鄭衛之音，到底淫在聲抑或在詩，已為一疑；其詩若為淫奔，作者又為何竟會自訴淫情，亦屬可疑；倘詩淫或聲淫，聖人刪述之後，為何竟存淫篇，更成聚訟；而淫奔之詩，又如何可以為教？為何仍可說是「詩無邪」，爭論尤多。這些，都是「詩經學」上的大爭議，我們不必詳述。可是，有關閨情艷體詩之討論，卻是要放在這個大背景下才能理解的。

《四庫提要》說明代沈守正《詩經說通》「以〈行露〉〈野有死麕〉為貞女設言自誓，不必定有強娶私誘之事」，或李重華說《詩經》「所存淫奔，都屬詩人刺譏，代為口吻。朱子從正面說詩，始云男女自言之。究竟此等人安得有此筆墨，孔子謂思無邪者，正為穢跡昭彰，使人猛省也。今既言己志，必欲以淫媟見長，自何等面目？」即可視為對上述淫詩問題的回應。偏向由代言或譏刺的角度去解釋淫詩問題。

這個回應方式，也影響到對閨情艷體詩的態度。其態度大抵是將閨情艷體溯源於《詩》，然後說寫閨情艷體仍須以「止於禮義」「思無邪」為旨；其涉於綺艷者，則應以比興寄託的方式去讀它。

閨情艷體溯源於《詩經》者，以毛先舒講得最清楚：「情語肇允，故源三百」。哀情一路，本於〈氓〉〈綠衣〉；愉情一路，本於〈荇菜〉〈弋雁〉。寫法也有兩種，專寫情感，不假粉澤的，出於〈束薪〉〈芍藥〉，衍為九歌、清商曲、填詞；刻繪眉頰，鋪張衣被的，出於〈碩人〉〈偕老〉，流為二招、白紵、元曲。由於情語源流如此，所以情語獲得了正當性，不必一概予以擯斥。所以他說：「識乖揚榷，概云擯於大雅，則毋乃拙目之嗤歟？」「世目情語為傷雅，動矜高蒼，此殆非真曉者。……總是未徹風騷源委耳」。

寫情詩的正當性，藉此算是保住了，但亦不意味著凡情語都是合理的，他們基本上仍要求它要合乎禮義。如賀裳云：「正人不宜作艷詩。然《毛詩》首篇即言河洲窈窕，固無妨涉筆，但須照攝『樂而不淫』之義乃善」。

另一說，則謂情語刻繪情事，正是要使人聞之足戒。如吳喬說：「曲寫閨怨，如水益深，如火益熱，非教也」，但《詩經》的一些句子，則可讓人體會「千古英雄失足，豈不以此哉？」田雯亦謂：「〈桑中〉〈溱洧〉，紫陽以為淫風。即曰淫風，聖人亦不刪而存之。夫鳳凰和鳴，中於律呂，是謂希世之音，則〈葛覃〉〈卷耳〉非乎？其他圓轉清謠，令聞之者足以戒，雖欲不存，不可得也」。

此等論調，實可見此輩人對情語艷詩仍是看不起的，所以上述說法都屬於我所說「就艷情而貞定之」的路數。貞定之道，尚有一途，即以比興寄託說之，把情詩說成非情詩。梁章鉅曰：「五倫正變之際，蓋難言之。……然而直言近訐、比興多風，故往往寄託於美人香草，此正其用心之厚也。試思七子賦詩，亦何取蔓草零露？豈有各誦其國人淫奔之什以贈答其鄰封者？風人之旨，概可窺也。……夫近莫近於兒女之情，而遠莫遠於周南之化，皆婦人也。故吾謂風騷之旨，不出閨房」。把情語艷詩都放入比興諷諭的系統去看，情語也就不是言情，而是另有指撝了。

如此論思懷、羈旅、征戍、閨怨、宮調、餞行、艷詩，都明顯是「本源」的：既以《詩經》為本為源，又要本於《詩經》這個源。

(六)得法

本之於源，這個本，是動詞，代表了作詩者都須依準《詩經》、學《詩經》。怎麼學呢？詩話中常舉古人名篇，一一指明它如何從《詩經》中奪胎換骨。各位翻翻上面的資料輯錄，就可看見一大堆這樣的言論，故亦不煩贅述。我這裡只補充幾點。

把《詩經》中的詩當做文學作品，並去分析其章法句法字法，尋找它美的要素，乃這一路評論者的基本傾向，其風興於宋而盛於明。但清朝這些詩話，對明代以文學論詩之風，卻是有繼承也有批判的。試看毛先舒《詩辯坻》，徵引戴君恩、鍾惺、孫鑛評詩語那麼多，就可知它基本上是晚明此種風氣的接續。但對當時評論，卻又不盡能接受。船山痛斥茅鹿門、湯賓尹、袁了凡，謂其「皆畫地成牢以陷人者」，是死法，是學《詩經》而不得法者。又說：「自三百篇以至庾鮑七言，皆不待鉤鎖，自然蟬連不絕。此法可通於時文，使股法相承，股中換氣。近有顧夢麟者，作《詩經塾講》，以轉韻立界限，劃斷意旨。劣徑生桎梏古人，可惡孰甚！」凡此云云，皆可見他們並不認為晚明論者業已得法。

既如是，則《詩經》之法，經其爬梳，可得而教人者為何？茲分字法、句法、章法、總說及綱領，分別敘之。

總說者，龐塏云：「試觀三百篇，……內達其性情之欲言，而外循乎淺深條理之節，字字有法，言言皆道」，然後舉陳思王〈吁嗟篇〉詳釋其章法用字，云其「無一閑字、無一閑句，章法次序，一絲不亂，真三百篇之遺也。……若讀此詩而猶不解作詩之法，所謂舉一隅不能反三隅者，不足與言詩已。今人作詩不點題，一病也。轉遞不相關切，二病也。語無次第，駢拇枝指，湊泊取足，三病也。縱有一二佳句，猶人五體不備，一官雖成，何取乎？故當急以此藥之」。

點題之法，《詩經》其實無之，因它本來只是摘句首二三字為題，彷彿後世〈無題〉〈錦瑟〉之類。但如此反而給後人許多啟發，梁章鉅說：「《書・金縢》：『公乃為詩以貽王，名之曰〈鴟鴞〉』，是先作詩而後為名之證。故顧亭林曰：『古人先有詩而後有題，今人先題而後有詩』。……今人製題，有多至十餘句者，蓋古人所謂序也。古人篇名自篇名，序自序。三百篇，序皆他人所為。……今人詩則皆自序，並或於題下加序，而題與序混矣。三百篇序不必盡出當時，而辭皆簡直。今人序文愈繁而詩遂減味矣」。舉《詩經》題序之法以批判後世。為何先詩後題、題摘篇首數字反而勝於後世點題製序之風呢？此蓋與其含蓄詩觀相關。題序簡直一也。題無深義，逕取篇首數字為之，反而如後世〈無題詩〉一般，可以令讀者從多個角度去優遊玩索，「各以其情而自得」，不必受詩題限制，僅成一定之解，二也。⓭

轉遞不相關切，則是指章法，賀裳說他「尤愛〈采薇〉〈出車〉〈杕杜〉三篇，一氣貫串，篇斷意聯，妙有次第。千載後得其遺意者，唯老杜〈出塞〉諸詩」，杜甫「『送徒既有長』……此句與首章末句意相似，但前是出門時言，猶感慨意多；次是因附書後再一決絕言之直前不顧矣。且前只父母，此兼姻戚，文情之密，非複也。……」龐塏則強調：「漢魏詩質直如說話，而字隨字折，句隨句轉，一意順行以成篇，純是三百篇家法」「漢五言詩去三百篇最近，以直抒胸懷，一意始終，而字圓句穩，相生相續成章」。這些都是就章法的貫串呼應說。葉燮另引蘇轍語：「〈大雅・綿〉之八九章，事文不相屬而脈絡自一，最得為文高致」，說此係譏白居易長篇拙於敘事，「大凡七古必須事文不相屬而脈絡自一」。亦是以《詩經》為準則，以論章法。梁章鉅又還談到作結之法，道：

⓭ 參見注❺所引文。

「結語有用尖筆者、有用圓筆者，隨勢用之，此亦從三百篇出來。三百篇中，有就本事近結者。……有雜本事遠結者。若〈甘棠〉〈小星〉章，俱單句結，後人作古體詩亦常用之」。作結，事實上也是章法之一部分。

至於龐塏說的「語無次第，湊泊取足」，實仍是講章法，但亦涉及句法。與之相似者如梁章鉅云：「曹文建〈贈白馬王彪詩〉、顏延之〈秋胡行〉皆以次章首句蟬連上章之尾，此本〈大雅·文王〉、〈下武〉、〈既醉〉三篇法也」。⓮「唐宋以來，詩家多有倒用之句。謝蝾山謂『語倒則峭』，其法亦起於三百篇……。」「三百篇中，對偶之蝾出，已開後來律體之端……。有當句對。……有以對句起者；……有以對句結者」，連李杜蘇韓詩中的疵詞累句，他都認為類似《詩經》而可無害其為名家。

至於字法，方世舉曾以「艷妻煽方處」的煽為句眼，說此乃杜甫字法之祖。但總體說來，論者對字法的重視，在章法句法之下，也覺得《詩經》中一些字未必仍須再用。如葉燮就說《詩經》中極奧僻之字，與《尚書》中古奧字一樣，不必放入詩中。查為仁也說：「作詩好用經語亦是一病」。沈德潛則發現〈鴟鴞〉詩連下十予字，〈蓼莪〉詩連下九非字，〈北山〉詩連下十二或字，情至不覺音之繁、詞之複。後昌黎〈南山〉用〈北山〉之體而張大之，下五十餘或字，就顯得情不深而侈其詞，只是漢賦體段了。亦即某些

⓮ 按：此說本於沈德潛謂：「〈文王〉七章，語意相承而下，陳思〈贈白馬王詩〉，顏延之〈秋胡行〉祖其遺法」。其實〈秋胡行〉九章章各一意，既非語意相承而下，更非以次章首句蟬連上章之尾。另詳蘇文擢《說詩晬語詮評》，1985，文史哲出版社，頁 76。

字可不必再用；某些字法亦然。學習時不能只注意到字，而應求情深或意深。類似之說，亦見於李調元，謂：「今人襲取二李隱僻字句，以驚世眩目。叩其中，絕無所謂。是皆無病呻吟，效顰而不自知其醜者。詩以道性情，自淵明而上溯三百篇，何嘗有不可解字句，使人眩惑？」

平情而論，《詩經》中古奧文字其實甚多。若不多，葉燮之說就成了無的放矢，故李調元之說頗不符《詩經》真相。但古詩明明多奇僻字，卻要說古人句平而意奇，今人意平而句奇，即可見他重意不重詞。前文舉諸家論章法，說什麼篇斷意聯、一意順行以成篇等。亦皆是就意說辭。船山說古詩歌行換韻者，必韻轉意不轉，也是如此。諸家論詩法。此為綱領之一。

詩貴意不貴辭，意則須婉厚，這是綱領之二。田雯云：「學詩者言漢魏六朝四唐兩宋諸家，何不直學三百篇？二南含蓄無盡，〈豳風〉景在目前，〈衛風·碩人〉〈秦風·小戎〉〈東山〉〈零雨〉，用意婉厚，妙不容說。今之作詩者皆可神明變化而學之。風人之旨，往往含蓄不露，意在言外，讀〈碩人〉篇，大概可睹也。」底下詳說其首章如何、次首如何，三章如何。是以含意婉厚為綱領原則來遣辭構篇，而求其「婉摯多風，蘊藉有味」。類此論詩之法，沈德潛為尤多。

既是貴意不貴辭，其說「法」也就不會是死法。田雯說學《詩經》者應「神明變化而學之」；管世銘說：「樂府古詞陳陳相因，易於取厭。張文昌、王仲初創為新製，文今意古，言淺諷深，頗合三百篇興觀群怨之旨」，都以變化創新為學古。其謂學《詩經》者，亦在師其意耳。推此意而言之，遂有潘德輿之說，云：「三百篇之體製音節不必學不能學；三百篇之神理意境，不可不學也。神理意境者何？有關寄託一也；直抒己見，二也；純屬天機，三也；言有盡而意無窮，四也」。

諸家論法，大抵如此。不過其中還有一個作者要不要讀書、詩中要不要用事的問題，須做討論。

這個問題之所以形成，是因整個高舉《詩經》、論溫柔敦厚的路數，基本上強調著詩人內在的性情之美，所以論詩法也重意不重辭。如此，就會像袁枚講性靈而反對以學問為詩那樣。查為仁引查初白詩：「畫工那識天然趣，傅粉調朱事寫生」並說：「宋時或有言今人作詩多要有出處。……關關雎鳩，出在何處？程子亦云：古之學者，惟務養情性。若今之為文者，專務章句，悅人耳目。既務悅人，非俳優而何？知此可以言性靈」，就是一個重內而不騖外的例子。可是，前文講過，這整套理論，跟性靈說並不相同。不同的原因，除了前面談過的「性情」與「性靈」之異以外，更在於此一路詩論本身就架構在「學古」上，因此它根本不可能不學。既然如此，這個問題怎麼解決呢？

就大體來看，除個別少人數如查為仁般，站在性情一邊，反對傅粉調朱者外，大部分論者是「舉兩用中」的。也就是既言性情也講學問，不捨兩邊。說性情，要比標舉性靈者更講究性情之美之善；講學問，也不能不深入經籍。而亦唯有如此不捨兩邊，不去學亦不去性情，才能祛二病，既不落性靈之病，也不染詩中堆積典實之病。

潘德輿云：「詩積故實，固是一病，矯之者則又曰詩本性情。余究其所謂性情者，最高不過嘲風靈，弄花草耳；其下則嘆老嗟窮，志向齷齪；其尤悖理，則荒淫狎媟之語皆以入詩。非但不引為慊，且曰：此吾言情之什，古之所不禁也。」講的就是性情須合乎禮義之正。他也反對詩中多故實，但為了反故實而偏向性靈，他同樣不贊成。

田雯則說詩要性情，也要學問：「興觀群怨，詩人之性情然耳。多識鳥獸草木之名，乃言學問。陸璣之《疏》、嵇含之〈狀〉、陶弘景、段成式、陸佃、羅願、邢昺諸人所撰著，皆從多識句來。今之學詩者，何讀《爾雅》未熟也？」

針對嚴羽「詩有別才，非關書也，詩有別趣，非關理也」之說，田雯又說：「我生古人之後，古人則有格律矣，敢曰不學而能乎？依法則天機淺，憑臆則否臧凶，離之兩傷，此事固履之而後難也。且夫詩尚比興，必旁通鳥獸草木之名，既不能無所取材，則不可一字無來歷。……其要歸於讀書而已」。

這跟上一則同樣，兩者都要。要性情也要學問，要襟臆也要法度。王壽昌之說亦然，云：「我輩生古人之後，古人既有格有律（以下數語雷同）……造語必以讀書善用事為妙。……以學古用事為詩，則性靈自具。以不關學不用事為詩，雖有性靈，蓋亦（罕矣）。」厲志說：「或曰：三百篇直抒性情，無一不佳，請問當日詩人所讀何書？余謂不然，不讀書必不能有此」云云，也是如此。

既然作詩須講學問，清代流行的訓詁聲韻之學，當然也就常見於清人這些詩話中。這個特色，是宋元明詩話所沒有的。馬位考證《毛詩草木鳥獸蟲魚疏》及其他古籍注釋中徵引的秦語，沈德潛考證《詩》中漕字雍字的讀音，都明顯帶有考證風氣。

論韻尤其是如此。早期吳喬談用韻，妄謬非常，竟謂：「詩宗三百篇，自當遵其用韻之法。……休文四聲韻，小學家言，本不為詩，詩人亦不遵用。……或云古詩可用古韻，唐體當用唐韻。夫然則唐體別自為詩，不宗三百耶？古人多有韻，韻又皆叶用。毛晃誤以為古人實有是讀而作《古韻》，何異於衮衣玉食之世，論茹毛飲血事耶？」這是不知古今音變，又為朱熹叶韻之說所誤。

周容亦據朱子叶韻之說，而主張可以再放寬些。到方世舉，就說：「叶韻必不可用」了。四言因模仿《詩經》，不妨暫用，「若他體為之，則龜茲王驢非驢馬非馬矣」。張謙宜也說：「執沈約韻，求叶三百篇，不穿鑿，必支離，文人枉費心思」，因為：「三百篇用韻不與騷賦漢魏同。」此與梁章鉅云：「欲以後來詩韻強協三百篇，誤矣」相同，都拜聲韻學逐漸發達之賜。但論者關心用韻問題，且能運用聲韻學之研究成果，也是非常顯然的。

五、文學詩經學的探索

一、現今論清代詩學者，大抵就虞山、漁洋神韻，格調、性靈、肌理、桐城、同光幾派講講。論清代「詩經學」者，則僅就陳奐、胡承珙、姚際恆、方玉潤等詩經箋注之類經學著作說說，未能注意到宋明以來文學性解《詩經》的傳統，在清代竟有這麼大的發展，既豐富了對《詩經》的詮釋，也直接影響著清代的詩論。因此我以上的資料輯錄和說明，恐怕仍是很有必要的。

二、而這樣文學性的詩經學，意義又不僅限於增進對清代詩論史及詩經解釋系統的了解。因為正如我在前面說過的，這種解經法，宋明以來已蔚為一大傳統。朱熹《詩集傳》說美刺和對淫詩的判定，雖然備受批評，但朱子說：「讀詩正在於吟詠諷誦，觀其委曲折旋之意如何」「大率古人作詩，與今人作詩一般，其間亦自有感物道情，吟詠情性，幾時盡是譏刺他人？」「古人說詩可以興，須是讀了有興起處，方是讀詩，若不能興起，便不是讀詩」「古人之詩雖存，意不可得」等，其實即已開啟了文學性解《詩》的途徑（其他還有一些人的提倡，詳下文）。這個途徑，經明代戴君恩，萬時華、孫鑛、鍾惺、許天贈、沈守正、魏浣初、宋景雲、凌濛初、錢天錫、陸化熙、陳祖綬、賀貽孫等人逐漸發展，到清朝才會形成詩話中有這麼多討論《詩經》的現象。清人詩話論《詩經》之觀點與方法，亦彰顯了這條解釋路線所具有的文學理論能量。

我們不能小覷這一傳統，也不能仍像老派經師那樣把它們放在經學或解經學之外，視為別派，或頂多只是「別子為宗」。須知清代的詩經注解其實就很受這一傳統的影響，而不再只能從毛傳鄭箋朱傳的訓詁解經傳統來看了。

三、治清代經學史者多矣，然對此尚多矇然。故底下我要花點筆墨，以姚際恆《詩經通論》為例，做些說明。

姚氏此書〈自序〉說：「諸經中詩之為教獨大」。理由是孔子論詩遠多於書、易。其次是：「易與書之外不復有易與書，夫子春秋之外亦不復有春秋。……惟詩也旁流而為騷、為賦，直接之者漢魏六朝，為四言，五言、七言，唐為律，以致復旁流為么麼之詞曲。」這不就是陳僅所稱「他經不可續，獨詩可續」的說法嗎？把《詩經》放在整個詩歌史上看，不又正是那些詩話的基本觀點嗎？

姚際恆這本書，跟一般箋注最大的不同，更是在體例上直接加上了圈點批語。這不是文家評詩的辦法嗎？姚氏也不諱言，〈自序〉云：「詩何以必加圈評，得無月峰、竟陵之見乎？曰：非也，余以明詩旨也。知其辭之妙而其義可知；知其義之妙而其旨亦可知」。不承認受孫鑛鍾惺之影響，但肯定文學性審美理解確有助於理解詩意。

既做圈評、既把自己放入文學性釋經的陣營中，當然也就未必能與鍾惺孫鑛等人毫無關係。姚氏其實就頗徵引他們的說法，如〈小明〉第四、五章引孫氏云：「怨苦何能盡，須得此正言收束，意乃完足」，並說這是：「善於論文也」。〈緜〉也引孫氏語。〈蕩〉則引毛先舒語。凡此之類，都說明了它跟他們的「同伴」關係。

姚氏論《詩經》真正的特點或自覺獨到之處，實亦在此。如他釋〈蒹葭〉云：「此自是賢人隱居水濱，而人慕而思見之詩。『在水之湄』，此一句已了。重加『溯洄』『訴游』兩番模擬，所以寫其深企願見之狀，於是於『在』字加一『宛』字，遂覺點睛欲飛，入神之筆」，不是全從文理上說嗎？接著他批評朱子：「《集傳》曰：『上下求之而皆不可得』。詩明先曰『道阻且長』，後曰『宛在』，乃以為皆不可得，何耶？如此粗淺文理，尚不之知，遑言其他？既昧詩旨，且使人不見詩之妙，可嘆哉！」全書都充滿這樣的口氣與思路。認為解詩者應善於體會詩人作詩之意、詩篇言語之妙，才能真正懂得那些詩。而他自認比朱熹等人高明之處，即在於此。

他的解詩，又還不止於此。不是只由體會詩語去了解詩義便罷，他事實上更要詳細去談詩語之美。其圈批，全都是為這個目的而設，其章解亦多如此。例如〈株林〉：「胡為乎株林，從夏南」評：「先作問者信辭」。「匪適株林，從夏南」評：「答以疑辭」；「駕我乘馬，說于株野。乘我乘車，朝食於株」評：「再答以信辭，不更露夏南字，仿若疑辭，妙絕」「二章一意，意若在疑信之間，辭已在隱躍之際，詩人之忠厚也，亦詩人之善言也」「首章詞急迫，次章承以平緩，章法奇絕。曰株林、曰株野、曰株，三處亦不雷同。說于株野、朝食于株，兩句字法參差。短章無多，能曲盡其妙」。全書都是如此。不只就文義解詩，更詳說詩語之妙。因此整本書既是箋注，也像另一本詩話。

我們講過，文學性解詩者是把《詩經》放在詩史源流中去看的，「亦往往以後人詩法詁先聖之經」。姚際恆便常這樣，其釋〈關雎〉曰：「窈窕，猶後世言深閨之意。〈魯靈光殿賦〉云：『旋室便娟以窈窕』，駱賓王詩云：『椒房窈窕連金屋』，元稹詩云：『文窗窈窕紗猶綠』皆是」。論〈君子偕老〉說：「此篇遂為〈神女〉〈感甄〉之濫觴。『山、河』『天、帝』廣攬遐觀，驚心動魄，傳神寫意，有非言詞可釋之妙」。謂〈大叔于田〉：「描摹工艷，鋪張亦復淋漓盡致，便為〈長揚〉〈羽獵〉之祖」。評〈東山〉云：「末章駘蕩之至，直是出人意表。後人作從軍詩必描畫閨情，全祖之」。說〈月出〉：「似《方言》之聱牙，又似亂辭之急促，尤妙在三章一韻。此真風之變體，愈出愈奇者，每章四句，又全在第三句使前後句法不排。蓋前後三句皆上三字雙，下一字單；上三句上一字單，下三字雙也，後世作律詩，欲求精妙，全講此法」。又論〈載見〉：「此八句唯一句出韻，餘皆一韻，漢柏梁詩本此」……。

這些評釋，不但以詩法論詩，更常把《詩經》跟後世的詩關聯起來，具體說明《詩經》為什麼是歷代詩篇之本源、宗主。

姚際恆的經學，因其所作《古今偽書考》之故，盛受民初《古史辨》諸家之推崇，將之視為乾嘉樸學的先驅，貢獻在胡渭閻若璩之上。可是僅從考據、辨偽的角度去看他，其實大謬。他的詩經學，釋名物制度、反朱傳、論淫詩，固然均具特色，但真正重點卻不在此，而在於他深受宋明興盛起來的這種文學解經傳統之影響，且亦表現出如此解經的型態。

姚際恆當然只是一個例子，可是由這樣的事例，便可讓我們了解風氣之流衍，以及文學性解《詩》對經學箋注家的影響。姚氏的解經方式和文學見解，恰是可與諸詩話相印詮的。

四、文學的《詩經》研究、方法意識及基本觀念，均成於宋。喬億推其源流，謂自呂東萊《詩紀》以後，戴溪有《續詩記》，段昌武「又用《詩記》之法為《集解》，華谷嚴氏又用其法為《詩緝》，諸家之要者多在焉。此讀《詩》之本也。」亦即：漢代毛詩鄭箋均不受「文學詩經學」家之青睞，於朱熹《集傳》，亦只是節取之，獨重呂東萊一脈，而嚴粲《詩緝》實集其要。

嚴氏書，林希逸序，闡述以詩言詩，不同於經書之意甚詳，曰：「東萊呂氏始集百家所長，極意條理，頗見詩人趣味。……蓋詩於人學，自為一宗，筆墨蹊徑，或不可尋逐，非若他經。然其流既為騷為選為唐古律，而吾聖人所謂可以興觀群怨，孟子所謂以意逆志者，悉付之。明經家艾軒林先生嘗曰：鄭康成以三禮之學箋傳古詩，難論言外之旨矣」。又推崇嚴氏此書：「獨得風雅餘味，故能以詩言詩，此箋傳之所以瞠乎其後也」。論宗趣、源流都很清楚。

呂東萊曾編《文章關鍵》、林希逸曾作《莊子口義》，把他們的行為，跟「文學詩經學」的興起合起來看，我們就可以說：這是一種以文學角度去討論經史子集各類書寫品的方向，由論《詩經》到論《莊子》論《左傳》論《史記》論《尚書》，逐漸彌漫。明人廣評諸書，施以圈批，既由此蔚為風氣，形成壯觀的景象。清朝此類詩話詩經學，便應放在這更大的脈絡中去看，而且可以比較「文學詩經學」與「文學尚書學」「文學莊子學」「文學史記學」……等的關聯與異同。⓯

民國以來，因受五四運動影響，解《詩經》者廢〈詩序〉、譏《集傳》，侈言文學解詩，而實於宋明清這整個「文學詩經學」之傳統不甚了了，更談不上橫向關聯於整個文學解釋學的龐大領域了。這不是甚為可惜之事嗎？

五、再若就文學理論說，而不就解經的路數說，這種文學性解《詩》者所開顯的文學觀念和詩史建構更有意趣，可以持與其他理論系統好好搴校衡論一番。

以臺灣於七十年代發展起來的「抒情美學」為例。這套理論由陳世驤〈原興〉開始，就是透過對興義的再詮釋，而以興為文學特質，並進而以此去掌握中國文學的特質，講中國具有一個「抒情的傳統」。相關論者包括了高友工、徐復觀、柯慶明、張淑香、呂正惠、蔡英俊……等人。這個由溯源《詩經》而形成的論述，蔚為大國，長達三十年。其理論內涵大可與清代這些《詩經》論述相比較。

總之，值得討論的東西太多了，聊舉此數端，以與世參。

⓯ 例如林雲銘曾作《莊子因》，又有《古文析義》《楚辭燈》，他沒有解《詩經》之作，但其解莊解屈，手法頗與「文學詩經學」相似。《四庫提要》148說其評楚辭「逐句詮釋，又每篇為總論，詞旨淺近」「以時文之法解古書」，批評之語也與談文學詩經學相似。凡此之類，自應合併討論。

柒、乾隆年間的文人經說

一、文人說經的風氣

姚鼐，為古文名家，世無不知之，然考其《惜抱軒筆記》，集部僅占一卷，經部乃居其三，為全書八分之三，為集部的三倍。可知姚氏本人固未嘗以文家自限而不治經史。彼論學，雖有義理、辭章、考據三分之說，但僅以此示承學之士以塗嚮而已，非謂嫻於辭章者即當與治經史考證者劃然分疆，故他本人所撰的筆記，才會有這樣的編排狀況。

這是非常有趣的現象。由理論上看，姚氏〈述庵文鈔序〉說：「學問之事，有三端焉。曰義理也、考證也、文章也。……夫天之生才雖美，不能無偏，故以能兼長者為貴，而兼之中又有害焉。豈非能盡其天之所與之量，而不以才自蔽之難得歟？」（文集，卷四）認為人的才性均有所偏，能兼固然好，但兼也可能互相妨害，因此只要盡其才就可以了。這樣講，其實頗有點取法乎下的意味，告訴人：只要在三塗之中選擇自己才性較近的去發揮就好。相反地，戴震也講三分：「古今學問之途，其大致有三：或事於義理、或事於制數、或事於文章」（東原集，卷九），可是他並不認為人只要依其性之所近去發展就好，而是主張三者合一，而且要以制數、義理為文章之本。故就理論說，姚氏似偏於分，戴氏似偏於兼。然而，實際上剛好相反。戴震之兼，至多只兼了考證與義理。文章詩歌之創作與研究，均非其所長，也幾乎沒有相關作品。姚鼐雖說兼才難得，人只須盡其性分便可，但他自己本人卻自居兼才的位置，於詩歌古文辭之外，頗致力於經史考據。

戴震與姚鼐這樣的不同，在清朝，並非一孤立現象，頗可以推類去觀察那時的學界。經學家，較多戴震這類人，專業考證，不甚擅長詩詞歌賦古文辭。文章家，則往往不以專業自限，也要研經、治史、講講考據。如朱彝尊、紀昀、方苞、厲鶚、袁枚、汪中、孔廣森、翁方綱、魏源、龔定庵、李慈銘……等均是如此。

這種不同，一部份原因在於文人以才華自矜，經學家以樸實為事。故治經者較守矩矱，不騖辭華。文章之士則喜歡騁才使氣，治經史考據，其實也就是他們表現其才大不可羈勒之一法。這種心態，甚且逐漸形成治學為文的一套理論，例如說為文須植本經史，或強調「應合詩人與學人為一手」等等。還有一些文人更進而認為考證不只是「方以智」的實學，尚須運之以虛，發之以慧心性靈，方能「圓而神」。故無詩心之經學家絕不能躋於第一流，只有文人才能成為真正優秀的經學家或考據家。這就有點要「篡位」的樣子了。

而這些，其實又是非常普遍的現象。且不說整個清代，我們眼前曾見過的一些人、一些例證，就都可以說明這樣的現象。例如近代論經學、古史或古文字，絕不能不談章太炎、王國維、黃侃、郭沫若、陳夢家、聞一多這些人。這些人就都是詩人，而對古經史小學又都有深入的研究，貢獻卓著。此類老輩遺風，在清末民初，其實所在多有，毫不稀奇。在我們一些師長輩身上，迄今也還能看到。例如在臺灣，講《禮記》，不能不看王夢鷗先生的書；談《左傳》等古經史，也不能不讀陳槃庵先生之著作，而兩先生就都是文學湛深的。

但畢竟民國以後學科分化已成趨勢，博雅通人漸少而專家狹士寖夥。文學與經學之分尤其嚴重，喜歡辭章的人，輒以考據為苦；研經之士，亦往往質木無文。而且大家對自己不懂或不擅長的東西毫無敬意，彼此不了解對方也看不起對方，漸漸地竟成一常態。目前我們的學界，其實就是如此的，海峽兩岸皆然。

這種新狀況，也影響著我們治史的視野。在談清朝經學史時，我們只會注意那些專業經學家，如惠棟、戴震、段玉裁、王念孫、孫詒讓一類人，而對文人之喜談經學者不甚關注。如王闓運喜說公羊、袁枚喜歡談經義，論者皆絕少。更罕能注意經學家跟他們的辭章之學有何關係。如常州詞派張惠言講虞氏易，其論易，與其論詞而言「意內言外」有何關聯，論經學者與論詞學者一樣，都不曉得，也不知道應該要想辦法去曉得。❶同理，治文學史者，談姚鼐、方苞、紀昀、袁枚、孔廣森、阮元、翁方綱、李慈銘、汪中、魏源、龔定庵……時，也根本不會理會他們的經史文字聲韻之學。

如此論古，大似鋸箭法，非能妙契於古也。

據我看，這種經學與文學分途的情況，在清朝還不明顯。以

---

❶ 張惠言治《易》，與其論詞重比興寄託，其方法之相關性，詳見龔鵬程《詩史，本色與妙悟》（1986，臺灣學生書局）第二章。

《皇朝經世文編》考之。卷一收王昶〈經義制事異同論〉、方苞〈傳信錄序〉、龔自珍〈箸議〉；卷二收姚鼐〈安慶府重修儒學記〉〈近思錄集注後序〉、王昶〈與汪容甫書〉；卷四收方苞〈原人〉上下、〈與翁止園書〉、劉開〈持盈論〉〈貴齒論〉；卷五收趙翼〈唐初三禮漢書之學〉、魏禧〈論交〉、魏源〈曾子章句序〉〈子思子章句序〉、阮元〈文言說〉；卷六收劉開〈問說〉、胡天游〈士相見義〉、方苞〈與尹元孚書〉。以上都屬「學術類」。底下如卷七「治體」收魏禧〈釋左傳〉、姚鼐〈書貨殖傳後〉；卷十一收惲敬〈三代田革論〉一二三四、袁枚〈書崔寔政論後〉〈書王荊公文集後〉、魏禧〈論治〉……等等，論學術、論治體、論經史，而撰文者都是些著名的文人。卷五四至六七，論禮政，講宗法、昏喪、服制，文人議論被收錄的也很多，不在專業禮經研究者之下。因此，我們說某人為辭章之士，或某人為經學家，在清朝均僅能大體言之，很多人是很難只歸入某一類的。而文人之治經術者則尤多，縱或其經學為文名所掩，我們也不應只從辭章之士的角度去看他。

這個原則，適用度很高，隨便舉個例子：著有《巢經巢詩》的鄭珍，固然以詩名家，也以詩影響最深遠，但他另有《儀禮私箋》《巢經巢經說》《說文逸字》《說文新附考》《汗簡質正》《深衣考輯》《論語三十七家注》《說文大旨轉注本義》《說隸》等。其為一經學家，殆無疑義。書齋名為巢經巢，亦可謂名實相符。只因他經學小學著作或未刻、或刊行不廣，又未形成經學流派，故名氣不如其詩罷了。但由他自署書齋為「巢經巢」來看，他是以巢經自許的。其詩亦與他的經學工力有關，故後來主張「合詩人與學人為

一」者輒師法之。這樣的詩人，我們就不應忽略他經學的修養；治經學史者更不能因他以詩著名，便不甚知其經學。❷

類似鄭珍這樣的事例甚多，底下讓我舉幾個乾隆時代重要的文人來觀察。

二、文人說經的例證（一）

第一個就是前面提到過的姚鼐。

前文提到姚氏有《惜抱軒筆記》，此書曾單行，亦收入《全集》中。除了《筆記》以外，《全集》卷三〈左傳補注序〉、卷四〈禮箋序〉〈小學考序〉、卷五〈孝經刊誤書後〉〈辨逸周書〉〈書考工記圖後〉、卷六〈覆孔撝約論禘祭文〉〈答袁簡齋書〉〈再覆簡齋書〉、卷七〈贈錢獻之序〉，《文後集》卷一〈胡玉齋

---

❷ 莫友芝〈巢經巢詩序〉曾謂鄭珍曰：「論吾子平生著述，經訓第一、文筆第二、歌詩第三。而惟詩為易見才，將恐他日流傳，轉壓兩端耳」。據莫氏說鄭珍聽了他的話以後：「固漫頷之，而不肯以詩人自居」，似是不以為然。但莫氏的預測是對的，後來鄭珍經學之名確實為他詩歌所掩。不過，對莫氏的評價，我有些異議。在我看，鄭珍的經學並無太特出處，功力雖深，價值不高；且墨守康成許慎，不無拘墟之弊。考深衣、考輪輿、考鳧鐘，亦無關大義。故整體說來，鄭珍的成就恐怕仍以詩歌為最。歌詩中不乏與經學有關者，如詩集卷二〈招黔西張琚〉即可見鄭氏平生治學宗旨。而《巢經巢詩後集》卷一呈翁同書四絕，開筆即稱「北江經學後，中允復聲名」，對洪北江及翁同書之經學頗為推崇，與一般之評價不甚相同。《後集》卷二題《說文》宋刻本，說：「我為許君學，實自程夫子。……從此問徐鍇，稍稍就涝喜」，則說其文字學源於程恩澤春海之教，並親近於潘祖蔭。程恩澤潘祖蔭之經學文字學，亦每為治經學者所忽略。此均為其詩足裨於考述經學史之證。

雙湖兩先生易解序〉〈尚書辨偽序〉〈禮絃集要序〉〈陶山四書義序〉也均為論經學經義者。然〈贈錢獻之序〉批評當日漢學之風，云：「今日學者頗厭功令所載為習聞，又惡陋儒不考古而蔽於今。於是專求古人名物制度訓詁書數，以博為量，以窺隙攻難為功。其甚者，欲盡捨程朱。而宗漢之士，枝之獵而去其根、細之蒐而遺其鉅，夫庸非蔽歟？」據姚鼐自己說，他「在都中與戴東原輩往復嘗論此事」（復蔣松如書），可見他是反對戴震所代表的漢學風氣的，因此論清代學術史者，多將姚鼐歸入廣義的宋學陣營，所謂文繼韓柳、立身則在程朱之間。其實此乃皮相見。姚鼐反對立漢學之幟以為標的，認為宋儒之學仍有不可抹煞之價值，這是不錯的。但其詁經解義之法，可不是宗明理學那一套！

姚氏《惜抱軒筆記》經部論易一條，言宋人郭子何譙天授說觀象，是慎獨中見沖漠無朕之幾，與漢代說易謂易辭取象於物者不同，便頗有見地。論《尚書》，以今本《竹書紀年》為偽；以《史記·河渠書》所引「夏書」為〈大禹謨〉文；不信偽《古文尚書》，且為漢以來之《今文尚書》亦頗有竄易，蓋人習於偽本《古文尚書》，故讀古書見有與古文不合者，輒予改動。議論也都很可參考。其中他自道：

> 一、余作〈盤庚說〉，云盤庚之後，商乃稱殷。其時未聞閣百詩語也。頃閱馮山公集引百詩語，乃同余說。（盤庚條）
>
> 二、余說〈呂刑〉，以金贖為聖人法。門人葉治三不以為然，以為罪疑當流放，不當使贖。余謂贖者情尤輕於當

> 流者也。治三猶未豁然。後見紀曉嵐筆記，載近事：一姦婦既斷決杖歸其夫，而腹懷姦孕。於律，產後子當歸姦夫，其本夫忿恨其兒，甫降地即殺之。姦夫以故殺控。循名，果為故殺不誣，然原情即減等入流，亦覺重矣。然後知大辟金贖之法，果不可不用也。（金贖條）

這兩則，都有自負之意。可見他對自己的經學是深具自信的。事實上，他所用的方法，就是漢學家所自詡的考證法；他的一些看法確實也與主流經學家闇合，如論《古文尚書》《竹書紀年》及〈盤庚〉之類。另外一些則有特色，亦皆能如其說金贖般持之有故。如論《周禮》，認為既非周公所作，亦非六國時期偽作，而是歷代依周官舊篇增益，故非一時之書。論〈王制〉，不贊成陳澔說其中雜有緯書，謂此乃其詞為漢元成間作緯者所習用，原書則應是文帝時博士採周末諸子語編成。又考井田，云萬充宗「一家九井，本無公田」之說為非。論《說文》，則說許慎亦頗有失誤，分部之法亦不起於許慎。至於聲韻字母之法，乃由西域傳來，儒者意在尊儒，遂掩浮屠之長，氣量就顯得小了。❸諸如此類，均有理致。

---

❸ 按，此指戴震。周壽昌《思益堂日札》卷二〈論戴東原條〉：「紀文達與余存吾先生書一條，論戴東原先生生平甚確，錄之：蓋東原研究古意，務求精核，於諸家無所偏主。其堅持成見者，則在不使外國文學勝中國、後人文學勝前人。故於等韻之學，以孫炎反切為鼻祖，而排斥神珙反紐為元和以後之說。夫神珙為元和中人，固無疑義，然《隋書·經籍志》明載梵書以十四字貫一切音，漢明帝時與佛經同入中國，實在孫炎以前百餘年。且〈志〉為唐人所撰，遠有端緒，非宋以後臆揣者比。安得以等韻之學歸之神珙，反謂孫炎之末派旁枝哉？」

但文人治經。畢竟與尋常經生不同。姚鼐說經之特別，倒不在於他是否跟其他經學家之意見或方法相同及相似，而在於他能格外注意辭意，善於審酌詞氣。例如：

一、儒者於孔子刪書後作序，於一篇事理，當序其原始。若史氏則只序本年見事，前後各載當時事。如周公東征事，舊史於當時記載，詳之久矣，豈須於封蔡叔時詳述之哉？如偽書，則是作史者逆知孔子刪其前事之篇，須於此序其事也。又不知管、蔡致辟，不在流言，而在助畔。不敘其畔，而序其流言，若周史乃爾無識，聖人刪書，豈肯取之哉？（卷一，書・君奭）

二、〈大誥〉「肆哉」，說文：「肆，極陳也。」按肆乃極言吾意之意。肆可斷句，猷不可斷句。《尚書》中用猷字必連誥告字，非如吁嗟嘆詞可斷為句也。而前人釋猷為道，讀斷句，致偽作古文者云：「猷，殷王元子。」則文理不可通。吾為拈出，亦可笑也。（同上，盤庚下）

三、毛詩，於〈楚茨〉以下之《小雅》，盡以為述古刺時之詩。朱子不之從，誠以其詞氣稱述懿美，略無傷刺之義，序說誠不可通，朱子之傳是也。惟〈魚藻〉〈采菽〉兩篇，鼐竊以謂仍當如序說。然非刺幽王，蓋亦厲王時之詩也。厲王蓋暴虐苛急，以威嚴繩下，而恩義涽焉。自懿王居廢邱，而厲因之，故詩人以思先王昔居鎬時，上下和而事簡易，可以愷樂而飲酒，豈若今之督責煩碎，尊倨而使人乖離哉？至其於諸侯也，己自尊而視

> 人極卑、己欲富而不恤人貧、己欲安而不恤人勞、己欲樂而不恤人憂，是以諸侯畏憚，不敢來朝。若先王之時，厚賜諸侯，而以福履祝望之，王惟親諸侯，故諸侯親王。當其時，諸侯之朝者，從容安樂，何為而不樂見王乎？優哉游哉，亦是戾矣。使之不得優游，夫何怪其不戾也？此二篇者，所述者美，而意則傷；辭不迫，而情實切。嗟乎！是則道路以目之時也。（卷二，詩·小雅）

第一例，談敘事。第二例，談句讀文理。第三例，談詞氣。都本於他對文事辭章的修養而來，一般經生無此修養，一般也就較少如此去考論古籍真偽。

此外，尋常經生考釋經傳，多就經典索證。因經生平日不甚讀雜書，故亦罕所取資，文人詁經則不然。平昔多雜覽，是以考證經文，往往由雜書短說處觸悟。前舉姚鼐說金縢而取證於紀曉嵐之筆記，即是一例。類似者尚多，如卷三辨先生本父兄之稱，而後世以稱師長，猶晚生本指子弟，後則用以稱弟子，云：「如晚生字，晉人以稱家之幼小，見《晉書·元帝紀》。又王大令帖：『二女晚生皆佳』。後世乃以為通用之卑稱，其理亦正如此耳。」卷一考據鄭玄注《尚書》「今余其敷憂揚賢，歷告爾於朕志」，而夏侯本今文作「心腹腎腸」，鄭是，夏侯誤；引「世傳《黃庭經》作『道憂柔，身獨居』，羲之俗書獨存此古字，彌知鄭本作憂之非誤矣」。這些，均是引用字帖。用王羲之所書《黃庭經》，更涉及了道書。這不是一般經生所常涉目之書，而姚鼐徵引它，也非一時檢索遽得。他對《黃庭》內外景經是有所研究的，見卷八；且較推崇王羲之所書《外景經》，與一般道教人士也不一樣。足證此類字帖短書，均是他平日熟習之物，故能於此取證。而氾濫雜覽，正是文人跟經生主要不同的所在。

因此，從經學的角度看，文人治經確乎不可忽略。他們一方面運用與專業經學家類似或相同的方法，發展足相參佐證驗之主張，一方面又有與專業經生不同的視野。❹

三、文人說經的例證（二）

我要舉的第二個例子是紀昀。紀昀是另外一種類型。他不像姚鼐有談經之專著，平生所長，亦不以經學名。但除了修《四庫全書》勘定諸經籍之提要，可以見其經學見解外，他那些筆記稗聞，一樣與經學有關。例如他《閱微草堂筆記》卷八載：

> 余布衣蕭客言有士人宿會稽山中，夜間隔澗有講誦聲。側耳諦聽，似談古訓詁。次日越澗尋訪，杳無蹤跡。徘徊數日，冀有所逢。忽聞木杪人語曰：「君嗜古乃爾，請此相見」。回顧之頃，石室洞開。室中列坐數十人，皆掩卷振衣，出相揖讓。士人視其案上，皆諸經註疏。居首坐者，拱手曰：

---

❹ 這也包括文人不像經生那樣，心量視野被「尊經」所限。如姚鼐批評許慎頗有失誤，又說論聲韻不應抹煞西域淵源及浮屠功蹟，在當時都是難得的。經生因尊經尊儒，視野較狹，後來袁枚批評得更多，詳下文。

「昔尼山奧旨，傳在經師。雖舊本猶存，斯文未喪，而新說疊出，嗜古者稀。先聖恐久而漸絕，乃蒐羅鬼籙，徵召幽靈，凡歷代通儒精魂尚在者，集於此地考證遺文，以此轉輪，生於人世。冀遞修古學，延杏壇一線之傳。子其記所見聞告諸同志，知孔孟所式憑，在此不在彼也」。士人欲有所叩，忽已夢醒，乃倚坐老松之下。蕭客聞之。裹糧而往，攀蘿捫葛，一月有餘，無所睹而返。此與朱子穎所述經香閣事，大旨相類。或曰蕭客喜談古義，嘗撰《古經解鉤沈》，故士人投其所好以戲之。是未可知，或曰蕭客造此言以自託降生之一，亦未可知也。

談余蕭客這一類經學家之逸事，可以提供我們對當時的經學家有些感性的認識。這類逸事很多，也有些跟經學無關，例如講戴震、錢大昕等人談狐、說鬼、玩扶乩之類，讓我們可進一步了解經學史以外的戴震、錢大昕、余蕭客等經學家，俾以知人論世。❺

---

❺ 卷三另載一事，講迂儒泥古之病云：「劉羽沖，佚其名。滄州人。先高祖厚齋公，多與唱和。性孤僻，好講古制，實迂闊不可行。嘗倩董天士作畫，倩厚齋公題。內『秋林讀書』一幅云：『兀坐秋樹根，塊然無與伍，不知讀何書，但見鬚眉古，祇愁手所持，或是井田譜』，蓋規之也。偶得古兵書，伏讀經年，自謂可將十萬。會有土寇，自練鄉兵與之角，全隊潰覆，幾為所擒。又得古水利書，伏讀經年，自謂可使千里成沃壤。繪圖列說干州官，州官亦好事，使試於一村。溝洫甫成，水大至，順渠灌入，人幾為魚。由是抑鬱不自得，恒獨步庭階，搖首自語曰：『古人豈欺我哉？』如是，日千百遍，惟此六字。不久發病死。後風清月白之夕，每見其魂在墓前松柏下搖首獨步。側耳聽之，所誦仍此六字也。或笑之，則欻隱。次日伺之，復然。泥

而且，這類經學家逸事，所顯示的，往往是他們另外一面，跟那種宗經、徵聖、明道、覈實的理性精神恰好相反，是好談玄說怪，而本身行事及思慮亦輒顯露出一種迂氣、稚氣或呆氣的那一面。這就可以看出紀昀對當日談經義者頗多不以為然，因此書中或以說故事的方式來間接批評，或直接批判經學家，如卷二載：

> 相傳有塾師，夏夜月明，率門人納涼河間獻王祠外田塍上。因共講《三百篇》擬題，音琅琅如鐘鼓。又令小兒誦《孝經》，誦已復講。忽舉首見祠門雙古柏下，隱隱有人。試近之，形狀頗異，知為神鬼。然私念此獻王祠前，決無妖魅。前問姓名。曰毛萇、貫長卿、顏回，因謁王至此。塾師大喜再拜，請授經義。毛貫並曰：「君所講，適已聞，都非我輩所解，無從奉答」。塾師又拜曰：「詩義深微，難授下愚。請煩顏先生一講《孝經》可乎」？顏回面向內曰：「君小兒所誦，漏落顛倒，全非我所傳本，我亦無可著語處」。俄聞傳王教曰：「門外似有人醉語，聒耳已久，可驅之去」。余謂此與愛堂先生所言學究遇冥吏事，皆博雅之士造戲語以詬俗儒也。然亦空穴來風、桐乳來巢乎？

這就是說故事以譏諷經學家的。記錄這樣的故事，也顯示了紀昀對

古者愚，何愚乃至是歟？阿文勤公嘗教昀曰：『滿腹皆書能害事，腹中竟無一卷書，亦能害事。國弈不廢舊譜，而不執舊譜。國醫不泥古方，而不離古方。故曰神而明之，存乎其人』。又曰：『能與人規矩，不能使人巧』。此與述余蕭客事可以互參」。

經學家之說均感懷疑，疑其非古本且穿鑿也。另兩則，他就直接表達了這種意見：

一、後漢燉煌太守裴岑，破呼衍王碑。在巴生坤海子上，關帝祠中。屯軍耕墾，得之土中也。其事不見《後漢書》，然文句古奧、字畫渾樸，斷非後人所依託。以僻在西域，無人摹搨，石刻鋒棱猶完整。乾隆庚寅，游擊劉存存摹刻一木本。灑火藥於上，燒為斑駁，絕似古碑。二本並傳於世，賞鑒家率以舊石本為新、新木本為舊。與之辯，傲然弗信也。以同時之物，有目睹之人，而真偽顛倒尚如此，況以千百年外哉？《易》之象數、《詩》之小序、《春秋》之三傳，或親見聖人、或去古未遠，經師授受，端緒分明。宋儒曰：「漢前人皆不知，吾以理知之也」，其類此夫！（卷十）

二、相去數十里，以燕趙之人談滇黔之俗，而謂居是土者，不如吾所知之確，然耶否耶？晚出數十年，以髫齔之子，論耆舊之事，而曰見其人者，不如我所知之確，然耶否耶？左邱明身為魯史，親見聖人，其於《春秋》確有源委，至唐中葉陸淳輩，始有異論。宋孫復以後，閧然佐鬬。諸說爭鳴，皆曰左氏不可信、吾說可信。何以異於是耶？蓋漢儒之學務實、宋儒則近名。不出新義，則不能聳聽。不排舊說，則不能出新義。諸經訓詁，皆可以口辯相爭。惟《春秋》事跡，釐然難於變亂，於是謂左氏為楚人、為七國時人、為秦人。身為魯史，親見

> 聖人之說搖。既非身為魯史、親見聖人，則《傳》中事跡，皆不足據，而後可惟所欲言矣。沿及宋季趙鵬飛作《春秋經筌》，至不知成風為僖公生母，尚可與論名分、定貶褒乎？元程端學推波助瀾，尤為悍厲。偶在五雲多處（即原心亭）檢校端學《春秋解》。周編修書昌，因言有士人得此書，珍為鴻寶。一日與友人遊泰山，偶談經義，極稱其論叔姬歸酅一事推闡至精。夜夢一古粧女子，儀衛尊嚴，厲色詰之曰：「武王元女實主東獄。上帝以我艱難完節，接跡共姜，俾隸太姬為貴神，今二千餘年矣。昨爾述豎儒之說，謂我歸酅，為淫於紀季。虛辭誣詆，實所痛心。我隱公七年歸紀、莊公二十年歸酅，相距三十四年，已在五旬以外矣。以斑白之嫠婦，何由知季必悅我，越國相從？春秋之法，非諸侯夫人不書，亦如非卿不書也。我待年之媵，例不登諸策簡，徒以矢心不二，故仲尼有是特筆。程端學何所憑據，而造此曖昧之謗耶？爾再妄傳，當斷爾舌」。命從神以骨朵擊之，狂叫而醒。遂燬其書。余戲謂書昌曰：「君耽宋學。乃作此言」。書昌曰：「我取其所長。而不敢諱所短也」。是真持平之論矣。（卷十二）

這是用議論帶故事的敘述型態，對經學家「非古」「穿鑿」之病，肆其批評。而主要批評對象則為宋儒。紀昀反對宋代理學是非常著名的，這與乾嘉樸學或經學之基本立場一致。但，紀昀真的就與當時經學家相同嗎？那倒也未必。因為他固然不喜歡宋儒之強調「心傳」「道統」而有非古穿鑿之病，他同樣也不喜歡漢儒一些作風，或當時講漢學的人的一些態度。故於漢宋，他實欲兼取其長而并棄其短也：

一、朱子穎運使言守泰安日，聞有士人至岱嶽深處，忽人語出石壁中曰：「何處經香，豈有轉世人來耶？」轟然巨響，石壁中開，貝闕瓊樓，湧現峯頂，有耆儒冠帶下迎。士人駭愕，問此何地。曰：「此經香閣也」。士人叩「經香」之義。曰：「其說長矣，請坐講之。昔尼山刪定，垂教萬年，大義微言，遞相授受。漢代諸儒，去古未遠，訓詁箋註，類能窺先聖之心。又渟朴未漓，無植黨爭名之習，惟各傳師說，篤溯淵源。沿及有唐，斯文未改，迨乎北宋，勒為註疏十三部，先聖嘉焉。諸大儒慮新說日興，漸成絕學，建是閣以貯之。中為初本，以五色玉為函，尊聖教也。配以歷代官刊之本，以白玉為函，昭帝王表章之功也。皆南面。左右則各家私刊之本。每一部成，必取初印精好者，按次時代，庋置斯閣。以蒼玉為函，獎汲古之勤也。皆東西面。並以珊瑚為簽，黃金作鎖鑰。東西兩廡，以沈檀為几，錦繡為茵。諸大儒之神，歲一來視，相與列坐於斯閣後三楹。則唐以前諸儒經義，帙以纂組，收為一庫。自是以外，雖著述等身，聲華蓋代。總聽其自貯名山，不得入此門一步焉。先聖之志也。諸書至子刻午刻，一字一句，皆發濃香，故題曰經香。蓋一元斡運，二氣絪縕，陰起午中，陽生子半，聖人之心，與天地通。諸大儒闡發聖人之理，其精奧亦與天地通，故相感也。然必傳是學者始聞之，他人則否。世儒於此十三部，或焚膏繼晷，鑽仰終身。或鍛鍊苛求，百端掊擊，亦各因其性識之所根耳。君四世前為刻工，曾手刊《周禮》半部，故餘香尚在，吾得以識君之來因」。引使周覽閣廡，欵以茗果，送別。曰：「君善自愛，此地不易至也」。士人回顧，惟萬峯插天，杳無人跡。案：此事荒誕，殆尊漢學者之寓言。夫漢儒以訓詁專門、宋儒以義理相尚。似漢學粗而宋學精，然不明訓詁，義理何自而知？概用詆誹，視猶土苴，未免既成大輅，追斥椎輪；得濟迷川，遽焚寶筏。於是攻宋儒者，又紛紛而起。故余撰《四庫全書·詩部總序》有曰：「宋儒之攻漢儒，非為說經起見也，特求勝於漢儒而已。後人之攻宋儒，亦非為說經起見也，特不平宋儒之詆漢儒而已。韋蘇州詩曰：水性自云靜，石中亦無聲，如何兩相激，雷轉空山驚。此之謂矣」。平心而論，王弼始變舊說，為宋學之萌芽。宋儒不攻《孝經》，詞義明顯。宋儒所爭祇古文今文字句，亦無關宏旨，均姑置弗議。至《尚書》《三禮》《三傳》《毛詩》《爾雅》諸註疏，皆根據古義，斷非宋儒所能。《論語》《孟子》，宋儒積一生精力，字斟句酌，亦斷非漢儒所及。蓋漢儒重師傳，淵源有自。宋儒尚心悟，研索易深。漢儒或執舊文，過於信傳。宋儒或憑臆斷，勇於改經。計其得失。亦復相當。惟漢儒之學，非讀書稽古，不能下一語。宋儒之學，則人人皆可以空談。其間蘭艾同生，誠有不盡饜人心者，是嗤點之所自來。此種虛構之詞，亦非無因而作也。（卷一）

二、三從弟曉東言：「雍正丁未會試歸，見一乞婦，口生於項上，飲啜如常人。其人妖也耶？」余曰：「此偶感異氣耳，非妖也。駢拇枝指亦異於眾。可曰妖乎哉」？余所見有豕兩身一首者、有牛背生一足者。又於聞家廟社會見一右手掌大如箕，指大如椎，而左手則如常。日以右手操筆鬻字畫。使談讖緯者見之，必曰此豕既、此牛既、此人痾也，是將兆某患。或曰是為某事之應。然余所見諸異，訖毫無徵驗也。故余於漢儒之學，最不信春秋陰陽、洪範五行傳；於宋儒之學，最不信河圖洛書、皇極經世。（卷十一）

第一則認為漢宋各有優點，也各有缺點，蘭艾同生。第二則則是具體指出漢學中陰陽災異五行、宋學中河圖洛書等均不可信，在他述異誌怪之中，頗有點理性精神。❻

---

❻ 紀昀批評宋人河圖洛書、皇極經世，見卷四：「宋儒據理談天，自謂窮造化陰陽之本。於日月五星，言之鑿鑿，如指諸掌。然宋曆屢變而愈差，自郭守敬以後，驗以寔測，證以交食，始知濂洛關閩於此事全然未解。即康節最通數學，亦僅以奇偶方圓，揣摩影響，寔非從推步而知。故持論彌高，彌不免郢書燕說。夫七政運行，有形可據，尚不能臆斷以理，況乎太極先天，求諸無形之中者哉？先聖有言：君子於不知，蓋闕如也」。卷十一：「世傳河圖洛書，出於北宋，唐以前所未見也。河圖作黑白圈五十五，洛書作黑白圈四十五。考孔安國《論語註》，稱河圖即八卦（孔安國論語註今已不傳，此條

此調停漢宋之言，在乾嘉漢學風氣中，實乃空谷足音。批評陰陽災異，亦為當時罕見的言論。這些，均可視為紀昀論經學之特識。而更特殊的，是他這些批評內部，其實還蘊含一種道德意識，認為讀聖賢書，應作用於身心性命之上，凡違反這個旨趣，考證或虛談，均同樣無裨益。請看這幾條：

一、李孝廉存其言：蠡縣有凶宅，一耆儒與數客宿其中，夜聞窗外撥刺聲。耆儒叱曰：「邪不干正，妖不勝德，余講道學三十年，何畏於爾？」窗外似有女子語曰：「君講道學，聞之久矣，余雖異類，亦頗涉儒書。《大學》扼要，在誠意；誠意扼要，在慎獨。君一言一動，必循古禮，果為修己計乎，抑猶有幾微近名者在乎？君作語錄，齗齗與諸儒辯，果為明道計乎，抑猶有幾微好勝者在乎？夫修己明道，天理也。近名好勝，則人欲之私也。私欲之不能克，所講何學乎？此事不以口舌爭，君捫心清夜先自問其何如，則邪之敢干與否、妖之能勝與

乃何晏論語集解所引）。是孔氏之門，本無此五十五點之圖矣，陳摶何自而得之，至洛書既謂之書，當有文字，乃亦四十五圈，與河圖相同。是宜稱洛圖，不得稱書。〈繫辭〉又何以別之曰書乎？劉向劉歆班固並稱洛書，有文，孔穎達《尚書正義》，併詳載其字數（洪範『初一曰五行』一章疏曰：『五行志全載此一章』，云此六十五字，皆洛書本文。計天言簡要，必無次第之數，初一曰等二十七字，是禹加之也。其敬用農用等一十八字，大劉及顧氏以為龜背先有總三十八字，小劉以為敬用等皆禹所敘，第其龜文惟有二十字云云。雖所說字數不同，而足見由漢至唐，洛書無黑白點之偽圖也）。」

否，己了然自知矣，何必以聲色相加乎？」耆儒汗下如雨，瑟縮不能對。徐聞窗外微哂曰：「君不敢答，猶能不欺其本心，姑讓君寢」。又撥剌一聲，掠屋簷而去。（卷四）

二、相傳魏環極先生，嘗讀書山寺。凡筆墨几榻之類，不待拂拭，自然無塵。初不為意，後稍稍怪之。一日晚歸，門尚未啟。聞室中窸窣有聲，從隙竊覘，見一人方整飭書案。驟入掩之，其人……磬折對曰：「某狐之習儒者也，……幸公勿訝」。先生隔窗與語。甚有理致。自是雖不敢入室，然遇先生不甚避。先生亦時時與言。一日偶問：「汝視我能作聖賢乎？」曰：「公所講者道學，與聖賢各一事也。聖賢依乎中庸，以實心勵實行，以實學求實用。道學則務語精微，先理氣、後彝倫、尊性命、薄事功，其用意已稍別。聖賢之於人，有是非心，無彼我心。有誘導心，無苛刻心。道學則各立門戶，不能不爭。既已相爭，不能不巧詆以求勝。以是意見，生種種作用，遂不盡可令孔孟見矣。公剛大之氣、正直之情，實可質鬼神而不愧。所以敬公者在此。公率其本性，為聖為賢亦在此。若公所講，則固各是一事，非下愚之所知也」。公默然遣之。後以語門人曰：「是蓋因明季黨禍，有激而言，非篤論也。然其抉摘情偽，固可警世之講學者」。（卷十六）

三、朱公晦菴。嘗與五公山人散步城南，因坐樹下談易。忽聞背後語曰：「二君所論，乃術家易，非儒家易也」。

怪其適自何來。曰：「已先坐此，二君未見耳」。問其姓名。曰：「江南崔寅，今日宿城外旅舍，天尚未暮，偶散悶閒行」。山人愛其文雅，因與接膝究術家儒家之說。崔曰：「聖人作易，言人事也，非言天道也。為眾人言也，非為聖人言也。聖人從心不踰矩，本無疑惑，何待於占？惟眾人昧於事幾，每兩歧罔決，故聖人以陰陽之消長，示人事之進退，俾知趨避而已。此儒家之本旨也。顧萬物萬事，不出陰陽。後人推而廣之，各明一義。楊簡王宗傳闡發心學，此禪家之易，源出王弼者也。陳摶邵康節推論先天，此道家之易，源出魏伯陽者也。術家之易，衍於管郭，源於焦京。即二君所言是矣。易道廣大，無所不包，見智見仁，理原一貫。後人忘其本始，反以旁義為正宗。是聖人作易，但為一二上智設，非千萬世垂教之書、千萬人共喻之理矣。經者常也，言常道也。經者徑也，言人所共由也。曾是六經之首，而詭秘其說，使人不可解乎？」二人喜其詞致，談至月上未已。詰其行踪，多世外語。二人謝曰：「先生其儒而隱者乎？」崔微哂曰：「果為隱者，方韜光晦跡之不暇，安得知名？果為儒者，方反躬克己之不暇，安得講學？世所稱儒稱隱，皆膠膠擾擾者也，吾方惡此而逃之，先生休矣，毋污吾耳」。劃然長嘯，木葉亂飛，已失所在矣。方知所見非人也。（卷六）

四、李又聃先生言：「有張子克者，授徒村落，岑寂寡儔，偶散步場圃間，遇一士甚溫雅。各道姓名，頗相款洽。

自云家住近村，里巷無可共語者，得君如空谷之足音也。因共至塾，見童子方讀《孝經》，問張曰：「此書有古文今文，以何為是？」張曰：「司馬貞言之詳矣，近讀《呂氏春秋》，見〈審微篇〉中，引諸侯一事，乃是今文。七國時人所見如是，何處更有古文乎？」其人喜曰：「君真是讀書人也」。……邀使數來考論圖籍，殊有端委。偶論太極無極之旨。其人怫然曰：「於傳有之：天道遠，人事邇。六經所論皆人事。即易闡陰陽，亦以天道明人事也。舍人事而言天道，已為虛杳；又推及先天之先，空言聚訟，安用此為？謂君留心古義，故就君求食，君所見乃如是乎？」拂衣竟起，倏已影滅。再於相遇處候之，不復睹矣。（卷十二）

五、太原申鐵蟾，好以香奩艷體寓不遇之感。嘗謁某公，未見。戲為無題詩曰：「埿粉團牆罨畫樓。隔窗聞撥細箜篌。分無信使通青鳥。枉遣遊人駐紫騮。月姊定應隨顧兔。星娥何止待牽牛。垂楊疎處雕櫳近。只恨珠簾不上鉤」，殊有玉溪生風致。王近光曰：「似不應疑及織女，誣衊仙靈」。余曰：「已矣哉！『織女別黃姑，一年一度一相見，彼此銀河何事無』，元微之詩也。『海客乘槎上紫氛，星娥罷織一相聞，只應不憚牽牛妒，故把支機石贈君』，李義山詩也。微之之意，在於雙文；義山之意，在於令狐。文士掉弄筆墨，借為此喻，初與織女無涉。鐵蟾此語，亦猶元李之志云爾，未為誣衊仙靈也。至於純搆虛詞，宛如實事，指其時地，撰以姓名。《靈怪集》所載郭翰遇織女事（靈怪集今佚。此條見《太平廣記》六十八），則悖妄之甚矣。夫詞人引用，漁獵百家，原不必一一核實。然過於誣罔，亦不可不知。蓋自莊列寓言，借以抒意，戰國諸子，雜說彌多。讖緯稗官，遞相祖述，遂有肆無忌憚之時。如李冘《獨異志》誣伏羲兄妹為夫婦，已屬喪心。張華《博物志》，更誣及尼山，尤為狂吠（按張華不應悖妄至此，殆後人依托）。如是者不一而足，今尚流傳，可為痛恨。又有依傍史文，穿鑿鍛鍊，如《漢書·賈誼傳》，有「太守吳去愛幸之」之語，《駢語雕龍》（此書明人所撰，陳枚刻之，不著作者姓名）遂列長沙於變童類中，註曰：「大儒為龍陽」。《史記·高帝本紀》稱母媼在大澤中，太公往視，見有蛟龍其上。晁以道詩，遂有「殺翁分我一杯羹，龍種由來事杳冥」句，以高帝乃龍交所生，非太公子。《左傳》有成風私事季友、敬嬴私事襄仲之文。私事云者，密相交結，以謀立其子而已。後儒拘泥私字，雖朱子亦有「卻是大惡」之言。如是者亦不一而足，學者當考校真妄，切不可炫博矜奇，遽執為談柄也。（卷二十二）

以上五則，第一則講為學須作用在身心上，不可與人爭名。第二則也是如此，認為唯有如此才是「實學實用」。這個講法，跟一般說實學就是考證者亦迥異。第三則四則，強調經為常道，所論皆人事，故亦以人倫日用為旨。為學之士，則須「實心實行」，勿騖聲氣、誇講學。第五則從詩文講起，歸結到儒者須用心平正，不可矜博炫奇，故為異說。這些講法，雖批判道學，其實其態度反而近於宋明儒，重在身心踐履，非以學問為外在、客觀之事，亦不喜歡構造理境（斥其「虛杳」或「空音」）。他希望儒者「考校真妄」時，其所謂「真」也非客觀意義的真，而是從對世道人心的作用和意義上說。因此他會批評說伏犧女媧是兄妹結合的人是「喪心」病狂；指責別人「誣」蔑孔子是「狂吠」；閱讀古書時，動不動就由情慾之私的角度去讀，他也認為那就代表了那個人的心術，是念頭老在慾念上打轉。這種批評角度，跟講樸學考證的人，實有絕大之差異。❼

乾嘉漢學的蓬勃，紀昀頗有推波助瀾之功。四庫開館、整理圖籍、撰寫提要、多所網羅漢學家從事，已令漢學聲勢大張；他這位總纂的學術態度，無疑更影響著一個時代的意見趨向。因此，長期以來，論者均把他視為乾嘉漢學的同盟軍，或將之列名《漢學師承記》之類漢學家譜系中。可是，細考紀昀之說，我們就會發現：紀昀畢竟與專業經學家不同，也與一般意義的漢學家不同。以上舉例，皆其證也。

---

❼ 卷二載：「先姚安公嘗為諸生講《大學・修身章》……曰：『明鏡空空，故物無遁影，然一為妖氣所翳，尚失真形，況私情偏倚，先有所障者乎？』又曰：『非惟私情為障，即公心亦為障，正人君子為小人乘其機而反激之，其固執決裂，有轉致顛倒是非者。昔包孝肅公之吏，陽為弄權之狀，而應杖之囚，反不予杖，是亦妖氣之翳鏡也。故正心誠意，必先格物致知』」。可與第二則所言相呼應。

四、文人說經的例證（三）

明白站在文人立場，與經學漢學家分庭抗禮，而其實又喜歡談經說禮的，則是我現在要說的第三個例子，那就是袁枚。

《小倉山房文集》卷十八收有袁枚〈答惠定宇書〉一文，文曰：「來書懇懇以窮經為勗，慮僕好文章，捨本而逐末者。然比來見足下窮經太專，正思有所獻替；而教言忽來，則是天使兩人切磋之意，卒有明也」。擺明了要跟惠棟好好辯一辯雙方宗旨。辯些什麼呢？袁枚說：

> 夫德行本也，文章末也。六經者，亦聖人之文章耳，其本不在是也。古之聖人，德在心，功業在世，顧肯為文章以自表著耶？孔子道不行，方雅言《詩》、《書》、《禮》以立教，而其時無六經名。後世不得見聖人，然後拾其遺文墜典，強而名之曰「經」。增其數曰六、曰九，要皆後人之為，非聖人意也。是故真偽雜出而醇駁互見也。夫尊聖人，安得不尊六經？然尊之者，又非其本意也。震其名而張之，如托足權門者，以為不居至高之地，不足以躪轢他人之門戶。此近日窮經者之病，蒙竊恥之。

這是文章第一大段，這段又可為文兩小段，第一小段說文章與經書一樣均是末不是本，本是心、是德。這，一方面降低了尊經者的地位，一方面也表明了袁枚重視心的態度。這種態度與紀昀相同，所以紀昀批評當時講學者多是徇名，袁枚亦然。《文集》卷十五〈與是仲明書〉痛斥他好名而近偽，云：「尹司空來金陵，道足下廬墓講學不應試，與海昌相公書累數千言，以道自任。僕始聞而驚，繼而惑，不敢不通書於足下。……講學必講禮，禮不墓祭，而何廬為？不應試必隱，隱不與人接，而何講學為？孔子一則曰『從周』，再則曰『從周』。既講學矣，必遵時王之制，而何以不應試為？以子之名，考子之行，吾為子之危之也。」這是針對個案說的。從原理上說，則批評人不應好名，可見《文集》卷一的〈釋名〉。他說：「名，非聖人意也。聖人者，乘其時之得為，行其心之所安，歿齒而已矣。伏羲畫卦，使民知陰陽；蒼頡造字，使民備遺忘；非為名也。……故〈堯典〉〈禹貢〉〈關雎〉〈葛覃〉皆不著作者姓氏。即《論語》一書，亦是孔子亡後弟子之弟子記之，孔子所不知也。……作《論語》者亦卒無姓氏。」另外，《文集》卷二十三又痛批劉古塘的〈喪禮或問序〉，因為該文談「某公居喪，屏妻。自期有七月之後，因見母故，見其妻而心動，強抑苦禁，諄諄然告人」。袁枚覺其無聊且好名太甚，故說：「名之於人甚矣哉！古之人有自隱其過以求名者、有自表其過以求名者」。發揮了一大通議論。

第二小段再進一步降低經的神聖性，一說古無六經之名，次言六經乃後人輯成，故真偽揉雜，也未必足尊。古無六經之稱，又見他《文集》卷十〈史學例議序〉，謂：「古有史而無經。《尚書》、《春秋》，今之經，昔之史也。《詩》、《易》者，先王所存之言；《禮》、《樂》者，先王所存之法。其策皆史官掌之。」《隨園隨筆》卷廿四〈古有史無經〉也說：「古有史而無經，《尚書》、《春秋》皆史也，《詩》、《易》者，先王所傳之言，

《禮》者，先王所立之法，皆史也。故漢人引《論語》、《孝經》皆稱傳不稱經也。」這是善用「六經皆史」說，轉過來消解經書的神聖性。

至於說六經內容真偽雜揉、醇駁互見，更是袁枚說經時著墨甚力之處。《隨園隨筆》卷二五〈古書偽托〉條，說《中庸》為漢儒所做，偽托子思。《山海經》非禹作、《周禮》非周公作、《汲冢周書》乃用太初曆、《本草》而有漢代地名……等，這似乎與當時言考據者同樣是在辨古書之真偽，但袁枚其實是要更進而說經籍多不可信的。

《隨筆》卷廿三「不符類」，說《史記》與《尚書》《左傳》不符，《左傳》與《呂覽》不符，《論語》與《左氏》不符。卷二五〈古書所載不同〉條，又舉二十九事為證。同卷〈今書缺略〉條亦說今傳古籍多所缺略，如「〈士相見禮〉賈疏引《論語・鄉黨》云：『孔子與君圖事于庭，圖政于堂。』今之《論語》無之。《法言・酒誥》之篇俄空焉，今之〈酒誥〉蓋揚雄所未見也。劉向《七錄・王制》有〈本制〉、〈兵制〉、〈服制〉諸篇，而今之〈王制〉無之。《說文》引《爾雅》示圍示貴，今《爾雅》無之。杜預曰：『《竹書》七十五篇，外有一卷曰〈師春〉，全集卜筮語。』今〈師春〉篇乃紀諸國世次，無卜筮語。康成箋〈冢土〉曰：『《春秋傳》蜃宜社之肉。』今三傳皆無此語。」卷二十四〈論語解四篇〉更說：「諸子百家書冒孔子之言者多矣，雖《論語》，吾不能無疑焉」。也就是說古書多缺略、多偽托，乃是普遍之現象，雖經亦然。即或不偽，所載亦往往不同，故不可

深信之。❽

此固疑經，亦一併疑諸子，故《隨筆》卷廿四〈諸子〉條，稱：「《商子》二十六篇，雖奇崛不可句讀，而殿中御史之號實出是書，其非孝公之世明矣。《晏子春秋》俚淺已甚，參入孔子、曾子見晏子等語，尤為不倫。《管子》龐雜，非一人之筆。……《墨子》奧澀難讀，既曰『非攻』矣，乃有〈備城〉〈備水〉篇等；既曰『非儒』矣，乃南游使衛，載書甚多。〈所染篇〉抄襲《呂覽》；〈兼愛〉〈明鬼〉純盜佛經，至詆孔子為白公，尤悖。漢人

---

❽ 《隨園隨筆》卷一「諸經類」第一則就是〈經文異同〉，舉「《說文》所引經書與今本殊，如『餅飯』為『恍飯』，『服牛』為『犕葡牛』，『其文蔚也』為『斐也』，『乘馬班如』為『驙如』，『新臺有泚』為『有玼』，『既伯既禱』為『既禡既禂』，『天地絪縕』為『壹壺』，『教冑子』為『育子』，『嘽嘽』為『痑痑』，『殿屎』為『唸口尸』，『荷蕢』為『荷臾』，『赤舄几几』為『掔掔』，『伯冏』為『伯臩』，『費誓』為『粜誓』，『平秩』為『平豑』，『斷斷兮』為『____兮』，凡如此類，不一而足。……唐司戶參軍郭京得王輔嗣手寫《周易》本，與今異者凡一百三處，如『即鹿無虞，何以從禽也』，『老婦得其少夫』，『君子以居德善風俗』之類」為說，用意亦在於此。不過，排比經文及註解之參差異同，除了用以消解經注之神聖性外，還有方法學的意義。袁枚最善於利用這個方法，突出經文和經文、註解和註解、經文與註解、此書與彼書種種相同、相類、相反、矛盾及裂罅。他大部分經學論議都運用這種方法。卷一〈經注平易〉〈說經新奇〉〈摘注論語〉〈說詩異同〉等都是。卷六言〈寒食不必清明〉〈開闢不必十二萬年〉〈五服〉〈四至不同〉〈三揚州〉〈五赤壁〉〈三曲江〉〈徐揚可稱關中〉〈地名通用〉。卷十一「各解類」言〈別子三解〉〈寒食二解〉〈姑息二解〉〈蘊藉二解〉〈稱大人五解〉〈從母二解〉等。卷十二言〈齋二義〉〈廛二義〉〈徹非通力合作之謂〉等。卷廿一不可亦可類、卷二十三不符類……等，基本上都用這個方法。

好敷衍湊集以成一書，故《淮南・要略》一篇，全用《莊子》；《大戴禮》〈投壺〉〈哀公問〉〈曾子問〉〈大孝〉篇，半抄《戴記》；〈保傅〉一篇全寫《賈子》；〈投壺〉一篇又仿《儀禮》」。疑經也疑諸子，甚為明顯。

然此雖疑諸子，重點又實在「漢人好敷衍湊集以成一書」一語。因為由此才可以又疑《論語》等書。他說《論語》稱贊管仲為仁者，乃《齊論》之說；仲尼之門，羞稱五霸，則為《魯論》之說，「均有偽托，未足為信」。又說《論語》記言簡略：「記言者不詳載問詞，而統括大義，則曰『問仁』、『問孝』、『問政』云爾。人非木偶，豈有言無枝葉，突然舉一字以相問者？況仁、孝、政，一問可也，何必重複問耶？一人問可也，何必各人問耶？」又因記載太簡，致令後世亂猜一通：「于是史遷謂仲弓父賤，何晏謂仲弓父不善，朱子謂司馬牛多言而躁、樊遲粗鄙近利。皆以意為之，不可為典要」。凡此等等，都呼應他答惠棟書所說，經書其實是「真偽雜出、醇駁互見」的，欲以此破時人尊經之見。經若不足尊，則以尊經之名，自號經學家者，在他看來，當然就只是「托足權門」的小人了。

以上是第一大段之旨，接下來，袁枚又說道：

> 古之文人，孰非根柢六經者？要在明其大義，而不以瑣屑為功。即如說〈關雎〉，鄙意以為主孔子哀樂之旨足矣。而說經者必爭后妃作、宮人作、畢公作、刺康王所作。說「明堂」，鄙意以為主孟子王者之堂足矣。而說經者必爭為即清廟、即靈臺、必九室、必四室、必清陽而玉葉。問其由來，

> 誰是秉〈關雎〉之筆而執明堂之斤者乎？其他說經，大率類此。最甚者，秦近君說〈堯典〉二字至三萬餘言；徐遵明誤康成八寸策為八十宗，興說不已。一鬨之市，是非麻起；煩稱博引，自賢自信，而卒之古人終不復生。于彼乎？于此乎？如尋鬼神摶虛而已。僕方怪天生此迂繆之才，後先噂沓，擾擾何休，敢再拾其瀋而以吾附益之乎？

這段一是說治經學者往往瑣碎無當大體，再則譏其如「尋神摶鬼」，迂謬自擾。這也是袁枚論經學時非常突出之處。文人多看不起經學家的迂，紀昀對此已多批評，袁枚更挑出許多經典注疏的錯謬來指摘。

《隨園隨筆》卷一〈經注迂謬〉條云：「經注迂謬者，鄭康成為甚。孔融執子孫之禮以事康成，猶不信郊天鼓必用麒麟皮之說，以為康成名重，故多臆說。若郊鼓必用麟皮，是寫《孝經》必用曾子家竹簡也。虞翻亦極言其紕繆，故駁正康成一百八十事。後魏王肅尤多駁正。而唐人孔穎達為之作疏，則附和穿鑿，一字不敢置議矣。……如注『胡然而帝也』云：『帝，五帝也。』《孔疏》便引靈威仰、赤熛怒以實之。注『曾孫來止，以其婦子，饁彼南畝』，謂即曾孫之王后太子也，成王勸農，必與王后太子同行。王肅疑之，而《孔疏》遂言聖人制禮，與日月同昭。明明周有平王，而〈召南〉詩『平王之孫』，必以為平正之王，乃武王也。明明周有成王、康王，而〈周頌〉『成王不敢康』，必以為成者，成此王功，非成王也……。解經至此，令人失笑」。本條甚長，幾達兩千字，專攻鄭《注》孔《疏》。

同卷〈摘注論語〉條則泛云：「漢人注疏好臆造典故」，又舉此類「非典之典」百數條，三千餘字。再則〈公羊之非〉條、〈穀梁之非〉條，更摘二書紕謬百餘處，如「春王正月而以為黜周王魯，宋穆讓國而以為釀禍，叔術妻嫂而以為賢，許止弒父而有時赦，宋襄敗泓而以為文王之戰，祭仲廢君而以為合聖之權。於外大惡書，於內大惡諱，然則內之亂臣賊子無忌憚矣。賊不討不書葬，然則晉靈、齊莊皆暴露矣。子同生而以為病桓，則是直彰公縱夫人淫奔，而與大惡不書之說自相矛盾」等等。《公》《穀》二書乃經之傳，袁氏要說明的是其解經之謬正與漢人解經相同。

卷廿五〈考據最難〉條，復云：「趙岐注《孟》，誤曹交為曹君之弟，不知《左氏》哀公八年曹已滅矣，戰國時焉得有君。《史記》誤以楚優孟為在淳于髡後，陶弘景《真誥》誤以鄭子真為康成之孫，班固《古今人表》誤以范武子與士會為二人，《韓非子》謂叔向諧萇弘、咎犯諫晉平公，皆可笑也」。袁枚舉此以為嘲笑之資，既以見經學注疏多不足據、經學家多迂謬可笑，也用以顯示自己的經學工力。

此外，《隨筆》卷廿二「應知不知類」，還舉了一大堆例證，說一些經義或禮制是應該知道的，偏偏一些著名的學者就是不曉得，例如嫡母無厭而趙歧不知，郊日可弔而東坡不知之類。這是應知而未知。反之，某些不必拘泥者，儒者又執著其所知，以為非如此不可，不曉得禮制也有「不可亦可」者，卷廿一「不可亦可類」所舉即屬此等，如「《戴禮》曰：『婚禮不賀，娶婦之家三日不舉樂，思嗣親也。』不知《左氏》罕虎如晉賀夫人，又《禮》賀娶妻者曰『某子使某，聞子有客，使某羞』，注：『羞者，佐其供具；

客者，鄉黨僚友之賀客。』豈非婚禮亦賀之證歟？」「〈郊特牲〉曰：『婚禮不用樂，幽陰之義也。』然〈關雎〉『琴瑟友之』『鐘鼓樂之』，樂也；《左氏》『鳳凰于飛，和鳴鏘鏘』，樂也；古樂府有〈房中樂〉，則婚禮用樂亦可」等等，凡三十條。善於利用經文及經解間的歧異，來凸顯經學家言禮制之迂執一偏或無知。

經此一番「解神聖性」地解讀之後，經文和注疏的權威地位，乃至經學家崇高的地位，遂都顯得有些滑稽了。

袁枚還要繼續趁勝追擊，第三段接著還說：

> 聞足下與吳門諸士，厭宋儒空虛，故倡漢學以矯之，意良是也。第不知宋學有弊，漢學更有弊。宋偏于形而上者，故心性之說近玄虛；漢偏于形而下者，故箋注之說多附會。雖捨器不足以明道，《易》不畫、《詩》不歌，無悟入處。而畢竟樂師辨乎聲詩，則北面而弦矣；商祝辨乎喪禮，則後主人而立矣。藝成者貴乎？德成者貴乎？而況其援引妖讖，臆造典故，張其私說，顯悖聖人，箋注中尤難僂指。宋儒廓清之功，安可誣也？

正面攻擊惠棟及吳派考證學家，說他們恐怕比宋儒更糟。袁枚當然並非為宋學之學者，《小倉山房續文集》卷三十〈書大學補傳後〉，對朱子即頗不以為然，故此處並非以宋學反漢學，而是說當時以漢學反宋學者對宋儒之批評並不盡公平，其本身又不曉得漢學也有缺點。這是第三段。底下為結語：

僕齔齒未落，即受諸經。賈、孔注疏，亦俱涉獵。所以不敢如足下之念茲在茲者，以為六經之于文章，如山之昆侖、河之星宿也。善游者必因其胚胎濫觴之所以，周巡夫五岳之崔巍、江海之交匯，而後足以盡山水之奇。若矜矜然孤居獨處于昆侖、星宿間，而自以為至足，則亦未免為塞外之鄉人而已矣。試問今之世，周、孔復生，其將抱六經而自足乎？抑不能不將漢後二千年來之前言往行而多聞多見之乎？夫人各有能不能，而性亦有近有不近。孔子不強顏、閔以文學，而足下乃強僕以說經。倘僕不能知己知彼，而亦為以有易無之請，吾子其能捨所學而相從否？

上文均是批評經學家的學問沒什麼值得驕傲的。這裡則說經學我也不是不懂，但我不像你老兄只懂經學，且以經學沾沾自喜。我認為文章之學更要好些。希望你改弦易轍，也來從事文學。否則就彼此各行其是好了。

文學家筆舌靈巧，樸學家跟他們辯論，當然討不著便宜。這次論辯，顯然也是袁枚占了上風，惠棟雖為漢學大師，跟他辯起經學來，其實甚為吃癟。但袁枚亦非徒恃口舌之能而已，大半還因他在經學上也有深厚的工力，才能入室操戈。袁枚也對自己的經學很自負。

而袁枚經學有工力，亦確非自誇，上文舉例，已可充分說明這一點。其著作中論經學處甚多，若輯出單行，恐怕還多於某些專業經生。故當時人除以文學家視之以外，也有人是對他的禮學很推崇的。〈答李穆堂先生問三禮書〉〈答金震方先生問律例書〉等可以考見，詳《小倉山房文集》卷十五。〈與清河宋觀察論繼嗣正名書〉〈答蔣信夫論喪娶書〉，亦可參看，見卷十七。又《隨筆》卷十二至十四，均考禮制者。連他的《詩話》，也是古今詩話中講經學、考聲韻最多的。因此他說自己經學並不外行，洵非虛語。但如此措辭，惠棟當然不服氣，故又有函相辯。袁枚則答以第二書。

惠棟來信，指責袁枚疑經是「非聖無法」。袁枚再申古代無「經」之說，且多聞闕疑的精神，也是孔子所稱許的。何況自己之疑經，「非私心疑之也，即以經證經而疑之也」，不應被指為非聖無法。這裡明顯可以看出兩者之不同。經學家尊經，文人對經典，則僅視為文章之資糧，平心而觀，故亦能看出經文及經注間的一些參差。當時講經學考據者，固然已開始作考辨偽書的工作，但整個心態上尚不能疑經，那要等到崔述以後。因此，袁枚的態度，其實比惠棟開放且先進的多。

但這部分，只是第一次交鋒時雙方論點的沿申與補充；第二次辯論新的焦點，其實在「文人與經學家何者更高」這裡。袁枚搬出古人的話來「重言」道：

> 漢王充曰：「著作者為文儒，傳經者為世儒。著作者以業自顯，傳經者因人以顯。是文儒為優。」宋劉彥和曰：「傳聖道者，莫如經。然鄭、馬諸儒，宏之已足，就有闡宣，無足行遠。」唐柳冕曰：「明六經之義，合先王之道，君子之儒也；明六經之注與六經之疏，小人之儒也。今先小人之儒，而後君子之儒，以之求才，不亦難乎？」此三君子之言，僕更為足下誦之。

此均以文人勝經生者也。謂治經者為小人儒。《小倉山房文集》卷十九另收〈答友人某論文書〉也有類似的講法。該友人給袁枚的信說：「詩不如文，文不如著書」。所謂著書，其實指的就是考證，因此袁枚回信答稱：「足下於詩文之甘苦尚未深歷，……而獨震於考訂家瑣屑斑駁，以為其傳較可必耶？又疑詩文之格調氣韵可一望而知，而著書之利病非搜輯萬卷不能得其症結，故足下渺視乎其所已知者，而震驚乎其所未知者耶？」袁枚自己，則非但未震懾於經學考證之瑣屑斑駁，且頗輕視之。所以結尾嘲笑惠棟說：你走的路子太窄了，在這麼窄的路子上，想「不履前人舊行路」也很難，你給我看的幾篇東西，就頗有雷同於前人之處！

五、文人説經的意義

以上所舉三人、三種類型，都是乾隆年間惠棟戴震吳皖兩派講經學漢學時的另一種聲音。其中姚鼐以跟經學家類似的方法及表述方式，寫出他的經學見解；紀昀不用這種方式，而用筆記小說來表達；袁枚也用治經之法、也有考證，但明建旗鼓，以與經學家分庭抗禮。三人對經學考證，姚鼐頗有附從主流之態，紀昀以平章漢宋為說，袁枚則有點卑視它。整體看，袁枚當然最具典型性，可以顯示經學家與文人的不同取徑，但三種型態在當時文人中，其實都是有的。而且，正如上文所述，文人與經學並非劃然兩途，文人取徑，雖不以經學為依歸，但博學泛濫，於經學實多涉獵，是「兼」而非「別」。

當時講漢學考證者，真正的勁敵，其實就是這一批文人，而非宋學家。過去我們講清朝學術史，是以「漢宋之爭」的架構去看那個時代，殊不知宋學在乾隆間並無大師，也無法對講經學或漢學者提出什麼反擊，對經學考證之道，更不嫻熟，無法參與到他們的話語系統裡去。文人則不然。無論姚鼎、紀昀或袁枚哪一類人，都是能入室操戈的。看出漢學家的毛病、平衡其尊漢黜宋之偏，其實還得靠這些文人。後來在道咸同光間，反省漢學之弊的一些見解，其實也早見於這些文人議論中。

這些文人本身又多有經學著述或意見。此類篇什，實係整體乾隆年間經學成績之一部份。論乾隆年間經學發展者，也不應忽視這一部份。事實上，這一部份之質量也不比專業經學家遜色。

若再由趨勢上說，則我要說：清朝的經學，其實正是文人經說的發展，專業經生只是在整體發展趨勢中出現的一個小支脈，乾嘉吳皖二派之後，這一部分就仍然回歸於文人治經之傳統。

徵象之一，是章學誠提倡文史學以矯經學考證之弊，謂：「經之流變必入於史」（文史通義，外篇三，與汪龍莊書）「當進益以文辭」（同上，與林秀才）。又說：「古人求學問發為文章，其志將以明道，安有所謂考據與古文之分哉？」戴震所分的，他要將之合一起來。而且不只是合，兩者間還有個進階的關係或發展的關係。考據再進益以文辭，就是古文與考據合了。

這固然是個理想或理論，但實際的發展也正如此。如嘉慶道光間揚州學者汪中、焦循、凌廷堪、江藩，就都是文人而治經的。

我在〈博學於文：清朝中葉的揚州學派〉一文中，曾推溯此一風氣上及於明代，說明朝嘉靖以後，蘇州就有一種主張博雅的學風，提倡經學，並希望將文人與學人合而為一，何良俊《四友齋叢說》可為代表。嗣後錢牧齋之提倡經學，亦屬此一脈絡。明末清初，理學轉為經學，此一學脈之影響，不可小覷。因為文人提倡經學之風氣逐漸彌漫擴大，影響到後來的浙江黃宗羲及浙派詩人。浙派詩人朱彝尊「根柢考據」，融經鑄史，且編有《經義考》。浙派詩人厲鶚，也同樣講考據。至翁方綱，則謂：「在今日，經學日益昌明，士皆知通經學古，切實考訂，弗肯效空疏迂闊之談矣。焉有為詩而群趨於空音鏡象以為三昧者乎？」（小石帆亭五言詩續抄），提倡詩人與學人合一之詩。他和錢籜石等人，均曾被崇奉性靈神韻之說者批評是「錯把抄書當作詩」，但一時風氣，不難想見。❾

換言之，文人與經學合一，自明中葉已漸成一學風，在清朝續有發展。文人方面，在詩、文、詞各領域兼攝經學者已甚多。而乾隆年間考據學的發展，又推波助瀾，助長了這種發展，使詩人與學人合一，漸成主流。在經學方面，則乾隆年間的考證，逐漸引來批評，其發展亦以考據和文辭合一為蘄嚮。文學和經學，不約而同，均達致此。專業經生或專業文人之外，更多的是文人而治經者。較好的學者尤其是如此。

為什麼考據與文辭合一，呈現的是文人而治經，不是經師而兼擅文辭呢？這就像惠棟戴震不能摛藻繪飾，而紀昀袁枚可以談經說史那樣。文人博通，經生專注；文人肆才，經生力學。兩者心態及從學之途本來就不相同。文學才華，本諸天賦，尤其無法強求。此所以文人可兼經學，經師輒病於無文也。

---

❾ 另詳龔鵬程〈博學於文〉收入《中國文人階層史論》，2002 年，佛光大學出版，頁 235－284。

過去，余英時討論清代經學考證學風之興起，有一個著名的論斷，認為清代經學考證學風不能簡單地由「反宋學」這個角度去理解，因為它可能是由宋明理學發展而來的。一方面，宋明理學內部本來就在「尊德性」之外，亦有「道問學」之傳統。另一方面，宋明理學家之爭論越來越需要取證於經典。因此，由理學發展出經學考證學風，其實是一種順勢而成的行動（1979，臺北華世出版社《論戴震與章學誠》）。這種講法誠然精采，但畢竟顯得迂曲。我覺得清朝經學考證學風不必老是放在「漢宋」這個框架裡去鑽研，因為脈絡另有所在。

在哪兒呢？就在文人說經這個傳統裡。我們不要忘了：元朝以來，科舉功令，考的是經義，評價之繩準則是文章。故士人寫文章論經義，乃是普天下大家都在從事的工作。那些八股墨卷、塾課坊選，其實都是文人的經說。何況，古文運動以來，為文者均以宗經明道為職志（至少是旗號），像韓愈在〈進學解〉中所描述的那樣，寢饋經籍以求深植為文之本者，實不乏人。因為古文家的基本理論即是如此。做古文或做時文八股的，別的地方不一樣，在研析經義這方面卻是嚮同一致的。所以像歸有光，既是八股文宗師，又是古文大家，而極力強調治經，曰：「聖人之道，其跡載於六經」，見〈示徐生序〉〈送何氏二子序〉等。流風所及，亦出現大量以文學角度去評點闡析《詩經》《尚書》《春秋》的著作。所重雖在文辭之美而非經義之奧，但此非研經乎？非治經之一道乎？文人治經，在元明清，正因為如是等等原因，非一特殊現象，乃普遍之行為也。

所以我們看楊慎、王世貞、何良俊、歸有光、錢牧齋這一類人，只要不徒眩於其文名，試檢全集，便都可發現他們治經夙多心得。楊慎《丹鉛續錄》經學一、二，考證三、辨字四、評文五、雜識六、拾遺七。排序就可以看出他們自己所重視的是什麼。到清朝，姚鼐等其他人往往也是如此排序。如方苞，《方望溪文集》卷一即為經論，凡廿七篇，論詩書、周官、儀禮、孟子等。卷四另有〈禮記析疑序〉〈周官析疑序〉〈周官集注序〉〈春秋通論序〉〈春秋直解序〉〈重訂禮記纂言序〉等。卷六與閻百詩論古書誤字、與鄂少保論修三禮、論喪服注疏之誤，均為論經學者。戴君衡《重刻方望溪先生全集》目錄後識云：「唐宋八家說經之文，少者類入論辨雜著，多者別為卷。歐集〈經旨〉、大蘇集〈經義〉是也。虞山錢氏編震川集，次經解為卷首。先生湛深於經，為之又多，程氏（按：指程崟）首區為冊，今從焉」。對文家說經之傳統和方苞喜論經義之現象，言之甚晰。我們要注意這個大環境大脈絡，不能僅在「漢宋」框架中找答案。

由這個大環境大脈絡看，乾嘉期間講經學考證，且或分學問為三途，以考證自居，如戴震者；或以經學自高而卑視文人，如惠棟者，其實只是新興的一個小支脈。到稍晚，章學誠、揚州、常州諸人繼起，就仍走回既講經義考證也講辭章的路子去了。

對於明清學術史，我建議用這個新的理解模式來看待。

【附論】

船山雖論經學，自詡「六經責我開生面」，但極看不起經生，也不認為訓詁之法可以究達經義。因船山喜為詩文，又喜論詩，在詩這個領域中，他格外看得出經生訓詁在這方面是無能為力的，故《詩繹》曰：「陶冶性情，別有風旨，不可以典冊、簡牘、訓詁之學與焉」「唐人少年行云：『白馬金鞍從武皇，旌旗十萬獵長楊，樓頭少婦鳴箏坐，遙見飛塵入建章』，想見少婦遙望之情，以自矜得意。此善於取影者也。『春日遲遲，卉木萋萋，倉庚喈喈，采蘩祁祁。執訊獲醜，薄言還歸。赫赫南仲，玁狁于夷』，其妙正在此。訓詁家不能領悟，謂婦方采蘩而見歸師，旨趣索然矣」。這些，是針對解《詩經》的經生訓詁而說的。為泛指。

另一些則是專指。如：「近有吳中顧夢麟者，以帖括塾師之識說詩，遇轉韻則割裂，別立一意。不以詩解詩，而以學究之陋解詩」（同上）。這位顧夢麟，曾作《詩經塾講》，船山在《夕堂永日緒論內編》中也提過這位仁兄：「近有顧夢麟者，作《詩經塾講》，以轉韻立界限，畫斷意旨。劣經生桎梏古人，可惡孰甚焉」。由語意上看，船山把經生、學究、帖括塾師視為同一類人了。

在《古詩評選》中，船山又說：「經生之理，不關詩理。猶浪子之情，無當詩情」（卷五）「用興處只顛倒上章，而愈切愈苦者，在音響感人，不以文句求也如是。此等處，令經生家更無討線索地」（卷二）「此公安頓節族，大抵以當念情起即事先後為序，是詩家第一矩矱，神授而天成之也。嗚呼！世無知此者，而《三百篇》之道泯矣。乃更以其矩矱矩矱《三百篇》，如經生之言詩，愚弗可瘳，亦將如之何哉？」（卷四）「絕句謂選句極簡，必造其絕乃爾。不知何一老經生為之說云：絕句，絕去律詩之半也。……審爾，則是本有而絕之。鶴脰可截乎？」（卷三）經生是研究十三經的，他們不會討論詩歌絕句，故船山此處所說，其實也是把學究、帖括塾師等，凡用呆板機械方法去解詩的人都稱為經生。經生，在他心目中，大概就是這類呆板無趣之人的代表。

此外，船山《明詩評選》又以經生之見斥竟陵派，卷四：「竟陵，則普天率土乾死時文之經生、拾瀋行乞之遊客，樂其淫挑而易從之」，卷七：「如友夏者，心志才力所及，亦不過為經生、為浪子而已」。一指譚友夏作詩之心志眼光如經生，一指學譚者多經生。

綜合船山這些言論來看，有幾點值得注意：一、船山自居詩人而斥經生不知詩，又由其不知詩，而見其耳目心志之僵固閉塞。此種批評，乃文人瞧不起經師之通套；也可代表文人的心態。

二、他所批評的經生訓詁，跟我們一般所說的經學考證家不甚相同，因為其指涉主要是指用時文帖括之學去解《詩經》者。但這樣的指涉恰好告訴我們：⑴在當時，或至少在船山心目中，那一大批用時文帖括之學去解經者，即是經生，即是訓詁家。⑵至少在船山時，已把「經生」「訓詁」朝方法意義去理解。他批評經生如何如何時，經生一詞，不僅指研治經學的人，更用以指：用經學訓詁之法去讀詩作詩的人，凡此類人均可稱為經生。而我們知道，乾嘉經學在學術史上的意義，正在於把經學考證方法學化。因此不只六經十三經可用這套方法去研究，史籍或碑版鐘鼎等等也都可以如此去研究。經學也者，乃成為繼理學而興的一種新學風。可是，遠在經學家把經學考證方法學化之前，在船山這樣的文人論述中，早就把經學如此看待了。只不過，乾嘉經學家以此推尊經學考證，船山則以此菲薄經學考證罷了。其曰經學經學以自尊大者，見船山此類見解，當爽然自失矣。

船山在明末清初，影響不彰，故其說僅能呈現當時之現象，梨洲則不然。李慈銘曾說黃梨洲為文「鮮持擇，才情爛漫，時有近小說家者。望溪謂吳越間遺老尤放恣，蓋指是也」（越縵堂讀書記·南雷文定南雷文約），劉師培則說：「餘姚黃氏亦以文學著名，早歲縱橫，尤長敘事……浙東學者多師之」（左庵外集·論近世文學之變遷）。他自己是位文學家，有《南雷文定》《南雷文集》可資證明；又曾編《明文案》《明文海》；在甬上證人書院講學時，文學也是他開設的主要課程之一。並與其兄弟晦木、澤望組成文昌社「緣經術以飾其時文」（黃宗會《縮齋文集·劉瑞當先生存稿序》），做為復社的分支。因此，梨洲是當時有影響的文人，非船山可比。其甬上證人書院弟子中，著名文人就很不少，如寫《杜詩詳注》的仇兆鰲就是其中之一，萬斯同也是一位「古文辭識力深健，不減歐曾，詩亦能窺盛唐大家之室」（李文胤《杲堂文鈔》卷三〈送萬季野授經會稽序〉）的人。

黃梨洲除了「緣經術以飾其時文」以外，主張「本之以經、以求其源；參之以史，以求其委」（南雷文定，後集，卷一，沈昭子耿岩草序）又說：「文必本之六經，始有根本。唯劉向、曾鞏引經語。至於韓歐，融聖人之意而出之，不必用經，自然經術之文也。近見巨子，動將經文填塞，以希經術，去之遠矣」（論文管窺）。觀其說，可見當時文人作文，已有談經之風氣，且剿襲填塞經文字句，令黃梨洲不滿。而梨洲本人卻也是主張文人應該治經以為其根本的。不過梨洲著作中，文學最多，理學其次，專門經學之作較少，只是把他對經義的理解融化在文中表達出來罷了。

梨洲門下，似亦不甚尊經學。李恕谷紀萬季野語云：「某少受學於黃梨洲先生，講宋明儒者緒言。後聞一潘先生論學，謂陸釋朱老，憬然於心。既而同學競起攻之，某遂置學不講，曰：余唯窮經而已，以故匆匆誦讀者五六十年」。詳味其言，是梨洲之門，以講明聖學為高，皓首窮經為次也。

顧亭林的態度，跟船山梨洲剛好相反。他本身詩文甚佳，詩更在船山梨洲之上，但他少好詩文，壯而悔之。〈與黃太沖書〉自謂：「炎武自中年以前，不過從諸文士之後，注虫魚、吟風月而已。積以歲月，窮探古今，然後知後海先河、為山覆簣，而於聖賢六經之旨、國家治亂之源、生民根本之計漸有所窺」（亭林佚文輯補），其言與〈與陸桴亭札〉相同，見《亭林餘集》，可知非虛語。他少年時的文人氣，不在梨洲等人之下，〈與歸莊手札〉說：「別兄歸至西齋，飲酒一壺，讀離騷一首、九歌六首、九辯四首、士衡擬古十二首、子美同谷七首、洗兵馬一首。壺中竭，夕飲一壺。夜已二更，一醉遂不能起」，文人狂態可掬。他是一位文人是無疑的。

但「能文不為文人、能講不為講師。吾見近日之為文人為講師者，其意皆欲以文名、以講名者也」（文集，卷四，與人書廿三），因此他不願以文人名世。與〈與人書十八〉：「《宋史》言劉忠肅每戒子弟曰：『士當以器識為先，一命為文人，無足觀矣』，僕自一讀此言，便絕應酬文字，所以養器識而不墮於文人也」。能文而不為文人，那他願做什麼樣的人呢？〈答曾庭聞書〉自稱：「弟白首窮經，使天假之年，不過一伏生而已」（文集，卷三）。則是欲經世不可得，僅得為經生而已。

從整體形勢上看，連不願以文人自命的顧亭林，本身仍是文人，就可見文人勢力之大。亭林之說，則是對這種形勢的一種反激行為：能文而不願為文人，要去治經以矯世。乾嘉經學，就是由亭林這一種態度及治學途徑的發展，講「以經學代理學」、治音韻文字、批評文人無足觀，均源於亭林。後來章實齋等人論清代學脈，認為有一支出於浙西、一支出於浙東，一貴專門、一貴博雅云云，看來也頗有幾分道理。蓋出於亭林這一路者，發展為專業經生，出於梨洲這一路者則為文史之學。可是，不但梨洲是講經義的，就連梨洲反對的「動將經文填塞」、船山所反對的「以經生帖括塾課說詩」之類文人，也一樣在講經義。因此，由亭林至乾嘉經學考證家，代表的，只是這整體形勢中一個小支流，欲自別於其他文人而終不可得也。

捌、乾隆年間的文人史論

本文的題目是呼應我另有一篇〈乾隆年間的文人經說〉。那一篇是談乾隆年間專業經學家之外，還存在著一大批文人的經說，兩者不同。本文則要說乾隆年間史學方面也有這樣的區分，一種是史學或以經學方法治史者，如錢大昕王鳴盛，另一種則可以章學誠為代表。

章氏之學，夙為史學界所重，甚或謂其重大貢獻即在於區分文史獨立，但其實章氏是講文史通義的，跟許多史學界的朋友之描述，很不相同。文史相通，其史學乃是一種「文史學」，不了解他的文學觀，就無法了解其史論，只從史學說，是不能了解他的。因為那是文人的史學。本文即以此重新討論久遭誤解的實齋，並溯其說之源於黃宗羲，以見清代文人史學之流略。

一、文史通義

清代史學界之有章學誠，清代史學之光也。迄至今日，集中國史學大成之人物，惟有章氏當之無愧，章氏亦為中國唯一之史學思想家（杜維運，清乾嘉時代之史學與史家，第三章，1989，臺灣學生書局）。這是史學界標準的口吻，推崇實齋之史學。但章實齋真的是史學嗎？非也！實齋之學，是「文史學」。其著作叫做《文史通義》，而非《史通》。僅知其為史學，非真能知實齋者也。

實齋之學，得力於在朱筠門下從遊之際。其子華紱序其遺書時，說實齋「自遊朱竹君先生之門，先生藏書甚富，因得遍覽群籍，日與名流討論講貫，備知學術源流同異」。這時實齋與名流討論講貫的情形與內容是怎麼樣的呢？

據實齋自己描述道：乾隆三十六年辛卯（西元 1771 年），邵晉涵至京師，禮部會試第一，隨即與學誠相識。時學誠在京師，從朱筠習為古文辭，苦無藉手。晉涵輒據前朝遺事，俾學誠與朱筠，各試為傳記，以質文心（章氏遺書，卷十八，文集三，邵與桐別傳）。晉涵又時出宋介三文鈔，指其明季遭亂而婦女死節者數通，俾學誠與朱筠據而改作，以資練習（章氏遺書，外編三，丙辰劄記）。可見實齋在京從學於朱筠時，主要是與邵晉涵等人練習寫文章。後來實齋論文，談「文律」、貴清真，又推崇邵晉涵祖父邵念魯，均與此一經歷有關。《遺書》卷五，《文史通義·外篇三》錄〈與邵二雲書〉云：

> 君家念魯先生，嘗言「文貴謹嚴雄健」。夫謹嚴存乎法度，雄健存乎氣勢，氣勢必由書卷充積，不可貌襲而強為也，法度資乎講習，疏於文者，則謂不過方圓規矩，人皆可與知能。不知法度猶律令耳，文境變化，非顯然之法度所能賅，亦猶獄情變化，非一定之律令所能盡。故深於文法者，必有無形與聲而又復至當不易之法，所謂文心是也，精於治獄者，必有非典非故而自協天理人情之勘，所謂律意是也。文

> 心律意，非作家老吏不能神明，非方圓規矩所能盡也，然而用功純熟，可以旦暮遇之。

邵魯涵是實齋最重要的朋友，其子即拜晉涵為師。二人論學，以論文始。厥後實齋亦以善文名，故邵氏於《文史通義・內篇二・原道下》有按語稱：「京師同仁素愛章氏文」。實齋亦以能文自喜，且以此規勸邵晉涵，曰：

> 君家念魯先生有言：「文章有關世道，不可不作，文采未極，亦不妨作」。僕非能文者也，服膺先生遺言，不敢無所撰者，足下亦許以為且可矣。足下於文，漫不留意，立言宗旨，未見有所發明，此非足下有疏於學，恐於聞道之日，猶有待也。足下博綜，十倍於僕；用力之勤，亦十倍於僕，而聞見之擇執、博綜之要領，尚未見其一言蔽而萬緒賅也，足下於斯，豈得無意乎？

認為邵晉涵聞見雖博、用功雖勤，但不重視寫文章，所以不能用自己的話把所知道的東西擇精舉要講出來。這樣的批評，裡面蘊涵了一個類似王充的說法。王充認為經生跟文人不同，經生是述者，重在箋注詮釋古人之言；文人是著述，可以自己立言，所以文人高於經生。章實齋也是如此，故說邵晉涵：「足下既疏《爾雅》，則於古今語言能通達矣。以足下之學，豈特解釋人言，竟無自得於言者乎？」（同上）。

章實齋把他的著作定名為《文史通義》，把這幾封信收入《文史通義》，又區分注記與著作之不同，都與此有關。《文史通義》中特錄〈古文公式〉〈古文十弊〉等，又說：「余論古文辭義例，自與知好諸君書，凡數十通。筆為論著，又有〈文德〉〈文理〉〈質性〉〈黠陋〉〈俗嫌〉〈俗忌〉諸篇，亦詳哉其言之矣」（古文十弊），也都可見他重文之意。上述各篇，都編入《文史通義·內篇》，足徵實齋對其著意之深。可惜世之論實齋者，但云彼為史學而已，於其論文重文之旨，茫然未曉、漠焉不察，無怪乎談實齋多不中窾也。

實齋〈答甄秀才論修志第一書〉曾自述平生志趣云：「丈夫生不為史臣，亦當從名公巨卿執筆充書記，而因得論列當世，以文章見用於時。如纂修志乘，亦其中之一事也」。這一段，表明他以作史為志業，固無疑義。但應注意的，是寫史修志這些事他是放在什麼地位上看。他是把寫史修志跟替公卿做文書幕僚併為一談，自我期許「以文章見用於世」的。寫史修志，在此便成為文章之業。實齋持論，與其他史家頗為不同，正在於這樣的認定。

因此，他在〈州縣請立志科議〉中說：「無三代之文章，雖有三代之事功，不能昭揭如日月也」。寫史，光有事實沒有用，主要是文字工夫。所以州縣應「特立志科，僉典吏之稍明於文法者。以充其選。而且立為成法，俾如法以紀載，略如案牘之有公式焉，則無妄作聰明之弊矣。積數十年之久，則訪能文學而通史裁者，筆削以為成書」。文字記載皆有成法、公式，是作史的基礎。最後筆削成史，亦非擅文章者不能辦。這樣的講法，不就是以史撰為文事嗎？包括他論記載之成法、案牘之公式，也跟他論「文律」「古文公式」相似，史筆上的相關要求與想法，仍須經由其文學觀去了解。

二、歷史寫作

實齋〈上朱大司馬論文〉說：

> 唐宋至今，積學之士，不過史纂考史例；能文之士，不過史選史評。古人所為史學，則未之聞矣。昔曹子建薄詞賦，而欲采官庶實錄成一家言。韓退之鄙鴻辭，而欲求國家遺事，作唐一經。似古人著述必以史學為歸。蓋文辭以敘事為難，今古人才，騁其學力所至；辭命議論，恢恢有餘，至於敘事，汲汲形其不足，以是為最難也。……古文必推敘事，敘事實出史學，其原本於春秋比事屬辭，左史班陳，家學淵源，甚於漢廷經師之授受。馬曰：「好學深思，心知其意」，班曰：「緯六經，綴道綱，函雅故，通古今」者，春秋家學，遞相祖述。雖沈約魏收之徒，去之甚遠，而別識心裁，時有得其彷彿。

一般史學家都會注意到這篇文章後面說：「六藝之教，通於後世有三：《春秋》流為史學、官禮流為諸子論議、詩教流為辭章辭命」這一段，以此見文史之分、文史不同源。殊不知後世之分，適可用以說明源頭之合。實齋的意思是說：後世辭章出於詩教，此固為一路，但還有文史可合的一路，那就是把古文推源於《春秋》。文人應當要像曹植韓愈那樣，不只以辭賦（即出於詩教的那一部分）為滿足，更要能汲取於《春秋》，得屬辭比事之法。

這一方面是重新把文學拉回到屬於春秋學的陣營，謂其源除了《詩》以外亦出於《春秋》。一方面則是說史比詞賦更高，文人應致力於史。另一方面，又界定了文學與史學相通之處，主要在敘事。❶

這幾點，乃是實齋文史學的重心所在。因為實齋論史，其實最重視的就是史文。史文，一般史家咸不在意，謂為書寫的文字技巧而已。民國以來，實證史學、考史風氣熾盛，更是只論文考史而不重視寫史，故一談史學，就高談史德、史識、史料、史考等等，並以為實齋也是如此。實齋豈如是乎？請繼續看下文：

> 故六經以還，著述之才，不盡於經解諸子詩賦文集，而盡於史學。凡百家之學，攻取而才見優者，入於史學而無不絀也。記事之法，有損無增，一字之增，是造偽也。往往有極意敷張，其事弗顯；刊落濃辭，微文旁綴，而情狀躍然，是貴得其意也。記言之法，增損無常，惟作者之所欲，然必推言者當日意中之所有，雖增千百言而不為多；苟言雖成文，

❶ 實齋論文，亦以敘事為極，謂：「序論辭命之文，其教易盡；敘事之文，其變無窮。故今古文人，其才不盡於諸體，而盡於敘事也。蓋其為法，則有以順敘者，以逆敘者，以類敘者，以次敘者，以牽連而敘者，斷續敘者，錯綜敘者，假議論以敘者，夾議論以敘者；先敘後斷，先斷後敘，且敘且斷，以敘作斷；預提於前，補綴於後，兩事合一，一事兩分；對敘、插敘、暗敘、顛倒敘、迴環敘。離合變化，奇正相生。如孫吳用兵，如扁鵲用藥，神妙不測，幾於化工」。（章氏遺書補遺·論課蒙學文法）

而推言者當日意中所本無，雖一字之增，亦造偽也。或有原文繁富，而意未昭明；減省文句，而意轉刻露者，是又以損為增，變化多端，不可筆墨罄也。（與陳觀民工部論史學）

這是對寫史的方法的討論，左史記言、右史記事，記言記事各有其筆法，怎樣刊落浮辭、怎樣刪繁就簡、怎樣增損變化、怎樣敷張旁綴，都是文字上的工夫。這種工夫，考史者不會注意，但像實齋這類強調作史「須成一家著述」的人卻格外重視。甚至把寫史比喻為天帝造化世界，陶鈞鎔裁，至為神妙：

工師之為巨室度材，比於燮理陰陽；名醫之製方劑炮炙，通乎鬼神造化。史家詮於群言，亦若是焉已爾。是故文獻未集，則搜羅咨訪不易為功，觀鄭樵所謂八例求書，則非尋常之輩所可能也。觀史遷之東漸南浮，則非心知其意不能迹也。此則未及著文之先事也。及紛紛雜陳，則貴抉擇去取。人徒見著於書者之粹然為善也，而不知刊而去者，中有苦心而不能顯也。既經裁取，則貴陶鎔變化，人第見誦其辭者之渾然一也，而不知化而裁者，中有調劑，而人不知也。即以刊去而論，文劣而事庸者，無足道矣。其間有介兩端之可，而不能不出於一途；有嫌兩美之傷，而不能不忍於割愛；佳篇而或乖於例；事足而恐徇於文，此皆中有苦心，而不能顯也。如以化裁而論，則古語不可入今，則當疏以達之；俚言不可雜言，則當溫以潤之；辭則必稱其體；語則必肖其人；質野不可用文語，而猥鄙須刪；急遽不可以為婉辭，而曲折

> 仍見；文移須從公式，而案牘又不宜徇；駢麗不入史裁，而詔表亦豈可廢？此皆中有調劑，而人不知也。（同上）

這一大段，講的是一種文學創作的工夫，只不過其寫作非虛構性的罷了。整個收集素材、裁融變化而出之的過程，與〈文賦〉《文心雕龍》所述者，適可相發。實齋於此，引杜甫為說，尤足以見其用意：

> 杜子美曰：「文章千古事，得失寸心知」，史家點竄古今文字，必具天地為鑪、萬物為銅、陰陽為炭、造化為工之意，而後可與言作述之妙。當其得心應手，實有東海揚帆，瞬息千里，乘風馭雲，鞭霆掣電之奇；及遇根節蟠錯，亦有五丁開山，咫尺險巇，左顧右睨，椎鑿難施之困。非親嘗其境，難以喻此中之甘苦也。（同上）

對史家文字工夫的重視，莫甚於此。本此見解以論史，重文之語，自然極多。何炳松在〈讀章學誠《文史通義》札記〉說：「章氏力主史學應離文學而獨立，廓清數千年來文史合一之弊」（何炳松論文集，頁三三）。真不知何所見而云然，可說完全弄擰了。實齋云：「古人記言與記事之文，莫不有本。本於口耳之受授者，筆主於創，創則期於適如其事與言而已；本於竹帛之成文者，筆主於因，因則期於適如其文之指」（答邵二雲）。無論記言或記事，是創文還是因據文獻，都需要文筆能夠達旨適事，史學能脫離文學嗎？歷史寫作不就是文學作品嗎？在〈和州志列傳總論〉中，他又說：

> 司馬遷曰：「百家言不雅馴，搢紳先生難言之」。又曰：「不離古文者近是」。又曰：「擇其言尤雅者」。載籍極博，折衷六藝。《詩》《書》雖闕，虞夏可知」。然則旁推曲證，聞見相參，顯微闡幽，折衷至當，要使文成法立。……夫合甘辛而致味、通纂組以成文，低昂時代，衡鑒士風，論世之學也。同時比德，附出均編，類次之法也。情有激而如平，旨似諷而實惜，予奪之權也。或反證若比，或遙引如興；一事互為詳略，異撰忽爾同編，品節之理也。言之不文，行之不遠。聚公私之記載，參百家之短長，不能自具心裁，而斤斤焉徒為文案之孔目，何以使觀者興起，而遽欲刊垂不朽耶？

實齋此處所謂的「心裁」，從上下文關係看，不正是《文心雕龍》所謂鎔裁之裁嗎？鎔裁於心，故曰心裁。其引述司馬遷語，專挑他談立言之雅者說，更可以看出他的祈嚮所在。故特言：「言之不文，行之不遠」。〈和州志缺訪列傳序例〉說自己修志：「今用史氏通裁，特標列傳。務取有文可誦，據實堪書」，亦是重文之旨。他在〈永清縣志職官表序例〉中感慨：「官儀簿狀、列表編年等，歷官記數之書，每以無文而易亡」，則恰好呼應了言之不文，行之不遠之說。

三、文章義法

另外，〈與石首王明府論志例〉有云：

> 志為史裁，全書自有體例。志中文字，俱關史法，則全書中之命辭措字，亦必有規矩準繩，不可忽視也。……惟是記傳敘述之人，皆出史學。史學不講，而記傳敘述之文，全無法度。以至方志家言，習而不察，不惟文不雅馴，抑亦有害事理。曾子曰：「出辭氣，斯遠鄙倍矣」。鄙則文不雅也，倍則害於事也。文人囿於習氣，各矜所尚，爭強於無形之平奇濃淡。……惟法度義例，不知斟酌，不惟辭不雅馴，難以行遠；抑且害於事理，失其所以為言。今約舉數端，以為梗概。則不惟志例潔清，即推而及於記傳敘述之文，亦無不可以明白峻潔，切實有用，不致虛文害事實矣。

談寫史，當然重文。重文，就會強調陶鈞鎔裁，神變無方，以此見史家為文之用心。但如此說，文章寫作就變成天才的創造，一切斷之於心。像他說：「必具天地為爐、萬物為銅、陰陽為炭、造化為工」那樣，全屬心裁，有點巧不可階。故實齋對此，也僅是藉此說以示為文之奧妙而已，真講到作文寫史，不能只在這裡講，還必須經示人以規矩。這規矩，就是他所謂的史法、史例，或稱為法度義例。必須要具有這些規矩繩墨，史文寫作才有規範可言，才不會鄙倍傷雅。

心裁與史例，兩相輔貳，歷史寫作，才有可觀。既有文采，又不致於畔鄙無歸或華而傷質。

〈和州志前志列傳序例下〉說：

> 書無家法，文不足觀，易於散落也。唐宋以後，史法失傳，

> 特言乎馬、班專門之業，不能復耳。若其紀表成規，志傳舊例，歷久不渝，等於科舉程式、功令條例，雖中庸史官，皆可勉副繩墨，粗就檃括；故事雖優劣不齊，短長互見，觀者猶得操成格以衡筆削也。外志規矩蕩然，體裁無準，摛比似類書，注記如簿冊，質言似胥吏，文語若尺牘，觀者茫然，莫能知其宗旨。

這就是講史法的。實齋〈與邵二雲論文書〉說：「不知者以謂文貴抒己所言，豈可以成法而律文心？殊不知規矩方圓，輸般實有所不得已，即曰神明變化，初不外乎此也」，與此段論史法正相發明。史法，猶如「文律」，具是有定式。史家或文章家要如何明白這些定式呢？實齋認為須知學術之源流，此即彼所云校讎之法：

> 凡一切古無今有、古有今無之書，其勢判如霄壤，又安得執〈七略〉之成法，以部次近日之文章乎？然家法不明，著作之所以日下也；部次不精，學術之所以日散也。就四部之成法，而能討論流別，以使之恍然於古人官師合一之故，則文章之病，可以稍救。……〈七略〉之古法終不可復；而四部之體質又不可改，則四部之中，附以辨章流別之義，以見文字之必有源委，亦治書之要法。（校讎通義·宗劉）

知古今學術之流別，文章才能知倫類、具規矩，各種文體的寫作才能合乎義例。例如「論」體，原是先秦諸子立論之遺風，後來文人集中有論、說、辨、解各體，以及書牘題跋，都屬於論這一體的派別，重在因事立言。詩賦之體，源於《詩經》，故後代詩賦溺於辭采，就非古史序詩之旨了（見〈和州文徵序例〉）。奏議，則是敷陳治道的文體，最為重要，所以應該像寫史書以「本紀」開頭那樣，編文選也應列奏議為首，而不當如《文選》般以賦居先（永清縣志文徵序例）。他批評《元文類》「條別未分，其於文學源流，鮮所論次」，又說《中州》《訶汾》諸集，「編次藝文，不明諸史體裁，乃以詩辭歌賦、紀傳雜文，全倣選文之體，列於書志之中，可謂不知倫類者也」（和州文徵序例），也都基於這種重視源流的看法。透過這種源流觀，文史又通而為一。因為源流條別，正是歷史的。作文、選文，均該具備源流觀，即是說為文選文皆應具史義。作史時，對此等源流派別分合之故，更應注意，那就不用說了。

文史因此而具規矩、有成法之後，則要求神而明之、變而化之，此即實齋所謂「心裁」的部分。但別識心裁，他仍從源流上講，推其源於《春秋》。〈答客問上〉說：

> 史之大原，本乎春秋。春秋之義，昭乎筆削。筆削之義，不僅事具始末，文成規矩已也。以夫子「義則竊取」之旨觀之，固將綱紀天人，推明大道，所以通古今之變，而成一家之言，必有詳人之所略，異人之所同，重人之所輕，而忽人之所謹，繩墨之所不可得而拘，類例之所不可得而泥，而後微茫杪忽之際，有以獨斷於一心。及其書之成也，自然可以參天地而質鬼神，契前修而俟後聖，此家學之所以可貴也。

《春秋》不僅具史法，更具史義。義存乎心，故於微芒秒忽之際，有以獨斷於一心。這是實齋論別識心裁第一個重點，他談史識史德，即針對這一點而說。〈史德篇〉云：

> 史所貴執者義也，而所具者事也，所憑者文也。……非識無以斷其義……能具史識者，必知史德。德者何？謂著書者之心術也。夫穢史者所以自穢，謗書者所以自謗，素行為人所羞，文辭何足取重？……陰陽伏沴之患，乘於血氣，而入於心知，其中默運潛移，似公而實逞於私，似天而實蔽於人，發為文辭，至於害義而違道，其人猶不自知也。故曰心術不可不慎也。

心術正，則識見明，自然不會違道害義。這是史識，也是文德，〈文德篇〉呼應之曰：「凡為古文辭者，必敬必恕。知臨文之不可無恕，則知文德矣」。文德既同乎史，文史又通而為一了，所以〈文德〉繼云：「古文辭不由史出，是飲食不本於稼穡也」。

論文章而強調心術，其言論便會正視一種超越文字辭藻層面的性質，認為寫文章的人重要的不是修辭，而是作者的道德、見識或主張，這些內涵，先於或重於文辭。實齋論文法文律時，談的是修辭層面的事；此類論心裁別識之言論，著重的卻正是才、學、識、意、德等這些屬於內涵的東西。像〈言公上〉說：「作史貴知其意，非用於掌故，僅求事文之末也」，〈答問〉說：「文人之文，與述人之文，不可同日而語也。著述必有立於文辭之先者，假文辭以達之而已」，都是如此。運用本末、先後、內外思維架構，界定文字修辭跟心術、才學識、意的關係。在這方面，實齋其實非常像唐宋古文家。而若把他談文法史法那一部分合起來看，則他既講法又講義，豈不也甚似同時代的桐城派古文家嗎？桐城派論義法，義謂言有物，法謂言有序，實齋之說，未能外之。其不同者，在於實齋是把文章義法關聯於史學上說。但桐城也未必不論史學，其說多就《史記》揣摩研練而得，與實齋高舉《春秋》，挾天子以令諸侯者固或有異，然義法通用於文章史乘則是一致的。

實齋真正立論獨到之處，是把別識心裁的工夫，聯類於詩書易。〈史德〉：「子嘗謂『有〈關雎〉〈麟趾〉之意，而後可以行《周官》之法度』。吾則謂通六義比興之旨，而後可以講春王正月之書」。〈和州志列傳總論序例〉：「或反證若正，或遙引如興，一事互為詳略，異撰忽爾同編」。都是說比辭屬事之中，比興存焉。〈書教下〉；「夫史為記事之書，事萬變而不齊，史文屈曲而適如其事，則必因事命篇，而不為常例所拘；而後能起訖自如，無一言之或遺而或溢也。此《尚書》之所以神明變化，不可方物」。此則以《書》教疏通知遠，而其體錯綜變化，則與《易》象相通也。又章氏〈論課蒙學文法〉云：「論贊欲其抑揚詠歎」（劉刻《遺書》補遺）。〈與喬遷安明府論初學課蒙三簡〉亦云：「馬、班諸人論贊，雖為《春秋》之學，然本《左氏》假說君子推論之意。其言似近實遠，似正實反，情激而語轉平，意嚴而說更緩。尺幅無多，而抑揚詠歎，往復流連。使人尋味中，會心言外，溫柔敦厚，《詩》教為深」（劉刻《遺書》卷九）。而〈亳州志人物表例議下〉則說：「夫志者，志也。人物列傳，必取別識心裁，法《春秋》之謹嚴，含詩人之比興。離合取舍，將以成其家言」。《校讎通義》卷三〈漢志六藝〉更說：

《詩》部韓嬰《詩外傳》，其文雜記春秋時事，與詩意相去甚遠，蓋為比興六義，博其趣也。當互見於《春秋》類，與虞卿、鐸椒之書相比次可也。孟子曰：「《詩》亡，然後《春秋》作。《春秋》與《詩》相表裡，其旨可自得於韓氏之《外傳》。史家學《春秋》者，必深於《詩》，若司馬遷百三十篇是也。

在單說《春秋》時，實齋以《春秋》為法度與心裁兼合的典範。可是在併說五經時，《春秋》屬辭比事之學，主要代表著法度那一面，其神明變化、別識心裁者，輒當於《詩》《易》求之。《易》之象、《詩》之比興，與《春秋》的謹嚴，《周官》的法度相配合，才足以為史學寫作的最高境界，故云：「史家法春秋者，必深於詩」。

四、自成一家

實齋如此通義文史，持論其實大畢於一般史家。他論修志，也特重藝文，曰：「州縣志乘，藝文之篇，不可不熟議也」（和州志藝文書序例），又欲「倣《文選》《文苑》之體而作文徵」，與志相輔（見外篇一〈方志立三書議〉），且謂：「近世多倣《國語》而修邑志，不聞倣〈國風〉彙輯一邑詩文以為專集」（天門縣志藝文考序），又說：「人物之次，藝文為要」（修志十議）「志既倣史體而為之，則詩文有關於史裁者，當入紀傳之中」（方志立三書議）凡此之類，均可見其重視藝文之意，認為在史書體製方面，文史可以互輔、交相裨益。故〈答甄秀才論修志第二書〉云：

> 文選宜相輔佐也。詩文雜體入藝文志，固非體裁，是以前書欲取各種歸於傳考。然西漢文字甚富，而班史所收之外，寥寥無覯者，以學士著撰，必合史例方收，而一切詩歌賦頌，無昭明、李昉其人，先出而採輯之也。史體縱看，志體橫看，其為綜核一也。然綜核者事詳，而因以及文。文有關於土風人事者，其類頗夥，史固不得而盡收之。以故昭明以來，括代為選，唐有《文苑》，宋有《文鑑》，元有《文類》，明有《文選》，廣為銓次，鉅細畢收，其可證史事之不逮者，不一而足。故左式論次《國語》，未嘗不引諺證謠；而十五《國風》，亦未嘗不別為一編，均隸太史。此文選志乘，交相裨益之明驗也。

此為實齋特識之處，然論史志者頗不謂然，如王闓運云：

> 閱章學誠《文史通義》，言方志體例甚詳，然別立文徵一門，未為史法。其詞亦過辯求勝。要之以志為史，則得之矣。《詩》亡然後《春秋》作，此特假言耳。《春秋》豈可代《詩》乎？孟子受《春秋》，知其為天子之事，不可云王者微而孔子興，故託云《詩》亡。而章氏入詩文於方志，豈不乖類！（《湘綺樓說詩》卷二）

此說著眼於文史之分，自與實齋主張文史相通、文史相輔、文史交相裨益、詩與春秋並兼者異趣。

實齋同時史家，亦罕有如此取徑者，大抵均就經史論分合，不由文史談通義。例如錢大昕，即以經史合，謂經史非二學：

> 經與史豈有二學哉！昔宣尼贊修六經，而尚書春秋，實為史家之權輿；漢世劉向父子，校理秘文為六略，而世本楚漢春秋太史公書漢著紀列於春秋家，高祖傳孝文傳列於儒家，初無經史之別。厥後蘭臺東觀，作者益繁，李充、荀勗創立四部，而經史始分，然不聞陋史而榮經也。（廿二史劄記序）

而王鳴盛則認為經史有同有異，〈十七史商榷序〉說：

> 予束髮好談史，將冠，輟史而治經；經既竣，乃重理史業，摩研排纘。二紀餘年，始悟讀史之法，與讀經小異而大同。何以言之？經以明道，而求道者不必空執義理以求之也，但當正文字、辨音讀、釋訓詁、通傳注，則義理自見，而道在其中矣。……讀史者不必以議論求法戒，而但當考其典制之實；不必以褒貶為奪，而但當考其事蹟之實，亦猶是也。故曰同也。若夫異者則有矣：治經斷不敢駁經，而史則雖子長孟堅，苟有所失，無妨箴而砭之，此其異也。抑治經豈特不敢駁經而已？經文艱奧難通，若於古傳注憑己意擇取融貫，猶未免於僭越，但當墨守漢人家法，定從一師，而不敢他徒。至於史則於正文有失，尚加箴砭，何論裴駰顏師古一輩乎？其當擇善而從，無庸偏徇，固不待言矣。故曰異也。要

之二者雖有小異，而總歸於務求切實之意則一也。

結論是經與史小異而大同。錢王兩家，是乾隆年間治史的代表，以考史為主，如王鳴盛所言，考其典制、考其事跡、考其文字、音讀、訓詁。是以治經之法治史，故亦以尊經之說尊史，謂經史非二學，經史小異大同，以批判揚經抑史之習。這樣的史學，是與當時的經學樸學風氣相呼應的。

在這個時代風氣中，章實齋顯然是個異類。他從文學的角度看，就覺得這批經史考證家都不懂文章：「近人不解文章，但言學問，而所謂學問者，乃是功力，非學問也。功力之與學，實相似而不同，記誦名數，搜剔遺逸，排纂門類，考訂異同，途轍多端，實皆學者求知所用之功力爾。即於數者之中，能得其所以然，因而上闡古人精微，下啟後人津逮，其中隱微可獨喻，而難為他人言者，乃學問也。今人誤執古人功力，以為學問，毋怪學問之紛紛矣」（又與正甫論文）。「方四庫徵書，遺藉秘冊，薈萃都下，學士侈於聞見之富，別為風氣，講求史學，非馬端臨氏所為整齊類比，即王伯厚氏之所為考逸搜遺。是其研索之苦，襞績之勤，為功良不可少。然觀止矣。至若前人所謂決斷去取，各自成家，無取方圓求備，惟冀有當於春秋經世，庶幾先王之志焉者，則河漢矣。」（邵與桐別傳）

「近人不解文章，但言學問」，指的就是時人只會整齊類比、考逸搜遺，而不能著述以成一家之言。著述才是史學，整齊類比、考逸搜遺卻僅僅是史纂史考。

在這樣的觀念中，文章著述與史學其實是同一件事。文章最高的標準，就是史學。一般尋常文士的文章，到不了這個標準，故亦為他所批判：

> 文人之文與著述之文，不可同日語也。著述必有立於文辭之先者，假文辭以達之而已……故以文人之見解而議著述之文辭，如以錦工玉工議廟堂之禮典也。（問答）

> 一切文士見解，不可與論史文。……文士撰文，惟不自己出；史家之文，恐出之於己。……史體述而不造，史文而出於己，是為言之無徵，無徵且不信於後也。識如鄭樵而譏班史於孝武前多襲遷書，然則遷書集尚書世本春秋國策楚漢牒記，又何如哉？（與陳觀民工部論史學）

> 今之所謂方志，非方志也。其古雅者，文人遊戲，小記短書，清言叢說而已耳。其鄙俚者，文移案牘，江湖遊乞，隨俗應酬而已耳。（方志立三書儀）

他認為古來《左》《國》《史》《漢》都符合「良史莫不工文」之旨，而為一代鴻文。但中古以下才藝之士，多舞文弄墨，「溺於文辭以為觀美之具焉」，不顧史事之正確與否，「以此為文，未有見其至者；以此為史，豈可與聞古人大體乎！」（史德篇）要恢復古代良史之體，為文章之正，則須辨別一般詞章文士之文與史家之文有何不同。

他主要從兩方面來說，一是事，一是義。「事」是說一般文人之文皆出於虛構想像，馳幽騁玄，史家則須徵實：「文士撰文，惟恐不自己出；史家之文，惟恐出之於己，其大本先不同矣。史體述而不造，史文而出於己，是為言之無徵，無徵且不信於後也」（與陳觀民工部論史學），史家必須依據事實來寫。至於「義」，是說文人之文，只表現辭采之美觀即可，史家著述之文則須中有所本，有立於文辭之先者。這個文章之義，前文已有說明。總之是應事有所本、義有所立的。持此標準以衡文士文集，遂多惡評；評方志史乘，亦輒謂其不符史著，僅成為文士詞章或短書脞錄。

實齋之文史學，即因此而不協於同時代的經史學，又不同於同時代的辭章學，拔戟獨立，自成一隊。他一再強調史學著述應成一家之言，可是他並未寫成一部史著，倒是這個理論在當時同聲者少，確實是一家之言的。

但在乾隆年間史學上獨樹一幟的章實齋，放在一個更大一點的視野中，卻又並不孤獨，可視為一個脈絡發展中的環節。

因為現在我們看清代學術，焦點大抵都放在乾嘉樸學上。以這一點為基準，看清代學術，自然會以經學考證為中心。史學，就被視為經學發展以後繼起的波浪，錢大昕王鳴盛等以治經之法治史，力矯尊抑史之風；章實齋云六經皆史，則折治經之風以入史途，故經學昌明之後，史學繼盛。如斯云云，可說是我們對清代學術史的基本描述。但若依章實齋辨章學術、考鏡源流的要求來看，此說所描繪的地圖，頗不正確，未能窮源竟委，致令家數不悉矣。

論者忽略了：清代史學不是在乾嘉以後才發展起來的。乾隆年間治經者也許像錢大昕所說，頗有尊經抑史之見，但從整個大的時代社會看，治經或許才是新風氣，在乾隆以前，大約二百年間，史學事實上恐怕更居主流。

《四庫全書總目提要》傳記類二《今獻備遺》中說：「明人學無根柢，而最好著書，尤好作私史。其以累朝人物匯輯成編者，如雷札之《列卿記》、楊豫孫之《名臣琬琰錄》、焦竑之《國史獻徵錄》卷最為浩博」，《明史例案》卷二〈橫雲史稿例議〉也說：「明代野史、雜記、小錄、郡書、家史，不下數百種，然以編年紀事者多。求其帝紀列傳，纂輯成集者絕少，惟鄭曉之《吾學編》、王世貞之《史料》、何喬新之《名山藏》，間備其體。」評價明代史學，各有觀點，但由他們的敘述中便不難發現：明代史學是極盛的，作史之風尤盛。

其間野史不下千家，足為世重者不下百家，如王世貞的《弇山堂別集》《弇洲史料》《嘉靖以來首輔傳》《明野史匯》《皇明名臣琬琰錄》，沈德符的《萬曆野獲編》，陳建的《皇明從信錄》《皇明通鑑輯要》，鄧元錫的《明書》、談遷的《國榷》等等，均為治史者所稱。

明清易代之際，史學更盛。張岱的《石匱藏書》《石匱書後集》、谷應泰的《明史紀事本末》、吳梅村的《綏寇紀略》、查繼佐的《罪惟錄》、計六奇的《明季北略》《明季南略》、溫睿臨的《南彊逸史》、傅維麟的《明書》等等，多不勝數。特別是明清易代滄桑之感，格外能令人激生起歷史寫作的意願。而從順治二年（1645）年開始開設明史館修明史，廣徵天下才彥修史，修到乾隆四年才正式進呈，其間長達九十年。講乾嘉樸學的人，無不注意到乾隆修四庫全書，設四庫館，對考證學的發展具有決定性的影響，而卻忽略了長達九十年的大規模修史活動會對學術產生什麼影響，這不是很奇怪嗎？何況，在官方修史之際，民間私修史書也未停止，莊廷隴、戴南山案，都跟修史有關，其風氣不難想見。

在這個風氣中，最值得注意的是黃宗羲，黃宗羲的《明史案》《明儒學案》《明文海》，以及黃百家續成的《宋元學案》，下啟全祖望乃至江藩的學術史寫作，是大家都知道的。黃氏重史例，則下啟萬斯同。明史開館，既以他的《明史案》為基礎，又有萬斯同、黃百家的參與，且時時咨詢於他，他在整個史書修撰工作中居核心地位，實無庸置疑。而章學誠的學術，他自己是溯源於浙東學派的。他本人對浙東史學或黃宗羲有多少了解，當然難說的很，因為他講浙東浙西，是關聯著博雅與專門、朱與陸而說的，談到自己的史學，也並未與黃宗羲攀上關係。但從學術史的發展脈絡看，章實齋恰好接上黃宗羲這一路。

這一路，重點與乾嘉以後著重於史料纂輯和史考者不同，重在作史。作史須有文采，但又不僅止於有文采。故自王世貞以來，就批評《晉書》《南北史》《舊唐書》稗官小說也。可是既要修史，本身又不能不是文學家。王世貞、沈德符、張岱、吳梅村、錢牧齋、黃宗羲這些人就是榜樣。這些文學家的史學理論，當然會與乾嘉以後那些講史料考據者不同。那些人用章實齋的話來講，就是：「今人不解文章，只知學問」。實齋的文史學，是不與之同調的。

玖、乾嘉年間的鬼狐怪談

一

世之言國學者，好言乾嘉，以經史考據及語言文字訓詁為門庭。言科學方法者，亦喜言乾嘉，以為彼等實事求是，具科學方法及理性精神。此皆不甚讀書之過也。

乾嘉諸儒固然以考據徵實為號召，但亦不過如王充一般，大談祥瑞，而信杜伯之鬼，謂命皆前定，且云鳳凰麒麟皆真。❶這和科學精神、實事求是，根本是兩回事。考證經史，也不是這些學者整體人格與精神狀態的全貌。

講考據經史的先生們，可能不太看《閱微草堂筆記》《新齊諧》《秋坪新語》《秋燈隨錄》《夜燈叢錄》一類書。若看看，或稍微想想：為何總纂四庫的紀曉嵐，對乾嘉學風大有推波助瀾之功，而竟無什麼經史考證或文字訓詁之作，平生著述，反而是談狐說鬼的《閱微草堂筆記》這一類的問題，便或許可以突破一個固定

❶ 詳見龔鵬程〈世俗化的儒家：王充〉，收入 2005，北京商務，《漢代思潮》，頁 197－239。

的刻板印象，發現獵奇述異、談狐說鬼，在當時士大夫之間是多麼普遍和重要的事。

《閱微草堂筆記》中記載戴震、錢大昕、余蕭客、任大椿、邵二雲、朱彝尊等人談狐、說鬼、玩扶乩，甚或遇鬼的事，據我所知，就沒有任何人在研究他們或為他們作傳記時提到過。其實此類事足以觀性行、知癖好，與其知識結構和取向更有密切之關係，不容忽略。這些人與章太炎、胡適、魯迅之不同，即此亦可以見。就是民國期間，遺老們講靈學、玩扶乩，也很自然地與胡適、魯迅等不同一路，所以這是辨識學術社群、觀察其知識取向非常好的線索，可惜大家都忽略了。❷

袁枚的《子不語》後改名《新齊諧》。原先是想續宋洪邁之《夷堅志》的，嘗有〈余續夷堅志未成，到杭州得逸事百餘條，賦詩志喜〉詩。但《夷堅志》並不專說鬼怪事，與袁書體例實不盡符，袁書自序亦惜其「缺略不全」。袁枚本人又是不滿《聊齋誌異》的，謂其「太敷衍」，因此該書真正的參考對象，或其體近似者，恰好就是《閱微草堂筆記》。書中亦頗引紀昀事，如《續齊諧》卷五軍校妻、飛天夜叉兩條，即述紀氏在烏魯木齊遇怪。而其整體風格更是接近紀氏書。

反之，紀昀之書又是仿袁書的。因紀書乃分別刊行，《灤陽銷夏錄》《如是我聞》先刊，自云始作於乾隆己酉。繼刻《槐西雜誌》，自序亦稱是續《夷堅志》。已而又刊《姑妄聽之》，時已在

❷ 包括嚴復在內之講靈學者，詳龔鵬程〈理性與非理性：論近代知識份子的理性精神〉，收入1991，東大圖書公司，《近代思想史散論》，頁61－100。

嘉慶戊午，年七十五矣。初撰稿時，紀氏當已見過袁枚書，故卷一即有引述，其後亦始終有引證、有討論，凡十餘條。袁為紀之同時前輩，二書著作之年亦同當，故有此種「互文」之現象。❸紀氏書中還常與當時另一些談鬼狐的書相參證，如上文提過的《秋燈隨筆》之類，形成更大的互文現象，而亦可以看出那個時代的風氣及論述風格。

那風格是什麼呢？就是：認真地說荒唐話。

這是中國稗史的傳統。凡說鬼狐妖異，皆作史筆，事件發生的時、地、人證、物證，總要寫得清清楚楚。若是得諸傳聞，也必一一指明其來源，且示可以覆按。六朝的志人志怪以迄唐人傳奇，蓋皆是如是，世謂唐人傳奇可以見史筆、詩才與議論者，正以此故。

然史筆之壞亦自唐人傳奇始。胡應麟說得好：「變異之談，盛於六朝，然多是傳錄舛訛，未必盡設幻語。至唐人乃作意好奇，假小說以寄筆端」（少室山房筆叢，卷三十六）。所謂傳錄舛訛，就是傳錄巷議街談之奇聞怪事，乃史之稗類。所謂幻語，所謂作意好奇，假小說以寄筆端，卻是脫離了史述傳說。虛構故事，以寄意抒情。現今講中國小說史者，贊美唐人傳奇，往往亦以此為理由，如魯迅《小說史略》第八篇就說：「小說亦如詩，至唐代而一變。雖尚不離於搜奇記逸，然敘述宛轉，文辭華艷，與六朝之粗陳梗概者，演進之迹甚明」。把史傳式的記逸搜奇看成是較原始的寫法，謂虛構

---

❸ 袁枚與紀昀當然也頗有不同。袁多記南方事，紀多述北方，兼及西域。袁多言關帝雷公陰沈木，紀多載風俗時好及怪獸，袁本人雖喜龍陽，而所記男風之事則不如紀多。又，紀氏好發議論，「風教」氣味更甚於袁。其喜考證，具格致精神亦勝於袁。因此從許多方面看，兩書是相似而又互補的。

鋪陳才是進化，在紀昀、袁枚看來便會大不以為然。

袁枚自謂其書乃續《夷堅志》，且云：「《聊齋誌異》殊佳，惜太敷衍」，就是擺明了反對唐人那種寫法，而要回到「粗陳梗概」、「記逸搜奇」的史傳式寫法中去。有取於宋之《夷堅志》而不上法六朝，是因宋人志怪更接近史述。魯迅論宋之志怪，即曾說過：「其文平實簡率，既失六朝志怪之古質，復無唐人傳奇之纏綿。當宋之初，志怪又欲以可信見長，而此道於是不復振也」，《夷堅》亦「偏重事狀，少所鋪張」（小說史略，十一篇）。袁枚之見，恰與魯迅相左，故特取其簡率平實，近於史述，務期可信這一面。

紀昀也同樣，自謂：「不懷挾恩怨如《周秦行記》，不描摹才子佳人如《會真記》」（灤陽續錄），自居史部，弗同於唐人傳奇，甚為明顯。其門人盛時彥有跋，亦稱：「先生嘗曰：《聊齋志異》盛行一時，然才子之筆，非著書之筆也。……劉敬叔《異苑》陶潛《續搜神記》，小說類也。《飛燕外傳》《會真記》，傳奇類也。……今一書而兼二體，所未解也。小說既述見聞，即屬敘事，不比戲場關目，隨意妝點。……今燕昵之詞、媟狎之態，細微曲折，摹繪如生。使出自言，似無此理；使出作者代言，則從何而聞見之？又所未解也」，講得更明白。

這種寫法，態度上當然與經史考據一樣，講究「無徵不信」、「多聞缺疑」、「信以傳信，疑以傳疑」。其不同，只在所講述的內容上，而非其方法。

就其方法與態度言之，此類怪談，完全可視為是乾嘉經史文字考證的同盟軍，或其一部份。這是迄今仍無人注意到的。但吾人若

細讀其書，就不太難發現它在講故事之際，不但要交代每則故事之來歷，提供可證驗線索，更常用這些故事在詁經證史。❹

像紀昀，學問淹貫，除了表現於編校《四庫》外，主要即見於此。如卷九引某君言：「秦人不死，信符苻生之受誣；蜀老猶存，知葛亮之多枉」，然後自注云：「四語乃劉知幾《史通》之文。苻生事見《洛陽伽藍記》，葛亮事見《魏書·毛修之傳》。浦二田注《史通》以為未詳，蓋偶失考」。卷十二又云：「世傳推命始於李虛中，其法用年月日而不用時，蓋據昌黎所作虛中墓志也。其書《宋史·藝文志》著錄，今已久佚，惟《永樂大典》載虛中《命書》三卷，尚為完帙。所說實兼論八字，非不論時。……余撰《四庫全書總目》，亦謂虛中推命不用時，尚沿舊說，今附著於此，用誌吾過」。這樣的論析，遍及全書，不但撰述態度與他修《四庫總目提要》相同，許多地方甚至是對《提要》的修訂或補充。相關的例子太多了，可惜無人為之綴拾。即如上舉李虛中事，考證《四庫總目》諸家，如余嘉錫、胡玉縉、崔富章、李裕民諸先生，就都不

---

❹ 此類筆記甚至有擴大經學考證之意。紀氏書卷十三，載其叔夜中見怪，紀昀就說：「叔平生專意研經，不甚留心於子史，此二物，古言皆載之」，然後引《博異傳》、《史記·秦本紀》、《列異傳》，庾信〈枯樹賦〉、柳宗元〈祭纛文〉來考證一是樹精，一是飛天夜叉。不但在方法和態度上與經學考證同調，在材料上又大大拓展了經學考證。

曉得，中華書局整理本亦未收，其他的就不用說了。❺

由於紀氏與考證學派關係深厚，因此以上這種情況，世雖未知，卻似乎不須多費解釋，袁枚恐怕就得稍加說明。而其實袁枚之作風，與紀昀並無二致。例如《新齊諧》卷一蒲州鹽梟條，說蒲州鹽池為蚩尤所據，幸賴張飛顯靈，才能制住，並制其妻，妻名梟，所以結論是說：「始悟今所稱鹽梟，實始於此」。

卷二天殼條，說有人掉進地底，恃閉氣術抵達極深處，發現地下還有一個天地世界，中間有殼隔開。故事講完，加上按語說：「余按《淮南子》：溫帶之下，無血氣之倫。日輪所近，即溫帶矣」。

卷三囊囊條，講一蓑衣虫名囊囊，「桐城人不解囊囊之名，後考《庶物異名疏》，方知蓑衣虫一名囊囊」。

卷八偷雷錐條。云雷公擊怪，過產婦房，受污不能上天，落在樹巔上，一日睡著，其錐被人偷去。找鐵匠燒融，卻入火化為青烟，「俗云：天火得人火而化，信然」。

同卷乖耳龍條，云一婦食李而生龍，「此事陶悔軒方伯為余言之，且云：偶閱《群芳譜》，云：天罰乖龍，必割其耳，耳墜於地，輒化為李。畢婦所食之李，乃龍耳也」。又鬼攀日線才能托生條，言娼化虫蝶、惡人化蛇虎：「問：雷擊之鬼何化？曰：化蚯

---

❺ 中華本，李學勤先生序，強調紀氏重漢學而厭理學，且說：「有興趣的讀者不妨對照一下他在小說《閱微草堂筆記》中是怎樣盡情揶揄理學的」。其實李先生讀紀氏書亦未必熟，不然就會看到紀昀對許多經學家及經學問題也是揶揄的，詳龔鵬程〈乾嘉時代的文人經說〉，2003，北京清華大學，經學研討會論文。

蚓。譚子《化書》言：凡被雷擊死者，搗蚯蚓汁覆其臍可活。斯言蓋有所本」。

卷九木箍頸條，言人在林野見一人，長三尺許，「或曰：此三尺許人，乃水木之精游光華方類也，能呼其名，則不為害。見《抱朴子》」。又盤古以前天條，云棺中出異人，風起變為石，「余疑此人是前古天地將混沌時人也。緯書云：萬年之後，天可倚杵。此人言天不若今之高，信然」……。這些，都是用一個聽起來有憑有據的故事，來「證明」古書上的記載果然有道理、古來相傳的某些說法果然不謬。

這樣的言說風格不是孤立的，有些地方不證諸古語文獻，而證諸經驗事實。例如《續新齊諧》卷七獵戶說虎條云：「傳聞虎傷人，則倀鬼為尸脫衣與虎食。又云虎能禹步，令尸自起脫衣。此皆不然也。蓋人不見虎，故為此推測之辭。有鄭獵戶云……」，以獵戶的親身經歷來一一辨正流俗傳言。此等記載，與前述一類，彼此具互文效果，足以讓讀者相信作者對於他所記載的事都是採徵足據的，於是那些「事實」遂成為對古書記載最好的印證或說明。

同上卷還講了一則獺異的故事，云一人逢水獺之妖，倉促間，誦穢迹金剛咒幾不成語，「但偶憶《本草》有熊食鹽而死，獺飲酒而斃之語」，果然得以除妖。然後袁枚發議論了，說：「然則記覽不嫌其雜，亦能救人」。這時，古書之記載與事件之間就成了互文印證的關係了。

有時袁枚也引用古籍來替這些怪事做解釋，如續集卷三張閻王條，結尾處，袁曰：「余按《廣博物志》云：雷火所及，金石俱清，惟漆器不壞。張之第三次得免，或以是耶？」這不僅解釋了怪事，也證明了古籍所言不妄，故仍屬互文印證關係。

據此觀之，可以說：袁枚齊諧語怪，實與當日經史考據之風並無抵牾。甚且事文互證，比一般考據家只在文字堆裡考來考去更符合實證精神。整個論說態度也是徵實的，具體地用事例來解說文獻之處，比比皆是。

或許仍有人對此不以為然，因為袁枚所釋，都是些雜書，什麼《本草》啦，《廣博物志》啦，《群芳譜》啦，即或引用《淮南子》《化書》，亦與當時考證家著重於經史者不同，故不能一例相量。

此正是今人論學之盲點。需知實證精神、考據方法，既是精神、既是方法，便可施於任何材料上，民國以來胡適用之於考證章回小說、禪宗史、水經注，不就是這個道理嗎？材料之不同，不足以判定他們就非一家眷屬。《閱微草堂筆記》、《新齊諧記》這類書，成於乾嘉考證徵實之風鼎盛的時代，事實上也表現著徵實的態度，且具體詁釋了不少文獻，而後人知人論世，乃將其書與乾嘉考據割裂開來，視為異路，不予聞問，豈非今人之陋乎？

再說，袁枚豈只有雜學哉？《新齊諧》證史之處甚多。有些直接叫古人來降乩，自述心曲，如卷十九史閣部降乩條。有些是引史以論世，如卷十六柳如是為厲條，說柳氏為厲的故事，然後作考證云：

> 或謂：柳氏為尚書殉節，死於正命，不應為厲。按《金史・蒲察琦傳》：琦為禦史，將死崔立之難，到家別母。母方晝寢，忽驚而醒。琦問：「阿母何為？」母曰：「適夢三人潛

伏梁間，故驚醒」，琦跪曰：「梁上人乃鬼也。兒欲殉節，意在懸樑，故彼鬼在上相候。母所見者即是也」。旋即縊死。可見忠義之鬼用引路替代，亦所不免。

續集卷三地仙遭劫條，舉《南史・王元謨詩》為證，亦是如此。另有卷八武后謝嵇先生條，云嵇受之在史局修《唐鑒》，將《舊唐書》所載武后淫穢事大半刪除，夜見武后派人請去道謝。這其實亦是史證。因為嵇氏夜夢武後謝他刪駁《唐書》之功，可以用心理因素來解釋。但夢中武后感謝嵇而贈量才玉尺，謂其將赴西安，果然不久即督學陝西云云，便是藉此經歷來證明嵇氏改得對了。同樣的，卷二董賢為神條，說：「汝勿為班固所欺也。固作〈哀皇帝本紀〉，既言帝病痿，不能生子，又安能幸我耶？此自相矛盾語也。我當日君臣相得，與帝同臥起，事實有之。武帝時，衛霍兩將軍亦有此寵，不得以安陵龍陽見比」，也是藉神來糾正史傳之訛。

此類事例，恰與論柳如是為厲者相反，那是引史證事，這些則是以事辨史，二者合起來，一樣構成互文互證之關係。而且我們不要忘了，袁氏整本書其實都是史述。裡面到處都是某相國、某侍郎、某大司寇、某方伯、某孝廉、某布政司、某按察司、某太守、某大司馬、某舉人、某學士，有名有姓，且多當時人物，所舉事證，宛若口供，固足以此存一代之史也。此等書寫，構成一種氣氛，是足以與他引史證事或以事辨史相互濬發的。

二

然而，前面我講過，如此述事，其風格乃是認真地說荒唐話。講起來煞有介事，引經據典，還有人證物證，可是說的卻是鬼狐仙怪，滿紙荒唐言。

如果說他的寫作態度是實證的，這些鬼狐仙怪，是否也就徵實可信了呢？這是一個大疑難。由寫作策略上說，袁枚無疑是希望如此的。他絕不會像唐人傳奇，把裡面人物取名為元無有、成自虛，或如古人稱烏有先生、無是公那般，點明了故事乃是杜撰。他的一切敘述，都要令人看起來就是徵實可信的真事，雖其中有些可解（如上文所述，他曾努力引經據典去解釋了）、有些費猜，但基本上都是真的。

對於這些「真事」，我們該怎麼看，便成一大難題。信其為真嗎？明明是滿紙荒唐言。不信嗎？人家有憑有據，親身涉歷，我等焉能遽云皆無其事？

幸而這並不會成為真正的困局。為什麼？我們知道：袁枚和紀曉嵐一樣，除了治經史考據之外，他們還有些與當時那批考證學者不同之處，他們都是文人。❾文人就可能不完全徵實，如考據學家一般。徵實的態度，或許恰是文人故弄狡獪的寫作策略。何以見得呢？

---

❾ 紀昀自謂為學三變：「三十以前，講考證之學。三十以後，以文章與天下相馳驟，抽黃對白，恒徹夜構思。五十以後，領修秘籍，復折而講考證」。以後則是姑妄談狐說鬼的第四期了。詳該書卷十五〈姑妄聽之〉序。

卷一漢高祖弒義帝條，云某君卒而復甦，自謂前身乃九江王英布，且稱「弒義帝，乃高祖使之，非項羽使之也。高祖弒義帝，嫁名項羽，而偽與諸侯討弒義帝者。羽訟於上帝，須布為質。質明，果係為高祖所弒。陳平之出奇計，此其一也」。他講的這個人，叫盧憲觀，山東驛鹽道。也許真有其人、真有其事，但此等事，會不會是袁枚假託來講他自己對楚漢史事的見解呢？我不知道。但有一事，我可確定它是杜撰了來講他對經學之看法的，那就是續集卷五麒麟喊冤條。

該條云吳人邱生從事考證，奉鄭康成為圭臬，遊學於楚，被虎啣去，入一石洞，逢蒼頡，縱談六經與經疏事。蒼頡先是說古只有詩書禮易等，不稱為經。又說注疏穿鑿附會，上干帝怒，讖緯乃妖言，鄭玄注也頗荒謬：「天子冕旒用玉三百八十八片，天子之頭幾乎壓死。夏祭地示，必服大裘，天子之身幾乎暍死。只許每日一食，須勸再食，天子之腹幾乎餓死」。還有一麒麟向上帝告狀說鄭玄注云郊天必用麒麟皮蒙鼓，豈非郊天一回必殺一麒麟？凡此等等，整篇三四千字，從漢儒批到宋儒，再批時文、詩文之風，洋洋灑灑。紀昀也講過好幾個同類的故事，都是假借古聖人出面，反對漢宋學術。而其所以非實事，乃是假託寓言，證據就在袁枚自己的文集裡。試檢其文集，便知蒼頡對鄭玄的指責、麒麟對鄭玄的抱怨，其實正是袁枚自己的經學主張。在《新齊諧》中，他只不過換了個方式來說罷了。

卷廿二另有一則狐道學，言一狐所談皆心性語錄，所讀皆是《黃庭》《道德》。評論說：「此狐乃真理學也，世有口談理學而身作巧宧者，其愧狐遠矣」。卷廿一，神仙不解考據條，則言有仙降乩，有言考據者某君據《新唐書・地理志》詰其墓志，神窘避去，遂不復降。卷八又有見曹操稱晚生條，云某人夢見曹操，曹操說：「先有草書，後有楷書。所以召汝者，正謂將此義告知，以便轉語世人也」。這些故事，我也均認為是寓言。嘲世之好講道學者，說講考據的人連鬼都怕，並藉死曹瞞來表達自己對草楷先後的看法。❼

在這些故事中，徵實乃是寫作上的一種技巧、策略。這樣的寫作策略，不會只用在這幾則故事中，必然彌漫全書。換言之，故事看來是真，事件可不見得真。此等狡獪，不懂文學的人可能要為之怪詫，可是在文學中實乃稀鬆平常之事。李商隱詩：「楚雨含情皆有託」，巫山雲雨，登徒子好色，或屬寓言，羌無實蹟。即如李商隱自己的錦瑟無題，李氏自己說：「叢臺妙伎，南國妖姬，事雖有涉於篇什，身實不接於風流」，講的就是這個道理。紀昀書卷九，記蔣心餘講了一個人半夜遇鬼的故事，紀昀去查證，「問其鄉人，曰：『實有其人，亦實有其事，然僅旁皇竟夜，一無所見耳，其語則心餘所點綴也』。心餘性好詼諧，理或然也」。似乎也表明了：那些故事也可能只是文人講來好玩的。

---

❼ 袁枚、紀昀兩人的策略又不盡相同。袁枚可能是自作寓言，紀昀則往往先傳述一則故事，然後自己跳出來說：這也許是寓言喔！或者說：這應該是寓言；不過，某某人向我打包票，說絕對是真的。或云某公從不騙人，所以我也不好斷定。

三

事件或真或假，事實上也不太要緊，重要的是當時人大抵皆視其為真。撇開那些寄寓假託不談，袁枚紀昀書中記載了不少名公巨卿的事跡。這一部分，因時人之門生故吏眾多，杜撰情節的可能性較小，故更能見風氣。

其風氣便是既講經史考據，又好談狐說鬼，端嚴與恢詭，雜然並存。例如江永是大考據家，戴震的老師，而好奇嗜怪：

> 能制奇器。取豬尿脬置黃豆，以氣吹滿，而縛其口，豆浮正中。益信「地如雞子黃」之說。有願為弟子者，便令先對此脬坐視七日，不厭不倦，方可教也。家中耕田，悉用木牛。行城外，騎一木驢，不食不鳴。人以為妖，笑曰：「此武侯成法，不過中用機關耳，非妖也」。置一竹筒，中用玻璃為蓋，有鑰開之。開則向筒說數千言，言畢即閉。傳千里內，人開筒側聽，其音宛在，如面談也。過千里，則音漸漸散不全。忽一日自投於水，鄉人驚救之，半溺而起，大恨曰：吾今而知數之難逃也……。此其弟子戴震為余言。（卷十三，江秀才寄話）

地如雞子黃，是古之「渾天說」，江永信此說，而取驗於豬尿脬，已令人啼笑皆非。收學生，還要命他們如王陽明格竹子一般去瞪著豬尿脬看七天，更是古怪，看來比格竹子還要荒唐。不知戴震格過

此豬尿脬否。❽

但此公頗有技術天才，所做木牛流馬，似有成效。千里寄話器，彷彿也不比現在的錄音帶遜色。這種寄話器，應是確曾製出，且也不只江永曾經製成。續集記載程嘉蔭由羽士處獲習《奇器錄》一本，能為木牛，「又能造寄語筒，筒間寸許，有閘隔之，內有機閉氣。人向筒語，畢則閘之。閘有次第，若亂開，則不成句矣。據程云：此法可貯百日，過百日則機微氣散」（續，卷五，程嘉蔭）。程氏之所為，與江永頗為相似，但製法略有不同，我推測江永之製法也是由道流羽士處得來。

當時儒者，考經研史，而與道流相親近者，為例不尠，程嘉蔭而外，惠棟注解《太上感應篇》、仇兆鰲注解《參同契》，均甚著名，江永殆亦如此。而且不管其是否果然如是，江永之好奇多怪，乃是極明顯的。千里寄語器和木牛流馬，在此亦皆不是科學，而是道術。

江永不是僅有的例子，毛西河也差不多。此公性氣之奇，輒見於諸家筆記，袁枚也錄了一事，謂浙人方文木浮海至毗騫國，見大頭王。王說天地開闢以後，十二萬年便有一盤古，世界就重來一遍。可是每次重開世界以後，仍照著第一次的情況，只是重演一次，依樣奉行，絲毫不許變動，故「世人終日忙忙急急，正如木偶傀儡，暗中有為之牽絲者。成敗巧拙，久已前定，人自不知耳」。歸來，以此語毛西河，毛氏說：「人但知萬事前定，而不知所以前

---

❽ 戴震出於江永這樣人的門下，不能不受濡染。當時說鬼談狐，戴震正是熱心的參與者，紀氏書載其事六七則。有些故事，紀昀就是由他那兒聽來的。

定之故，今得是說，方始豁然」（卷六，奉行初次盤古成案）。這是徹底的定命論，妄謬殊甚。我就不知其何以「豁然」，依我看是問題多多的，而毛西河竟深信之，且信人被風吹至毗騫國之事。非素性好奇，故人以此投之乎？

文字學家桂馥也是個好奇的人，卷二十鼠膽兩頭條言：「桂未谷廣文，精篆隸之學，藏碑板文字甚多。某夜被鼠咬破，心惡之，設法擒鼠。以為鼠膽汁可以治聾，乃生剝之。果得一膽，如鼉大，兩處有頭，蠕蠕行動。鼠死半日，膽尚活也」。此事之奇，不在鼠膽奇怪，而在於他會想到用鼠膽以治耳聾，而且去生剝老鼠。今之治文字學者，大抵就不會想到去幹這種事。

當時漢學復興，與四庫開館有密切的關係。建議乾隆開四庫館的是朱筠。朱筠就相信自己是武夷君臨凡。續集卷一武夷君條云：朱氏「督學安徽，夢上帝召復武夷君位。先生以文集未成泣辭，帝許之。醒而述其事於貴池令林夢鯉。聞者共異之，後視學閩中，謁武夷君廟。廟內設施位置，與夢中一一吻合，心益異焉。任滿復命，無疾而終」。

時之學人，則頗見怪。如費密，卷十一奇鬼眼生背上條，云其與楊展將軍去四川時，某夜與楊及其副將住一樓上，夜遇怪，背有一眼放光。

方苞。卷一胡求為鬼球條，載方氏在武英殿修書時，其僕胡求夜被鬼抬到後院，東邊一神，紅袍烏紗，把他踢得滾到西邊。西邊一神也一樣，又把他踢到東邊。

厲鶚。卷十五鶴靜先生條，則謂：「厲樊榭未第時，與周穆門諸人好請乩仙」。

趙翼也是喜歡扶乩的，續集卷四乩仙靈蠢不同或倩人捉刀條云：「趙雲松在京師，煩鄉人王殿邦孝廉請仙」即是一例。

蔣士銓更奇。未中進士前，夢入陰司，說是某冥官已奏明玉帝，以蔣為代。醒而大驚。友人教他禮拜北斗，並誦大悲咒，終於得免。見卷九蔣太史條。後來蔣修《南昌府志》，夜夢一段將軍來拜，說其頭不應該白白被砍。乃為查考其事，補入〈忠義傳〉內。見卷十二吾頭豈白斫者條。又，蔣在蕺山書院教書時，扶乩，關帝下降，告訴他七月間山陰有大災，教他避劫，屆時果然飛沙走石，兩龍鬥於空中，牆傾樹倒，居民死者萬人。見卷二十，山陰風災條。

這些時人好異尚奇，乃至扶乩、禮斗、符咒、見怪、信鬼、講定命的記載，恰好讓我們看清了乾嘉考據學風流行的那個時代到底是個什麼樣。《閱微草堂筆記》卷十四說：「己卯典試山西時，陶序東以樂平令充考官。卷未入時，共閒話仙鬼事」，逮著了一丁點兒閒暇，就要說鬼，這不就是那個時代的特徵嗎？我們不能說他們治經史考證，有理性精神，敢於疑古，具實事求是之態度是假的。但起碼這些均是與他們同時也相信鬼狐仙怪是併存的。一方面端嚴正經地講經學，談聖賢大道理，一方面也同時奉佛老、談因果、講鬼狐、說異聞。

必須是要在這樣環境中，像《閱微草堂筆記》《新齊諧》這樣的書才能堂堂皇皇的寫作，完全不忤時會。稍早的《聊齋》，之所以流行於此一時代，亦拜此風氣之賜，其他時代便不易有此大規模談狐說鬼之現象。縱或有之，例如在洪邁寫《夷堅志》的南宋，講鬼怪故事的人和講聖賢學問的學者卻是分裂的兩個群體，不像乾嘉時期，完全浹合為一。

我舊有〈鬼趣圖之外：小論羅兩峰〉一文，考羅聘與翁方綱的交誼。謂羅聘在京，係以翁方綱為其交遊中心，翁氏盛稱羅氏「以詩文翰墨馳騁藝苑者四十年」，而實際上因翁的關係，羅和中朝名士頗多交往，其中亦不乏經學家，故為畢沅作〈豳風圖卷〉、摹鄭玄像，為孫星衍作〈蒼史造字圖〉〈伏生授經圖〉，為桂馥作〈說文統系之圖〉等等。❾像羅聘這樣的畫家，當然並不少，但羅聘的特別處，在於他能視鬼，所作且以鬼趣圖為最著名。他在京師，日與人畫鬼、說鬼，並自謂見鬼，而竟能博得這些人的喜愛與敬重，一時風氣如何，即不難想見。

袁枚也提到過羅聘能見鬼的事，見卷十四鬼怕冷談、鬼避人如人避烟諸條。紀昀則說：「胡中丞泰初、羅山人兩峯，皆能視鬼。恆閣學蘭臺亦能見之，但不能常見耳」（卷十九），可見那時不少人是能活見鬼的。❿

四

在一個講經學而其實頗雜於鬼怪奇談的時代，其思想也必是混雜的。儒家固然是主流、正論述，但與鬼狐相關的佛道思想勢必間雜於其中。

---

❾ 文章收入《龔鵬程 2002 年學思年報》，佛光人文社會學院。

❿ 卷二又說羅兩峯能見鬼，但他所畫的鬼趣圖，我認為並非真鬼，乃其以意造構。然而，據某公說真見過類似他所畫那樣的鬼。文章跌宕取勢，用的正是注❼所說的筆法。

這類例子，經學家不用再舉，前文已說過惠棟、仇兆鼇、江永等人的情況，故亦無庸再予論證。袁枚則比他們更有趣，因為像惠棟那樣，既已注解且刊刻了《太上感應篇》來傳世，其思想當然也就十分明白，根本不消討論。袁枚卻不然。他與紀昀一樣，是少數無佛道信仰的士人，不拜神也不供佛。

我在〈憐花意識：文人才子的心態與詩學〉一文中曾說過：袁枚是極少數不談方外詩家的人。⓫在《新齊諧》中，袁枚也一貫地對僧尼缺乏敬意，卷九〈裹足作俑〉報條甚至還說：「世間之有娼優，猶世間之有僧尼也。僧尼欺人以求食，娼妓乃媚人以求食，皆非先王法」，竟把僧尼與娼優並列。其家姬妾本來曾拜觀音，後來他早上要熱水洗臉，姬人還在拜拜，他一怒之下就把觀音給扔了，且用腳去踩。姬人才說昨夜曾夢觀音來作別，說今有小劫，故已離去。他不但不信，更以為：「佛法全空，焉得作如此狡獪，必有鬼物憑焉」，乃竟不許家人再拜佛，見卷十九觀音作劇條。由此看來，袁枚不唯不敬僧尼，亦不敬菩薩。據卷廿四蔣靜存條，他與蔣談話，還「輒痛詆佛法，而深惡和尚」。

可是，這樣的袁枚，在整本《新齊諧》中卻顯示著濃厚的通俗佛教思想，相信有鬼神、相信因果、相信輪迴、相信《心經》〈大悲咒〉具有辟邪除妖的神奇力量。續集卷三心經誅狐條，甚至說狐怪們不怕《周易》卻怕《心經》，似乎佛經更勝儒典。續集卷二牟尼泥條又說一諸生死後，冥司覺得他「既是儒家弟子，送孔聖人裁奪」，結果鬼卒將他押往孔子處，孔子只說：「生死隸東岳，功名

⓫ 收入《中國文人階層史論》，2002，佛光人文社會學院。

隸文昌，我不與焉」，竟推卸得乾淨。幸而途逢觀音，才能獲救還陽。這也是儒家不如佛教的例子。

信因果、信輪迴、信觀音救苦、信《金剛經》《心經》具降妖法力外，袁枚也相信道術，信世俗所奉關公、溫將軍、城隍等神。書中記關帝等神蹟甚多，不具載，只說他的道術信仰部分。

袁枚是相信張天師的。與紀曉嵐一樣，書中記天師事數十條則，均無貶詞，對其術法或天師所代表的江西天師府，看得出是頗存敬意。袁書還有幾處記出身於天師府的婁真人，其術亦甚神。不過，道士行走江湖，有不少是騙人的，書中也對此不乏揭發。如卷二煉丹道士條、卷三道士取葫蘆條、卷八道士作祟自斃條、卷十張大帝條、卷十五白蓮教條……等皆是。在講這些或正或邪的道法時，該書的描述，在道術研究上其實頗具價值，有著一般道術典籍所不載的資料，底下我摘錄一部分：

> 設壇作法，布八卦陣於四方，中置小瓶，以五色紙剪成女衣十數件，置瓶側。道士披髮持咒。……少頃，鬼果取衣。……衣化為網，重重包裹，始寬後緊，遂不能出其陣中。道士書符作咒，以法水一杯當頭打去，水潑而杯不破。鬼在東，杯擊之於東。鬼在西，杯擊之於西。杯碎，而鬼頭亦裂矣。隨即擒納瓶內，封以法印五色紙，埋桃樹下。（卷一，鬼著衣受網）

> 書房挂呂純陽像，道士指笑曰：「此吾師兄也，偷我葫蘆，久不見還，故我來索債」。言畢，伸手向畫上作取狀。呂仙

亦笑，以葫蘆擲還之。主人視畫上，果無葫蘆矣。（卷三，道士葫蘆）

雲貴妖符邪術最盛。……家奴張姓騎馬上，忽大呼墜馬，左腿失矣。……老人解荷包，出一腿，小若蛤蟆，呵氣持咒，向張擲之，兩足如初。……有惡棍某，案如山積，官府杖殺，投尸於河。三日還魂。……請王命斬之，身首異處。三日後又活，身首交合，頸邊隱隱然紅線一條，作惡如初。後毆其母，母來控官，手一罈曰：「此逆子藏魂罈也。逆子自知罪大惡極，故居家先將魂提出，煉藏罈內。官府所刑殺者，其血肉之軀，非其魂也」。（卷五，藏魂罈）

山東有施道士者，善祈晴雨。……登壇，呼一童子至前，令其伸手，畫三符於掌中，囑曰：「至某處田中，見白衣婦人便擲此符。彼必追汝，汝以次符擲之。彼再追，汝以第三符擲之。速歸上壇避匿可也」。……童擲三符，忽霹靂一聲，婦人褻衣全解，赤身狂追。童急趨至壇，而婦人亦至。道人敲令牌喝曰：「雨！雨！雨！」婦人仰臥壇下，雲氣自其陰中出，彌漫天際，雨五日不止。（卷七，孛星女身）

呂道人，……或十餘日不食，或一日食五百雞子。吹氣人身，如火炙痛。或戲以生餅覆其背，須臾焦熟可食矣。……徐文穆公第六子虛陽不閉，呂……令閉目臥地袒胸，手一鐵針，長尺餘，直刺其心。拔之，血隨針出，如一條紅線。取口唾拭其創處，……是夕病痊。王太守孟亭患腰痛，求道人。道人曰：「俟天晴日來治」。至期，手撮日光揉之，熱透五臟而愈。問導引之術，不肯言。乃引其僮私問之。曰：「無他異也，每早至曠野，紅日始出，見道人向日作虎跳狀，手招日光納口中，且吸且咽，如是者再」。（卷九，呂道人驅龍）

安溪相公墳在閩之某山，有道士李姓者利其風水。其女病瘵將危，道士……即以刀劃取其指骨，置羊角中，私埋李氏墳旁。自後，李氏門中死一科甲，則道士門中增一科甲。李氏田中減收十斛，則道士田中增收十斛。（卷十，張大帝）

王廷貞術能求雨。……自稱天師。……閉城南門，開城北門，選屬龍者童子八名，待差役，搓繩索五十二丈待用。己乃與童子齋戒三日，登壇持咒。自辰至午，雲果從東起，重疊如鋪綿。王以繩擲空中。似上有持之者，竟不墜落。待繩擲盡，呼八童子曰：「速拉！速拉！」八童子竭力拉之。……已而大雨滂沱。（卷十，繩拉雲）

見客星飛入南斗。……見此災者，一月之內當暴亡。法宜剪髮寸許，東西禹步三匝，便可移禍他人。（卷十三，飛星入南斗）

其人袖出香一枝，燒之於燈，置二婢所，隨向婦寢處喃喃誦咒。婦忽躍起，向其人赤身長跪。其人開囊，出一小刀，剖腹取胎，放小磁罐中，背負而出，婦屍仆於床下。……視其布囊，小兒胎血猶涔涔也。眾大怒，持鍬鋤擊之。其人大笑，了無所傷；乃沃之以糞，始不能動。（卷十五，白蓮教）

問：「修道從何下手？」曰：「汝且靜坐片時，自數其心所思想處」。……教以飲水之法，……必取山中至清之水，徐徐而吞，使喉中喀喀有響，然後甘味乃出。一勺水，可度一晝夜。如是一百二十年，身漸輕清，并水可辟，便服氣御風而行矣。（卷十六，折疊仙）

楊道人者，童顏鶴髮，惟頂門方寸一毛不生。……夜坐僧寺門外，僧招之內宿，決意不可。次早視之，見太陽東升，道人坐牆上吸日光。其頂門上有一小兒，圓滿清秀，亦向日光舞蹈而吞吸之。（卷十六，仙人頂門無髮）

廣西信奉鬼師，有陳、賴二姓，能捉生替死，病家多延之。至則先取杯水覆以紙，倒懸病者床上。翌日來視，其水周時不滴者，云可救。或取雄雞一隻，貫白刃七八寸入雞喉，提向病人身，運氣誦咒。咒畢，雞口不滴血者，亦云可救。拔刃擲地，雞飛如故。……其可救者，設一壇，掛神鬼像數十幅，鬼師作婦人妝，步罡持咒，鑼鼓齊作。至夜，染油紙作燈，至野外呼魂，其聲幽渺。鄰人有熟睡者，魂即應聲來。鬼師遞火與之，接去後，鬼師向病家稱賀，則病者愈，而來

接火之人死矣。解之之術，但夜聞鑼鼓聲，以兩腳踏土上，便無所妨。（卷十七，廣西鬼師）

掘骨暴棺……數十人骨混行拋擲，以致男裝女頭、老接少腳，至今叢殘缺散，鬼如何安？家人請用佛法解禳，將軍曰：「佛無能為，惟道家有全骨法，汝往求之」。於是，葉家人訪有禮斗人施柳南、萬近蓬等。……遂設壇於龍井，作法七日。見西湖神燈赫然，散滿水上，或疊高為塔，或橫排為雁字，或團聚如大車輪，或散作流螢萬點。須臾，斗母下降……命九幽使者盡提殘骨，為汝等補還。……少頃，髑髏數十具皆有白氣縈繞，旋滾成團，其缺處皆圓滿矣。（卷十八，道家有全骨法）

粵東崖州居民，半屬黎人。……黎女有禁魘婆，能禁咒人致死。其術，取所咒之人鬚或髮，或吐餘檳榔，納竹筒中，夜間赤身仰臥山頂，對星月施符誦咒，至七日，某人必死，遍體無傷，而其軟如綿。但能魘黎人，不能害漢人。受其害者，擒之鳴官，必先用長竹筒穿索扣其頸下，曳之而行，否則近其身必為所禁魘矣。（卷廿一，禁魘婆）

粵西有降廟之說。……其法用一碗淨水，寫一井字圈繞之，地上亦寫一井字圈繞之，八仙桌中間亦寫一井字圈繞之，召童子四人，手上各寫一走字圈繞之，將桌面反對碗口之上，四童以指抬桌，其人口念咒云：「天也轉，地也轉，左叫左轉，右叫右轉，太上老君急急如律令，轉。若還不轉，銅叉叉轉，鐵叉叉轉。若再不轉，土地、城隍代轉。」唱畢，桌子便轉，然後請藥方，無不驗者。（卷廿二，降廟）

到某比部家，甫叩門，有獅毛惡犬咆哮而出。……主人……曰：「此木犬也，外覆以獅毛，中設關鍵，遂能吠走」。（卷廿三，木犬能吠）

用朱砂如法書「右戶」、「右夜」四字貼其樓。窗無風自啟，樓上狐扒竄一夜，聲如鐵甲，至曙始息，狐盡逃去。（續，卷二，驅狐四字）

兒偶步牆陰，萬里以兒所生時日禁咒之。兒昏迷瞪視不能語。萬里負至柳林，反接於樹，先剃其髮，纏以彩絲。次穴胸，割心肝及眼舌耳鼻指爪之屬，粉而為丸，納諸匏中。復束紙作人形，以咒劫制，使為奴服役。稍息，舉針刺之，痛不可言。……劉煉師，授以採生法，大概如月所言。……戒萬里終身勿近牛犬肉。（續，卷三，王弼）

陳以逵善討亡術，凡人死有未了之事者，其子孫欲問無由，必須以四金請陳作術。其術，擇六歲以上童子一人與亡人素相識者，命其閉目趺坐，在童子背後書符於其頂，其符內有「果齋寢炁八埃臺戾」八字，其時命家人燒甲馬於門外。書畢，即瞑目睡去。見當方土地背負一包裹，牽馬命騎，同至

冥司尋亡過人，詢悉其生平未了之事畢即蘇。其術尤盛行于杭城。（續，卷四，討亡術）

張天師有通幽法。有不白事，能遣陽魂至夜臺召鬼問話。鬼如何語，即借人口出之，其人不自知也，必愚笨人方可使。（續，卷七，通幽法）

水乩。……其法迥與他異：用水一盂，虛書符訣於上，置案間。有頃，則水面泛起泡沫，結而成字。字已，更泛他字。有未識者，復泛如前。如此數十次，或成詩歌，或隱語對答，無不浹人隱微。（續，卷八，水乩）

隨手取一皮以出，即鼠皮也。其人教以符咒，頂皮步罡，向北斗叩首，誦咒二十四下，向地一滾，身即成鼠。（續，卷十，人化鼠行竊）

學法于茅山，有術能致婦人。用烏龜殼一個，書符於上，夜擁之而臥，少頃即見一輿舁一少婦至。……其婦不言，與交媾，無異生人。天將明乃去。其去時，必反繫其裙以出，未知何故。據言此乃所召之生魂也。（續，卷十，妖術二則）

以上二十餘條所載術法，正邪皆具，也有部分是少數民族的巫術。但就像第十四則說的粵西降廟之法，雖然是少數民族巫術，卻奉了上太上老君的名號，因此可視為廣義的道教。白蓮教之術法或木犬之機械作用，亦均可做如是觀。程嘉蔭故事中不是明確說了木牛諸器之製作，原即本諸道士嗎？

此類驅狐術、全骨法、討亡術、採生法、降廟法、捉生替死法、厭禳法、飲水法、求雨法、奪風水法、吞咽日月法、藏魂法、捉鬼法，皆弗載於道法書中。《道藏》中的經典固然不載，《祝由神咒》《萬法歸宗》之類道書亦未收，所以袁枚在記錄時多半詳細記錄其施法狀況，要不是符咒尚缺，幾乎可做施法科範使用了。我相信他如此做，絕非無意。除了寫作策略上把施法細節講清楚，才能增強聽者閱者對故事的信賴度以外，亦當有記實之心，故不憚煩至此。而這就可以看出袁枚對此類術法或整個道教是抱存著信仰的。⓬

五

對於這樣的混雜，我們該如何看呢？

第一個問題，是理性與宗教性思想間的關係。乾嘉時期的經學考證、文字訓詁，依近代人之理解，乃是一種實證精神、理性態度和（誇張點說）科學方法，可是如上文所述，當時彌漫於士大夫間

⓬ 紀昀對道術也甚熟悉，卷十七批評術士云：「爾之不食，辟穀丸也。爾之前知，桃偶人也。爾之燒丹，房中藥也。爾之點金，縮銀法也。爾之入冥，茉莉根也。爾之召仙，攝靈魂也。爾之返魂，役狐魅也。爾之搬運，五鬼術也。爾之辟兵，鐵布衫也。爾之飛躍，鹿盧蹻也。名曰道流，皆妖人耳」。可見他深知術士技倆。卷十七又言：「余在書局，銷毀妖書，見《萬法歸宗》」，其知識大抵即由此來。

的，其實是談狐說鬼、講因果報應的混雜型世俗信仰型態。士大夫不僅好奇尚異，甚且常用徵實的方法來論證鬼神實有、報應不虛。講起術法，亦頭頭是道，尤熱衷於扶乩，這看起來是雜然並存的矛與盾，顯得十分不協調。

但不協調也許是我們現代人才有的感覺。現代思想之一大特徵就是對科學理性的強調，認為現代社會即是理性精神萌發，「解除世界魔咒」，破除了世人對宗教的迷信才出現的。啟蒙運動、政教分離、宗教時代結束之後，乃有現代社會。故科學世界觀與宗教世界觀在根本上是不相容的。⓭由於有了這樣的觀念，所以才會覺得乾嘉時人怪。

可是理性與宗教併存也許才是常態。古希臘時期蘇格拉底、柏拉圖、亞里士多德的時代，談邏輯、說理性，而同時也信仰著他們的神。中世紀歐洲神學，以柏拉圖的「理念」、亞里士多德的「第一因」去論證上帝存在，更是以理性詮釋著信仰。理性不但服務於宗教目的，理性本身也在神的指引之下才能運作，故人的理性之上更有神的啟示理性（revealed reason）。到康德，則區分實踐理性與純粹理性，在實踐理性領域，上帝存在亦仍是道德實踐的保證。凡此

⓭ 據 Rodney Stark 與 Roger Finke《信仰的法則》一書說它包括五個方面，一、是認為現代化即是個把神靈趕出歷史舞臺的過程；二、是強調宗教不只對個人信仰不再有魅惑力，其世俗權力也急遽下降；三、現代化過程中，工業化、城市化都對宗教有重大影響，但科學尤其具致命殺傷力，科學越發達，宗教就越衰弱；四、世俗化現代化是不可逆的過程，一旦獲得就不會回頭，取得了宗教的免疫力；五、現代化情境不僅適用於歐洲，也會令全世界超自然信仰滅絕。

等等，均顯示了理性與信仰並存或交互為用的非現代景觀。

即便在現代社會，脫離了現代主義意識型態，真正存在著的現當代社會，情況也是如此。注十三所引《信仰的法則：解釋宗教學之人的方面》列舉了一些調查數據，證明：越是在被認為科學性強的學科中，如數學、統計、物理、生命科學之學者專家，宗教信仰與宗教態度越強。越是「科學性」少或可疑的學科，其學者專家越不信宗教。而社會民眾呢？且不說該書提及的伊斯蘭教、東正教在目前政治經濟社會發展中舉足輕重之地位，環顧大陸、港、臺、新加坡，誰看不到社會越現代，寺廟的香火就越鼎盛，風水、命相、靈異之說就越盛？

因此，一個具實證主義科學精神的乾嘉，乃是由現代意識製造出來的。還原到當時人真實的生活世界中去，恐非全貌，就算有，也只是半面金剛。它另一面，乃是談狐說鬼的。要把兩者拼合且予以有機地、動態地看，才可以了解那個時代。

第二個問題，是談狐說鬼的倫理意涵。如前所述，許多時代都是理性與宗教併存的，可是時代不同，其併存之意義也就不同。蘇格拉底認為「神諭要他借詢問別人來考察自己」，他感受到了神的召喚，要他在人間履行神聖的職責。在他看來，通過積累知識來實現美德乃是一種發自人性內部的宗教要求。[14]清朝紀昀袁枚這些人自然不會如此認為。那麼，他們講鬼狐、說陰騭、談果報、述奇迹，所為何來？

陳來在〈蒙學與世俗儒家倫理〉一文中，考察了清代〈弟子

---

[14] 見單純《宗教哲學》，2003，中國社會科學出版社，第二章第一節。

規〉〈增廣昔時賢文〉等書，發現它們整體上呈現為一種世俗儒家倫理（vulgar Confucianism）。那裡既有對子弟要求其克制、節約、勤勉、惜時、孝悌之類勸戒，亦瀰漫了勸善的言論。而教人行善的特徵，就是把它跟報應聯繫起來。同時，命定思想也極普遍，如「命裡有時終須有，命裡無時莫強求。萬事不由人計較，一身都是命安排」（增廣昔時賢文）「百年還在命，半點不由人」（名賢集）「壽夭無非命，窮通各有時」（神童詩）。好人好報及命定，則又往往表現在功利與成就上。他認為這種世俗儒家倫理，乃明代後期儒學發展使然（1995，國學研究，第三卷，北大出版社。收入《中國近世思想史研究》，2003，商務）。

世俗化的儒家，由來已久，漢代王充已是如此。談定命、論窮通，以功利成就為命運好惡之徵，但那時還沒有佛教思想。唐代各種啟蒙書便開始以果報來聯繫窮通善惡了。宋代的《三字經》《陰騭文》《太上感應篇》，更是以果報勸善，以定命勸世，以富貴壽考聳異人。整個世俗化儒家的教化系統及型態，大抵即定於此時。明清之善書、蒙書，在細節及技術上略有變化，例如明末的「功過格」，但思想並未超越或突破此一格局。因此世俗化的儒家倫理，未必係因明代後期儒學發展而然。可是由明清間廣泛流行的這些世俗儒家倫理著作，恰好可以讓我們體會到袁枚《新齊諧》、紀昀《閱微草堂筆記》一類書的寫作語境。

就像惠棟以經學大師身分去注解《太上感應篇》，他的發言位置及自我意識，此時並不是精英式的知識份子，而是與一般老百姓一樣，和光同塵，擁有共同的倫理態度。袁枚紀曉嵐在書中大談鬼神狐怪、因果報應，道理也是如此。

不過，袁氏紀氏較有趣之處在於：一、把過去那些勸戒性的倫理說詞全部改造為故事，用故事呈現因果報應、富貴命定等思想，只在文章某些部分才會跳出來發議論，正面說理。這當然不是創舉，自劉義慶《幽明錄》以來就有無數例證。但結合第三點，意義就會顯得特殊。

第三點是什麼呢？就是前文說過的，他們書中所記載的，固然也不乏市井人士，然而主要是縉紳士大夫與官僚。於是該書所顯示的意義就是：當時精英士大夫階層非但與市民共同擁有一個倫理世界，他們甚且更是這套倫理觀的主要推動者，自覺地擔負著推廣它的責任。因而士大夫既信之，又傳述之，型態上很像是傳教士，所寫的那些書遂都像是善書，自以為可發揮「教化」之功。

這套倫理觀，在哲學上十分混亂，儒道佛混雜；也不深刻，如定命觀之類，多經不起哲學理論之推敲。而且勸善懲惡，託迹於鬼神，竟是神道設教而卻把自己給先哄住了，使得一時之間士大夫扶乩說鬼、好奇尚異，大成風氣。然而亦正因為是如此，它才是真正世俗的。士大夫與世俗社會人沒什麼「大傳統」「小傳統」之分，同享一個傳統。

由這個事實看，我們就越來越會覺得：經學考據，只是這些士大夫做為知識人的一種專業知識，與詩人談詩之格律、詞人考詞之調譜、玩古董的人考金石碑帖相似。

但凡是專業知識，都只是一偏的技藝，且輒與身心價值取向無甚關係。當時士大夫在整體生活及倫理價值上，又不可能歸向宋明

理學，於是趨於世俗儒家倫理，便成了十分自然的事。⓯

可是，第四個問題，可是世俗儒家倫理，自來卻已與文學形成為一種特殊的關係。文人志怪，淵源甚古，志怪而雜以幽明之理、果報之談，更是在南北朝唐宋間就已蔚為傳統。後世有志宣揚鬼神果報思想者，亦皆假途於筆記志怪，包括《陰騭文》《感應篇》均是如此。世俗儒家倫理，所存在的載體，就是這些因果報應、鬼神福佑故事，及勸戒歌謠、格言雋語等等，而不再是經書、注疏、古文、講章、語錄那些東西。民間有時也會把這些故事另行敷衍成小說，或拼合歌謠格言，配上音樂，編成戲曲，又或製為寶卷、彈詞。總之，民眾是由享用文學中去獲得倫理教化的。

在此特殊情境下，鬼狐仙怪便都有個基本特徵，那就是具有文學性。這是它絕異於現代或西方之處。試看康雍乾嘉諸朝這些談狐說鬼的記錄，無論是王漁洋、蒲松齡、紀曉嵐、袁枚所述，鬼狐大都是會作詩的，某些還擅長論詩，見解不俗。乩仙降乩也要作詩。夢中至某處，該處必常有詩歌或對聯；逢某仙，某仙亦輒能唱和。占命卜運，天機多藏在詩裡。短壽而去，又往往是奉召上天作文章。這並不是由於古代的鬼比較風雅，或是因為這些作者均是文學家，故其敘事如此，實乃一敘事傳統使然。當時龔煒《巢林筆談》曾譏漁洋「輕信不稽，隨手撰記」徐某病死見一白衣少婦（續編，卷下），而自己卻一樣也講乩詩、說鬼神、論陰報。此即足以覘知

⓯ 由歷史上看，康雍乾嘉士大夫這種服膺世俗倫理且自任教化推動者角色的情況，乃是繼宋明理學之後，最大的特點。道光咸同以後，大規模「善堂」出現。明代即已廣泛存在的民間宗教勸善體系，至此乃與士大夫合流，形成善堂善社運動，影響至今。其間轉換之機，當於此處尋之。

這種敘事傳統的力量。[16]

也就是說，在乾嘉考據似乎披靡一世之際，經學考據其實只是一部分士大夫的專門技藝，殊不足以見其整體人格與精神狀態。當時的整個士大夫階層，實與老百姓共享著一套世俗倫理。這一套倫理內涵，是以儒家為基底的三教混合型態，可是表現方式卻常是文學的。文人志怪以言果報，即其中最主要的一支。因此，這些文人所描繪的具文學性之鬼狐仙怪世界，遂也是包括經學家在內的士大夫每日的優遊藏息之處了。然，此非僅知乾嘉經學考據者所能知也。

---

[16] 中國鬼的文學性，詳龔鵬程〈若有人兮山之阿〉，2000，8 月號《聯合文學》，收入《知識與愛情》，2000 年，聯文出版社。

國家圖書館出版品預行編目資料

六經皆文：經學史/文學史

龔鵬程著. – 初版. – 臺北市：臺灣學生，2008[民 97]
面；公分

ISBN 978-957-15-1378-2(精裝)
ISBN 978-957-15-1377-5(平裝)

1. 經學史 2. 中國文學史

090.9 96019402

六經皆文：經學史/文學史（全一冊）

著作者：龔鵬程
出版者：臺灣學生書局有限公司
發行人：盧保宏
發行所：臺灣學生書局有限公司
臺北市和平東路一段一九八號
郵政劃撥帳號：00024668
電話：(02)23634156
傳眞：(02)23636334
E-mail：student.book@msa.hinet.net
http：//www.studentbooks.com.tw
本書局登記證字號：行政院新聞局局版北市業字第玖捌壹號
印刷所：長欣印刷企業社
中和市永和路三六三巷四二號
電話：(02)22268853

定價：精裝新臺幣五八〇元
平裝新臺幣四八〇元

西元二〇〇八年十二月初版

09017

ISBN 978-957-15-1378-2(精裝)
ISBN 978-957-15-1377-5(平裝)